BÁRBARA MORAIS
TRILOGIA ANÔMALOS VOLUME 3
A RETOMADA DA UNIÃO

1ª edição
1ª reimpressão

Copyright © 2015 Bárbara Morais
Copyright © 2015 Editora Gutenberg

Todos os direitos reservados pela Editora Gutenberg. Nenhuma parte desta publicação poderá ser reproduzida, seja por meios mecânicos, eletrônicos ou em cópia reprográfica, sem a autorização prévia da Editora.

EDITORA RESPONSÁVEL
Silvia Tocci Masini

ASSISTENTES EDITORIAIS
Carol Christo
Felipe Castilho

REVISÃO
Monique D'Orazio

CAPA
Diogo Droschi

DIAGRAMAÇÃO
Christiane Morais
Andresa Vidal

Dados Internacionais de Catalogação na Publicação (CIP)
Câmara Brasileira do Livro, SP, Brasil

Morais, Bárbara
  A retomada da união / Bárbara Morais. -- 1. ed. ;
1. reimp. -- Belo Horizonte : Editora Gutenberg, 2015.
(Trilogia Anômalos ; v. 3)

  ISBN 978-85-8235-313-4

  1. Ficção brasileira I. Título. II. Série.

15-06405   CDD-869.3

Índices para catálogo sistemático:
1. Ficção : Literatura brasileira 869.3

A **GUTENBERG** É UMA EDITORA DO **GRUPO AUTÊNTICA**

São Paulo
Av. Paulista, 2.073,
Conjunto Nacional, Horsa I
23º andar . Conj. 2301 .
Cerqueira César . 01311-940
São Paulo . SP
Tel.: (55 11) 3034 4468

Belo Horizonte
Rua Carlos Turner, 420
Silveira . 31140-520
Belo Horizonte . MG
Tel.: (55 31) 3465 4500

Rio de Janeiro
Rua Debret, 23, sala 401
Centro . 20030-080
Rio de Janeiro . RJ
Tel.: (55 21) 3179 1975

Televendas: 0800 283 13 22
www.editoragutenberg.com.br

Se você não pode voar, então corra.
Se não pode correr, então caminhe.
Se não pode caminhar, então engatinhe.
Mas não importa o que faça, continue se movendo.

Martin Luther King

Agradecimentos

Eu vivo dizendo que o mais difícil é começar algo, mas finais também podem ser complicados. É com uma mistura estranha de alívio, sensação de dever cumprido e saudades que escrevo estes últimos agradecimentos para a Trilogia Anômalos. E é bom ver que a lista de pessoas a quem agradecer fica cada vez maior.

O mais justo é começar com você, leitor, que acompanhou a jornada da Sybil até aqui e está ansioso para saber o desfecho. Este livro não estaria em suas mãos se não fosse por você! Não existem palavras para expressar o quanto sou grata por todo o carinho e apoio que recebi desde o lançamento de *A ilha dos dissidentes* e como fico feliz que você tenha recebido esta história de braços abertos.

Depois, se não fosse pelos meus pais e pela minha irmã, com a compreensão que tiveram e a preocupação em me manterem viva e saudável durante a escrita deste livro, provavelmente eu ainda estaria escrevendo, deletando e reescrevendo o primeiro capítulo! Muito obrigada por todo o apoio e suporte. E, para o resto da família, é sempre maravilhoso ver a empolgação de vocês. Muito obrigada por tudo.

As meninas do "Ene e Afins" também merecem um obrigada imenso por entenderem muito bem meu sumiço enquanto eu arquitetava como iria dar fim a alguns personagens no fim do livro. Muito obrigada por todo carinho e compreensão durante esse processo! Também sou muito grata à Carol, à Nath, à Val e ao Felipe por, apesar de estarmos distantes, ainda provocarem gargalhadas nas melhores horas.

À Gui Liaga, minha agente literária e BFF, que merece um parágrafo só dela, por responder às minhas mil perguntas, por fazer os melhores comentários e por ser onipresente. Muito obrigada por todos os links do Buzzfeed e por me acalmar nos momentos de pânico, que gosto de chamar apenas de "DE ONDE EU TIREI ESSA IDEIA LOUCA DE SER ESCRITORA?!".

E aí vem a lista imensa de pessoas que me ajudaram: à Taissa Reis e ao Lucas Rocha, mais uma vez compartilhando horários de trabalho e planilhas de organização; à Fernanda Nia, à Iris Figueiredo, à Pam Gonçalves, à Babi Dewet, ao Vitor Castrillo, à Mary Mueller, ao Jim Anotsu, à Carol Christo e ao Diego Matioli, muito obrigada pelas conversas, pelas dicas e pelo apoio durante todo esse período.

Ao Kirk, obrigada pela sugestão genial de anomalia que acabou sendo a mais importante da história.

À Dayse Dantas, apenas um lembrete: vá escrever!

À Victoria Lôbo, que provavelmente é tão empolgada com esta história quanto eu, muito obrigada por todo o seu esforço e seu carinho, querida!

E, a todos da Editora Gutenberg, toda a gratidão do mundo. Muito obrigada pela atenção e entusiasmo com esta trilogia. É um prazer trabalhar com uma equipe tão focada e jovial! Vocês são a melhor casa que a Sybil poderia ter.

E obrigada a todos os envolvidos com o mundo literário, aos blogueiros, YouTubers, escritores, livreiros, enfim, todos que ajudaram (e ajudam!) a divulgar a história e que indicam meus livros. Vocês são demais, viu?

Capítulo 1

Se há uma vantagem em acharem que você está morta é que fica muito, muito mais fácil descobrir segredos e intrigas. As desvantagens são óbvias: você não pode voltar para casa; não pode falar com ninguém que não esteja envolvido no plano mirabolante das pessoas que salvaram você; e acaba escondida no meio de uma multidão, observando seu próprio funeral, incapaz de impedir quem você ama de se machucar com a ideia da sua perda.

Para uma pessoa que detecta mentiras e odeia falsidade, Hassam tem uma quantidade muito grande de segredos. Enquanto observo as pessoas se acotovelarem no hall da prefeitura, de frente para um caixão onde está escrito ALMIRANTE ALEXANDER KLAUS, me lembro da primeira vez que vi Hassam, quando o conheci, assim que voltamos da missão na ilha dos dissidentes. A conversa que tivemos foi estranha, mas o que ele disse sobre Klaus ficou gravado na minha memória: um homem que nunca mente e que sempre cumpre suas promessas. Claro que na época eu não havia feito a ligação, porque nem conhecia o Almirante, mas os dias desde a explosão me fizeram refletir e, ao buscar por pistas, ficou muito óbvio de quem ele falava. Não que eu concorde. Ao que me consta, Klaus era o maior mentiroso de todos nós. Hassam diria que há uma diferença entre omissão e mentira, mas para mim é a mesma coisa. Omitir que estou viva não torna as coisas melhores. Ainda estou enganando minha família, deixando-os pensar que estou morta.

Entro na procissão que circula a fileira de caixões. Há tantos que a maior parte do térreo da prefeitura está tomada por eles. Caminho devagar entre as pilhas crescentes de flores, bichos de pelúcia e velas aglomerados na frente dos mais ilustres; e quando paro na frente do caixão onde se lê SYBIL VARUNA, meu estômago faz uma acrobacia biologicamente impossível. Me sinto vazia, uma impostora, por deixar que todo mundo acredite que a pessoa dentro desse caixão sou eu. Ao mesmo tempo, é impossível não me imaginar ali, deitada, pálida e sem as batidas incessantes do coração soando nos meus ouvidos. Quantas vezes, nos últimos meses, isso poderia ter realmente acontecido? Eu sempre estou um passo à frente da morte, salva no último minuto por um conjunto de coincidências. Se eu escorregar ou parar de correr, teremos outro funeral em breve, dessa vez de verdade. Minha nossa, eu realmente estaria ali se não fosse por Hassam, e pensar nisso me faz querer gritar e acabar com toda essa encenação.

Hassam me encontra antes que eu surte de vez e me tira da fila com a mão firme em minhas costas.

– Lembre-se de que seu objetivo é proteger você e sua família – ele sussurra em um tom calmo, e eu assinto, com meus olhos voltados para o chão, enquanto navegamos pelo meio da multidão.

Do lado de fora, avisto de longe Gunnar, o garoto que havia se juntado a nós nos túneis alguns dias antes. Suas mãos estão irrequietas quando nos reunimos, e o medo de que alguém me encare e acabe quebrando a ilusão é visível em seus olhos enquanto ajeita o véu que cobre meus cabelos. Não sei como os outros me veem, mas Gunnar havia me garantido que ninguém me reconheceria. Os dois garotos me acompanham como cães de guarda, e paramos no lado oposto do hall, onde os caixões daqueles que não foram identificados estão enfileirados.

Fui a funerais por vezes suficientes para saber que este está quase no fim. O último havia sido o de Ava, quando vi que as coisas aqui não eram tão diferentes de Kali quanto eu imaginava. O ritual é o mesmo: a família vela o corpo na companhia das pessoas mais próximas – o que significa uma multidão, neste caso. Dizem algumas palavras para relembrar só as partes boas de quem partiu, e depois seis pessoas, nem mais nem menos, fazem a longa caminhada até o cemitério, carregando o caixão nas costas, onde finalmente o corpo descansará. Eu nunca aguentava ficar até o final, e nem sequer queria ter vindo neste, mas, se a expressão determinada no rosto de Hassam é algum tipo de indicativo, nós ficaremos até o último momento de agonia.

Faz exatamente quatro dias desde o atentado no comício, então as feridas ainda estão bem abertas. Escuto pessoas chamando o dia de "O Massacre Amarelo", porque o número de anômalos mortos continua crescendo. Durante esse período, fiz algumas descobertas: a energia elétrica havia voltado em Pandora e em outras cidades especiais da União no momento do comício, então todas as pessoas, independentemente de estarem lá ou não, assistiram aos acontecimentos do dia. Bem, não todos. O discurso de Klaus foi interrompido alguns segundos antes dos tiros que o atingiram, como se quem transmitisse soubesse exatamente o momento em que iria acontecer. Minha boca fica seca quando lembro do corpo do Almirante caindo ao chão, com sua camisa branca que estava ficando vermelha por causa do sangue, enquanto Hassam me arrastava para longe do palco.

A interrupção poderia ser uma coincidência, mas os canais de TV fizeram uma longa cobertura do atentado, poucas horas depois do assassinato e da explosão. Fenrir, obviamente, foi a estrela. Um mártir, um sobrevivente. Fenrir com sua expressão *devastada* de tristeza, Fenrir em luto pela morte de sua *adorada* assessora, Fenrir revoltado com a *audácia* dos humanos, Fenrir, Fenrir, Fenrir, Fenrir. Não houve outro rosto que não o dele, numa estratégia cuidadosa para vender a ideia de que ele é o herói que os anômalos precisam. Nosso salvador. Depois, a luz foi cortada novamente, de forma abrupta e conveniente.

Meu esconderijo, a Estação de Emergência, está preparado e equipado com alguns geradores que dão conta do recado por algum tempo. De lá, montamos uma escala para supervisionar as notícias. Eu normalmente fico grudada no rádio, buscando transmissões piratas que deem informações. Evito chegar perto da televisão, pois os únicos canais disponíveis agora são os dos humanos, então sobra para Hassam, Gunnar e Hannah ficarem o dia inteiro monitorando as notícias, uma mais nojenta que a outra. Se Fenrir está numa campanha para ser um herói, o cônsul está empenhado em fazer com que nós, anômalos, pareçamos vilões. A explosão – seus porta-vozes dizem – não teve nenhuma ligação com os humanos e foi obra de organizações anômalas, cujo único objetivo é instaurar o caos e a desordem na nação. Houve um programa vil e nojento, comandado por três homens loiros que esbravejavam ter sido "comprovado" o envolvimento dos anômalos e dos dissidentes no atentado, em uma estratégia para enfraquecer a União e fazer com que o Império finalmente ganhasse a guerra. É absurdo e risível, mas Maritza me disse que entre os humanos muita gente acredita nisso.

Do outro lado do recinto, vejo uma aglomeração de pessoas e identifico o cabelo vermelho de Rubi, sentindo um aperto no peito. Seu semblante está pesado e seus ombros, encurvados, diminuindo sua altura em vários centímetros. Grudado a ela está Tomás, e prendo a respiração quando o vejo soluçar, afundando o rosto no ombro da mãe, desolado. Quero me aproximar e consolá-los, dizer que estou bem, mas controlo meu impulso e olho para a bandeira da União estendida em uma das paredes, para os arcos bonitos que formam o teto da prefeitura, ou para a forma como a luz se decompõe e cria pequenos arco-íris em cima dos caixões.

Em meu esforço para me distrair, percebo Fenrir no púlpito montado no fundo do salão e afundo as unhas no braço de Hassam, arrancando sangue dos meus lábios no esforço para não gritar de raiva ou jogar objetos explosivos contra o homem. Ele segura minha mão com força, em solidariedade. Fenrir parece... feliz. Satisfeito com o que vê. Provavelmente acha que ninguém o observa e traz no rosto seu sorriso predatório característico, como um tubarão que escolhe qual das focas será sua próxima vítima. Está vestido de preto, como a maior parte das outras pessoas, mas há algo em sua postura que faz com que suas roupas pareçam mais comemorativas que de luto. Nunca senti tanta vontade de resolver problemas de forma violenta quanto agora.

– Quero ver como Andrei vai se manter impassível ao lado dele – Hassam comenta num sussurro, numa tentativa de me acalmar, mas ele só me deixa mais tensa.

– Vai ser um desastre – respondo, virando o rosto na direção em que meus amigos e minha família estão reunidos, do outro lado da sala. – Você tem certeza de que os outros... – começo a falar.

– Sybil... – ele responde com um suspiro, cansado. – Se eles tivessem sobrevivido, nós já teríamos notícias a essa altura.

– Mas eu estou bem – insisto pela décima vez. – Eles também podem estar...

– Não se iluda. O plano que tínhamos não dava margens para que eles sobrevivessem. E, do jeito que as coisas aconteceram... – Ele precisa limpar a garganta, mas mesmo assim a voz sai fraca, meio rouca. – É impossível.

– Mas os caixões estão lacrados. Como vamos saber... se realmente tem alguém dentro deles? E se são as pessoas certas?

– Sybil, por favor. – Sua expressão indica que o assunto é muito mais doloroso para ele do que para mim, e deixo de lado, apertando seu braço para confortá-lo.

Várias pessoas se sentam nas cadeiras atrás do púlpito onde Fenrir está, e reconheço praticamente todas. Em um canto, Andrei está de mãos dadas com seu pai, Charles, e com Sofia, e os três estão vestidos de preto. Charles levanta o queixo em desafio quando Fenrir os cumprimenta, numa postura beligerante. Eu sempre tive a impressão de que Andrei parecia mais com a mãe – tanto fisicamente quanto em personalidade –, mas, hoje, pai e filho vestem expressões gêmeas de provocação, e a hostilidade é quase palpável entre os Novak e Fenrir.

Sentados ao lado deles estão Leon e minha família adotiva. Leon também está com uma expressão dura, e seus lábios estão comprimidos em uma linha fina de preocupação. Rubi está abraçada a Tomás, parecendo jovem demais, assustada demais. Dimitri observa a multidão como uma águia, e seus cabelos escuros e lisos estão bagunçados como se tivessem visto um pente pela última vez quinze anos antes. Será que Dimitri está procurando por mim? Será que Andrei conseguiu passar meu recado, de que estou bem e que voltarei em breve para casa?

Fenrir também os cumprimenta e parte para um grupo de pessoas que não conheço, mas que parecem ser a família do Almirante. Há alguns adultos, mas são as quatro crianças que me chamam atenção. São todas meninas, e é quase como se tivessem replicado o meu nariz nelas. A mais velha deve ter no máximo 12 anos e está agarrada a uma senhora idosa que parece ter mais de 100 anos. É estranho saber que todas essas pessoas são meus parentes, mesmo que eu não as conheça. Sinto um arrepio de medo só de pensar que eles podem querer me conhecer se souberem quem sou e que ainda estou viva.

– Senhoras e senhores, boa tarde. – A voz de Fenrir ressoa por todo o hall, grave e pesada, reverberando no meu peito e me tirando do devaneio. No instante em que encaro a família de Klaus, ele retoma seu lugar no púlpito. A multidão se move como uma onda para observá-lo. – Quatro dias antes, estávamos reunidos, cheios de esperança, para conversar sobre os rumos que queremos para os anômalos. Eu e meu adversário na disputa pelo Senado, Almirante Alexander Klaus, estávamos cientes das dificuldades crescentes que enfrentamos nas últimas semanas e decidimos nos unir para tentar fazer algo, iniciar algum tipo de mudança. Assim como vocês, nós queríamos que o evento fosse um marco, um sinal de transformação bem claro para que o cônsul soubesse que nós não abaixaríamos a cabeça dessa vez.

Fenrir faz uma pausa. Ao meu lado, Hassam prende a respiração, e o ódio em seus olhos é evidente. Gunnar continua nervoso, observando o recinto em busca de atividades suspeitas. Maritza, Hassam e Hannah não haviam deixado claro, mas é óbvio que, além de mestre das ilusões, o garoto é algum tipo de guarda-costas, alguém treinado para manter os outros seguros.

– Mas o cônsul parecia ter outros planos para nós: o que era um sinal de esperança, ele transformou em terror. Quem era uma figura de mudança, ele transformou em cadáver. Não contente em tentar assassinar a sangue-frio, na frente de milhares de pessoas, nosso bravo Almirante Alexander Klaus também planejou um atentado, que só pode ser descrito como terrorista, para garantir que sua mensagem fosse enviada: nenhum de nós importa. – Seu tom de voz fica mais alto, ele se inclina no púlpito, e sua sombra distorcida se avoluma na parede, ocupando-a quase toda. – E isso não é o pior, não. Ele tirou de nós nossos irmãos, nossos filhos, nossos pais. Nossas crianças e nossos avós. Foi um dos atos mais covardes que já ocorreram na história da União. Apesar de todas as diferenças, o Almirante Alexander Klaus era meu amigo. E... – Aqui sua voz falha e ele engole em seco, analisando a multidão. Sua expressão é indecifrável quando ele e o pai de Andrei trocam olhares, e Fenrir amassa um papel em uma das mãos, respirando fundo antes de continuar. – E eu perdi minha assessora, meu braço direito, uma pessoa que eu considerava como minha irmã, assim, de graça. Não consigo parar de pensar no que poderia ter acontecido se eu a tivesse levado comigo quando fui buscar seu remédio para dor de cabeça, em como ela estaria conosco hoje, como estaria confortando seu marido e seus filhos. A culpa me consome em alguns momentos, e penso que deveria ter sido eu! Apenas eu! E não todas essas pessoas.

Fico enojada ao perceber como o truque funciona e a atmosfera do funeral parece ser de pena e compaixão por Fenrir. Como se ele fosse capaz de sentir culpa! É ridículo como ele consegue manipular as pessoas com palavras, com um teatro fajuto, cheio de sentimentalismo barato. Olho para Hassam ao meu lado, para ver se ele dá algum indício da mentira que parece óbvia para mim no discurso, e sua expressão é de dor e desgosto. Imagino como deve ser doloroso, acho que até fisicamente, ter sua anomalia e estar no mesmo recinto que Fenrir.

– A melhor mentira, Sybil, é a mais próxima da verdade – ele sussurra para mim.

– Você está me dizendo que Fenrir se sente culpado?

– Não sei. Ele costurou tão bem as mentiras e as verdades que sei que existem as duas no discurso, mas não sei qual é qual.

– Mas tem algo que posso fazer – Fenrir continua depois de mais uma das suas pausas, olhando de forma incisiva para a multidão. – Algo que não é o suficiente para reparar nossa dor e fechar nossas feridas, algo que não conseguirá remediar o que já aconteceu, mas que com certeza prevenirá mais situações como essa. Hoje, em memória de todas as vidas que perdemos, prometo que conquistarei todos os nossos direitos, nem que seja à força. Eu farei todo o possível para que esse sacrifício não seja em vão e que a dor da nossa perda tenha valido a pena. Meus sentimentos estão com todos vocês.

As pessoas parecem tocadas com o discurso, mas a escolha de palavras me incomoda. Sacrifício? Ele se entrega, ali, e todos batem palmas fervorosamente com a promessa de vingança, com a promessa de mais sangue para pagar o sangue supostamente derramado pelos humanos. Isso nunca dá certo e nunca acaba bem.

Hannah se junta a nós no momento em que Fenrir se acomoda em uma das cadeiras. Seu cabelo cacheado está escondido atrás de um lenço preto como o que uso, e ela veste um conjunto de roupas de luto com manga comprida, apesar do calor. Seus olhos verdes me analisam silenciosamente, como se medindo meu nível de nervosismo.

— Nós já podemos ir, Hassam — ela sussurra para o irmão. — O transporte está pronto e a rota é segura.

— Agora não — ele diz, sem tirar os olhos do palco. — Nós precisamos ficar um pouco mais.

— Tem certeza? — Gunnar finalmente fala, olhando para nós.

— Não acho que minha ilusão consiga durar depois que começarem a falar da Sybil, e não é seguro ficarmos aqui muito tempo. Não podemos arriscar.

— Quero ouvir o que eles têm a dizer. Não é a mesma coisa ouvir pelo rádio, não dá para extrair informações do mesmo jeito. Não é só a voz ou o tom como se fala, mas também as expressões, a maneira como a pessoa se porta — Hassam responde, passando a mão pelo cabelo. Sua anomalia é de extrema utilidade para momentos de crise e guerra e, nas mãos erradas, poderia causar estragos terríveis. Sinto alívio por ele estar do nosso lado. Imagina do que Fenrir seria capaz com um poder desse? Quantas chantagens não faria? — Isso é informação importante também. Não podemos deixar nada passar.

— E nós não podemos arriscar... — Hannah aponta para mim. — Ela não está em condições de fazer uma fuga apressada.

— E estou com um pressentimento ruim. Tem pessoas demais aqui, é uma ótima oportunidade para... — Gunnar adiciona, e sua expressão séria forma uma ruga de preocupação na testa. — Só existem três saídas e tem uma fileira de caixões no meio do caminho da maior porta. Para isso aqui virar um inferno, basta um empurrãozinho.

— Esperem lá fora, então. Eu encontro vocês depois.

— Você está maluco se acha que vou deixar você ficar aqui sozinho depois do que Gunnar disse. — Hannah afunda as unhas

no braço do irmão. – Pense em você antes de fazer algo heroico, a gente já viu como isso acaba.
– Hannah. – O tom de Hassam é de aviso, quase um rugido, apesar de falar baixo para não ser ouvido por outras pessoas. – Eu sou seu superior nessa operação e não estou sugerindo que esperem lá fora, estou dando uma ordem direta.
– E eu estou desobedecendo uma ordem direta. – Ela cruza os braços, falando em um sussurro raivoso. – Ou você vai com a gente, ou nós ficamos aqui e comprometemos a operação.

Os dois se encaram por vários instantes enquanto os observo, descrente. Gunnar suspira e balança a cabeça, mas tem um início de sorriso no rosto. Assim como eu, ele também está usando uma das suas ilusões, como ele as chama, e tanto seu cabelo quase branco quanto sua pele morena estão escondidos embaixo de uma pele escura como a de Leon, e um cabelo preto cacheado. Antes de virmos para cá, ele me explicou um pouco mais sobre sua anomalia: a maior parte das pessoas não presta atenção direito nos arredores, então é fácil sugerir imagens para o cérebro sem que ninguém repare. Mas um pouco mais de atenção consegue quebrar a sugestão, principalmente quando se trata de pessoas. De certa forma, não é muito diferente da anomalia de ficar invisível de Sofia. Posso não saber muito sobre Gunnar, mas é óbvio que está inquieto porque tem medo de ser reconhecido.

– Vamos fazer assim: eu levo a garota lá para fora e esperamos vocês dois no ponto de encontro. Quando tudo acabar, vocês nos encontram – Gunnar sugere, apoiando a mão em meu ombro. – O que você acha?

– Acho bom – respondo, olhando para Hassam. – Não quero ficar aqui para ouvir... as pessoas falando sobre...

Não completo a frase porque mencionar meu nome seria atrair atenção para mim, e Hassam suspira pesadamente, ignorando o desgosto na expressão de sua irmã.

– Certo. Se algo acontecer, voltem para a base e esperem lá por mais instruções – o soldado finalmente aceita. – Não arrisquem serem descobertos.

– Sim, senhor – Gunnar responde, com um leve tom de deboche

na voz. Hassam realmente precisa reavaliar sua posição de liderança se quiser ser levado a sério. – E você, veja se consegue achar algo útil nessa falação toda.

Hassam revira os olhos, exasperado, e nós nos enfiamos na multidão, abrindo caminho devagar pelas pessoas. Gunnar mantém a mão em meu ombro o tempo inteiro, sem me deixar ir para muito longe. Acho que Hassam contou a ele sobre a experiência horrível durante o comício, em que nós havíamos nos perdido um do outro na multidão, e eu precisei ser guiada por Victor para sair da confusão. Gunnar é mais alto do que os dois garotos, deve ter mais de dois metros, e, com minha pouca altura, nós formamos uma dupla esquisita, mas extremamente eficiente para sair de lugares lotados.

Se achamos que a prefeitura estava cheia, não tínhamos ideia de como estava o lado de fora. Pessoas se espremem para tentar ver algo do interior do prédio, formam uma massa compacta de corpos praticamente impossível de transpor. Cada espaço que conquistamos é prontamente ocupado por outra pessoa quando passamos, e o cheiro de suor impregna minhas narinas. Está quente, mais quente do que qualquer temperatura em Kali, e mal consigo respirar. Gunnar faz o possível para que as pessoas não esbarrem na minha mão enfaixada, mas evitar contato com outros seres humanos é impossível nas condições em que estamos.

Quando finalmente nos desvencilhamos das pessoas e chegamos à esquina que é nosso ponto de encontro, meu queixo cai assim que percebo a dimensão do funeral: praticamente toda a cidade de Pandora está aqui. Mais gente do que no comício, mais do que no Festival de Unificação. Daqui de fora não tem como saber o que se fala lá dentro, mas as pessoas passam as informações em sussurros, aumentando aqui, omitindo ali. Mas o sentimento da multidão é basicamente o mesmo: ultraje. Não são as mortes que importam para a maior parte das pessoas, ou o que significam para os entes queridos daqueles que morreram. É o ato, o desafio que foi jogado para os anômalos. Muitas pessoas deixaram o preto do luto de lado e estão aqui vestidas de amarelo, com orgulho, e reparo que todos elas parecem jovens, com menos de 25 anos.

Há um detalhe que me escapa, mas que Gunnar aponta para mim com sussurros, de forma discreta: agentes escondidos em cima dos telhados dos prédios. Quando os vejo, não consigo não procurá-los e perco a conta depois de uma dúzia. O mais próximo me permite ver com distinção o triângulo azul que os marca como humanos, e sinto um calafrio.

– Isso é ruim – comento com Gunnar, depois de apontar para o homem. – Muito ruim.

– Maldito Hassam e sua teimosia – ele xinga. – Nós já deveríamos estar longe.

– Vai dar tudo certo, não se preocupe – eu digo, sem muita convicção, pensando não em Hassam, mas em todas as pessoas que eu amo e que estão dentro daquele prédio. – Eles estão aqui só por segurança.

– Se você quer se iludir, não sou eu que vou te impedir, menina.

– Seu otimismo é contagiante, viu?

– Sou realista. Se uma coisa pode dar errado, ela vai dar errado – o rapaz responde, se encostando no prédio atrás de nós. – Quando as coisas ficarem ruins, nós vamos embora. Não vamos esperar pelos outros.

Concordo, observando o prédio com o coração na mão. *Quando as coisas ficarem ruins*, ele disse, não *se* as coisas ficarem ruins. É questão de minutos agora, e não resta muito a fazer a não ser aguardar.

Capítulo 2

Um burburinho começa na multidão quando a cerimônia acaba e, de forma desordenada, a massa de pessoas se abre ao meio, deixando espaço suficiente para que um trem de metrô passe. De um lado e de outro vejo que há um cordão formado por pessoas, impedindo que a multidão ocupe o espaço recém conquistado. Logo depois, um trio de policiais anômalos, devidamente fardados, sai, dando início ao cortejo fúnebre. De onde estamos, podemos ver os caixões levantados ligeiramente acima da multidão e, em certo ponto, notamos todos os carregadores no lado direito. A confusão aumenta conforme vão passando, todos querendo se aproximar e encostar na madeira escura, como forma de se despedirem de pessoas que nem sequer conheceram.

Nós ficamos no lugar, procurando por Hassam e Hannah, enquanto as pessoas começam a se dispersar, seguindo o cortejo. Os últimos a saírem da prefeitura são as pessoas "ilustres", e quando Fenrir coloca o pé para fora do prédio, com o caixão do Almirante Klaus sobre seus ombros, ocupando o lugar de maior destaque, em detrimento a todas as pessoas da família do homem, sinto raiva. Não é possível que seja tão dissimulado assim, que não só ocupasse a posição de honra de uma pessoa que mal conhecia, mas também deixe que um estranho ocupe seu lugar na hora de carregar o caixão da mãe de Andrei. Eles não eram amigos desde a infância? Ela não era irmã da falecida esposa dele? Os dois trabalharam juntos por tanto tempo, o mínimo que uma pessoa decente faria seria prestar uma última homenagem a alguém tão importante em sua vida.

– Respira – Gunnar murmura. – Garota, respira. Inspira, expira. Parece que você está prestes a matar alguém.

– Estou bem – respondo entredentes.

Mas não estou. Tomás, Rubi e Dimitri entram no meu campo de visão de uma vez, carregando meu caixão em suas costas com dificuldade, envergados com o peso. Sinto uma dor no coração e fecho os olhos, pressionando minha mão quebrada contra o corpo, murmurando meu mantra. *Por favor, que os meninos tenham falado a verdade para eles e que não sofram muito. Por favor, que isso seja o certo a fazer. Por favor, que tudo dê certo no final.*

– Vamos embora. Eles podem nos encontrar depois. – Meu guia encosta a mão no meu ombro, chamando minha atenção. – Tudo bem?

– Tudo – respondo com uma voz falha, frágil, que não reconheço como minha.

– Funerais nunca são uma boa ideia – ele resmunga, com sua mão apoiada nas minhas costas para me conduzir pelo caminho sem me perder.

Fico em silêncio, porque não há o que discutir. Eu não sei qual a finalidade de virmos aqui, de cutucar ainda mais a ferida aberta. Hassam me salvou da explosão e eu serei eternamente grata por isso, mas a forma como guarda segredos me irrita. É óbvio que ele, Gunnar, Hannah e Maritza são algum grupo clandestino que tem uma infraestrutura exemplar, mas qual o objetivo dessas pessoas? Eu me contento com a proteção que oferecem e com a oposição à Fenrir, mas sinto falta da transparência, de que me contem o que estão fazendo e por quê. Balanço a cabeça, deixando minhas desconfianças para depois. Não é hora para isso.

Passamos por algumas ruas laterais para nos desvencilhar do grosso da bagunça, até sair em uma das ruas principais que levam para longe do centro da cidade. Nós ouvimos os gritos antes de vermos o grupo de pessoas aglomerado na entrada de um prédio abandonado, suas palavras indecifráveis se misturando umas com as outras, numa cacofonia de ódio. Eles carregam paus e pedras e, não deixo de perceber: quase todos estão com camisas amarelas. Gunnar para abruptamente, segurando meu braço para impedir meu avanço quando a porta do prédio se abre e um grupo de rapazes sai de lá, arrastando um dos agentes vestidos de preto que vi no telhado mais cedo. Um dos garotos está com uma arma grudada na cabeça do homem, o dedo no gatilho indicando que está pronto para usá-la. Meu queixo cai quando reconheço o rosto dele.

Brian.

O cabelo vermelho está cortado quase rente à cabeça, e sua feição está distorcida em ódio, mas não há dúvidas de que é o garoto que me acolheu tão bem quando cheguei aqui. Sinto um aperto no peito e quero me meter no meio do grupo para arrastá-lo dali, mas estou paralisada. É como se esse Brian e o que conheci fossem duas pessoas diferentes, dois gêmeos idênticos com temperamentos distintos, mas o rapaz grita algo e a voz é conhecida. Não há dúvidas de que quem segura a arma é o meu amigo.

– Fique aqui – Gunnar ordena, estalando os dedos. – Não chame atenção para você. Eu resolvo isso em dois minutos e então seguimos.

– Gunn... – tento chamá-lo, mas ele já está no meio do caminho, andando com passos largos e precisos, provavelmente calculando o que precisa fazer.

Os anômalos circulam o homem, que está deitado no chão, com a arma na cabeça, provavelmente tremendo de medo. O paralelo com o que aconteceu comigo dias atrás não me escapa, quando um dos colegas do humano me deu a mão quebrada de presente, além de ter atirado contra uma senhora que não tinha nada a ver com a história. Acho que parte de mim deveria se sentir vingada com a situação reversa, mas só me sinto exausta. Estou tão, tão cansada, como se finalmente tudo o que aconteceu nos últimos dias tivesse me atingido em cheio, cobrando seu preço.

– Olha só, uma bosta de humano. O que uma criatura como você acha que está fazendo aqui, na nossa cidade? – Escuto uma das garotas do grupo dizer, com nojo palpável na voz. – Não basta vocês matarem e ferrarem a gente, ainda querem vir aqui, cheios de bossa, como se mandassem em tudo?

– Acho que ele pode servir de exemplo. Esses filhos da puta estão muito cheios de si, achando que podem chegar aqui assim, sem sofrer nenhuma consequência – Brian fala, substituindo o cano da arma na cabeça do homem pelo seu pé. Sinto meus joelhos cederem e me sento no meio-fio, incapaz de fazer algo além de observar a

cena. – Nós poderíamos fazer igualzinho fizeram com a Sybil. Vocês não tiveram misericórdia dela, tiveram?
– O que vocês vão fazer? – uma voz vacilante pergunta e, quando sigo o som, vejo Naoki junto com eles, destoante do grupo com seu vestido amarelo de verão. Ela parece tão horrorizada quanto eu, e encara Brian quando ele entrega a arma que segura para ela.
– Não, não tem graça se ele não voltar para casa vivo, chorando, com o rabo entre as pernas. A gente quebra a fuça dele e manda de volta. – O ódio em sua voz é tão diferente do tom jovial que sempre usa. – Você não quer se vingar pelo que fizeram com Sybil?
– Por favor... – A voz fraca do humano ganha um pouco força. – Só estou cumprindo ordens, eu tenho filhos e...
– Ninguém falou com você – a primeira garota diz, e dá um chute na cabeça do cara, acertando exatamente o nariz. Ele urra de dor, e a garota se abaixa, segurando-o pelo pescoço contra o chão, e eu me encolho, em solidariedade. – Você precisa saber seu lugar, humano. Nós vamos mostrar exatamente a mesma misericórdia que vocês mostraram conosco.

Eu me viro, me sentindo enjoada enquanto escuto os gemidos de dor do homem e a exaltação do grupo. Eu não sei o que me incomoda mais, saber que eles estão dando uma punição em meu nome, saber que meus amigos estão usando-o para vingar minha morte falsa, ou sentir que, se esse homem fosse o que me atacou, eu acharia pouco o que eles estão fazendo.

– Ei, vocês aí! – Ouço a voz de Gunnar gritar, mas, quando me viro, vejo que ela sai de um homem alto com feições como as de Naoki, vestido com uma roupa igual à do humano. – Parem com isso se não quiserem ser presos. Só darei um aviso.
– E você acha que manda em nós? É muita babaquice para uma raça só – Brian diz, cruzando os braços. – Venha nos pegar se acha que...

Gunnar, observo, tem essa mania feia de não deixar que as pessoas terminem suas frases. Antes que o garoto conclua, ele já está no centro da roda, se movendo absurdamente rápido, e seu punho fechado atinge em cheio o rosto do adversário, derrubando-o de uma vez. Eu me encolho, com sentimentos conflitantes. Ele aproveita o momento de surpresa dos outros para jogar o humano sobre seu ombro e sair correndo. Todos estão estupefatos demais com o que aconteceu para reagirem e, quando percebem que perderam seu alvo, começam a gritar e perseguir Gunnar.

Mas mal começam a correr e, de um prédio mais para frente, outro grupo sai arrastando dois agentes humanos. Parecem surpresos ao ver os amigos em uma perseguição, mas logo se juntam. Não consigo mais ouvi-los e tenho medo de me aproximar, então espero, ansiosa, que Gunnar volte. Eles sabem onde os humanos estão e os recolhem, um a um. Não há o que fazer para salvar todos eles, então é melhor voltarmos para nossa base e tentarmos uma nova abordagem.

O barulho de risadas de satisfação soa alto quando despem os dois agentes, um homem e uma mulher, e os obrigam a caminhar na rua na frente deles, uma arma apontada para a cabeça de cada um. O homem está tremendo tanto que parece estar prestes a desmaiar, e, depois que um garoto grita que ele irá morrer em breve, o homem faz xixi de medo, virando alvo de mais piadas. É patético e humilhante e eu não consigo desviar os olhos, em choque.

– Nós podíamos fazer algo mais... extravagante – um dos garotos diz, enquanto passam por mim como se eu não existisse. Eu acho que o vi antes, na escola, e sinto nojo. – Sabe, nós temos poderes. Podemos usá-los.

– O que você quer fazer, Josh? Colocar fogo neles?

– Parece um bom plano.

Acho que nenhum deles, tirando o tal Josh, esperava pelo que acontece a seguir: do nada, as chamas brotam do chão sob os pés dos dois humanos, subindo pelas suas pernas rapidamente, levando os gritos dos dois a um nível inimaginável. Os sons agudos e desesperados cortam meu coração, e o cheiro de cabelo queimado vem logo a seguir, os dois correndo desesperadamente na direção para onde a multidão estava. Apesar do susto, o grupo de anômalos ri. Eles riem como se fosse a piada mais engraçada do mundo, como se duas pessoas correndo nuas em chamas pela rua fosse algo que fizessem por diversão no tempo livre. Pela segunda vez, em tão pouco tempo, eu me curvo sobre o asfalto e vejo o conteúdo do meu estômago se acumular na minha frente, mais um fedor para se misturar ao odor de carne queimada. Eu tenho certeza de que nunca mais vou conseguir comer carne na vida.

Ainda consigo ouvir os gritos das vítimas, mesmo à distância, quando Gunnar volta, usando seu disfarce do velório. Parece preocupado quando me vê sentada no meio-fio, suada, e os restos do meu café da manhã no asfalto ao meu lado. Ele se abaixa e analisa se há algum ferimento.

– O homem está bem, apesar de machucado – diz baixo.

– O mesmo não pode ser dito sobre as duas pessoas que eles acabaram de queimar vivas – respondo, amarga, e o garoto abre a boca e fecha, sem saber o que dizer.

– Eu sinto muito.

– Eu também.

E ele tem que me carregar de volta para o esconderijo, porque nem sequer tenho forças para me levantar.

Capítulo 3

Observo atentamente o caminho que fazemos para voltar à Estação de Emergência, envergonhada por não conseguir caminhar sozinha. A primeira impressão que tive, quando Hassam me trouxe até aqui fugindo da explosão, parece errada agora. Nós ficamos pouco tempo no túnel principal, onde o metrô passaria se estivesse funcionando, e logo desviamos para um outro, visivelmente desativado. O grande "A" que vi pichado nas paredes é acompanhado de outras palavras e desenhos e, mais perto do nosso esconderijo, ele se transforma em uma pintura gigantesca feita com tinta branca, retratando algo parecido com a evolução das espécies.

Prometeu é uma cidade com centenas de anos e é de se esperar que existam alguns túneis de metrô desativados. O que descobri nos últimos dias é que eles compunham um labirinto de estações e caminhos não utilizados, lugares que não são habitados há anos. Pelo menos oficialmente. Não é o caso do nosso esconderijo: ele foi feito algumas décadas antes, durante a construção da nova linha de metrô, para acomodar os trabalhadores da obra. Aposto que muitos enlouqueceram no processo, porque a sensação de confinamento é constante.

Mas pelo menos há a tentativa de tornar o ambiente mais aconchegante nos tapetes que cobrem o chão frio, nas almofadas que criam uma ilusão de conforto, na televisão sempre ligada. Além do pequeno cômodo principal, há uma porta escondida atrás do armário que leva a um depósito modificado, com alguns beliches misturados às caixas de ração militar e roupas. No canto, um banheiro que mal me cabe é o único lugar onde podemos ter alguma privacidade. Dividi o ambiente com Gunnar, Hannah e Hassam nos últimos dias, mas, quando chegamos, só encontramos a figura adormecida de Victor deitada em seu beliche, como de costume.

A respiração do garoto continua acelerada e sua pele está coberta de suor, mostrando que não melhorou em nada desde que saímos. Passo a mão em sua testa num movimento que se tornou quase automático nos últimos dias, sentindo sua alta temperatura com um suspiro. Eu sei que ele só está aqui por causa da sua ligação com Felícia, não mais que um prisioneiro, mas o pouco caso com seu estado de saúde me irrita. Eu mal consigo fazê-lo beber água nos momentos em que está acordado, murmurando palavras desconexas, como se estivesse delirando. Tenho certeza de que bateu a cabeça forte demais na explosão e está com algum tipo de sequela, e só posso ajudá-lo dando um pouco dos analgésicos superpotentes que Hassam me entrega para aliviar a dor na minha mão quebrada.

Sei que não temos muito tempo aqui, mas sinto que preciso de um momento sozinha, então me escondo em meu beliche, me enrolando nas cobertas como um sinal de que não quero ser incomodada. O que vi em Pandora me assombra e preciso decidir o que fazer agora. Os últimos quatro dias foram completamente insanos, e não tive tempo para planejar nenhum dos próximos passos. Continuo aqui por inércia, seguindo pessoas que mal conheço, movida por um sentimento esquisito de obrigação: honrar o último desejo do Almirante. É tão surreal pensar que ele é – era – meu pai, e que se preocupou comigo o suficiente para garantir que Hassam me tirasse do palanque antes que tudo fosse pelos ares. Por mais que não esteja confortável com a ideia, pensar nos diários e nas fotos da mulher que dizem ser minha mãe biológica, e que estavam na caixa que Klaus me deu pouco antes de morrer, servem como um consolo. Ainda não tive coragem de abrir nenhum deles e não sei se quero fazê-lo. Fora isso, o pouco de pertences que tenho agora me foi emprestado por Hannah e, mais uma vez, me vejo solta no mundo, sem nenhum rumo definido e nada realmente meu.

O que me acalma é saber que, em algum lugar na superfície, ainda tenho um quarto na minha casa e, se tudo der certo, Rubi e Dimitri estarão esperando por mim. Acho que se eu quiser ir embora agora, não haverá nenhuma objeção, e poderei ficar trancada dentro do quarto, lendo livros de mistério eternamente, saindo só para comer e tomar banho. Parece uma boa ideia, pelo menos até as aulas voltarem.

Mas é isso o que eu quero? Fugir da situação, deixar que outras pessoas resolvam o problema enquanto me mantenho afastada de tudo? É exatamente o que eu fazia em Kali: nunca me importei muito com as batalhas, a guerra, o drama todo, nada fazia sentido para mim. Meu mecanismo de defesa é me retrair e fugir, evitar o sofrimento que pode acontecer se eu fizer algo. Antes de qualquer coisa, escolho o que me dá maiores chances de sobreviver.
Só que quando decidi fazer algo, as coisas também deram errado. Embora eu saiba que a situação em que nos encontramos não é culpa minha, por alguns momentos eu me deixei convencer por Fenrir, acreditei que sua plataforma de governo era a melhor chance que poderíamos ter. As alegações de que ele é o responsável pela explosão podem não passar de acusações, mas eu vi como as pessoas ficaram loucas durante o funeral, como elas o veneraram da mesma forma que os dissidentes veneram o seu Deus. Se não foi responsabilidade dele, foi uma coincidência muito conveniente o fato de ele ser um dos únicos sobreviventes do atentado.
E, então, há o maior mistério: meus protetores. Maritza, a esposa de Lupita, havia saído daqui junto com os meninos para resolver alguns problemas e, desde então, só tinha vindo nos ver duas vezes. Na primeira, quando trouxe Gunnar, parecia exausta e só ficou tempo o suficiente para ver se estávamos todos bem e deixar um suprimento de remédios e ataduras. Na segunda, demorou um pouco mais, conversando na escuridão do túnel com Hassam. Mal tive tempo para tirar minhas dúvidas e todas as vezes que perguntava algo para Hannah, ela se mostrava enigmática e se esquivava, jogando a cartada do Almirante. Eu sei que são algum tipo de grupo que está tentando impedir Fenrir, mas, fora isso, não sei mais nada. Já havia sido estúpida de confiar cegamente em alguém uma vez, não o faria novamente.
Mas, então, imagens de fogo e dor logo ocupam minha mente e me encolho mais ainda, respirando fundo para tentar apagar da memória o que vi em Pandora. A impressão que tenho é que foi um pesadelo terrível, mas preciso encarar a realidade: há pessoas usando meu nome como desculpa para matar outras, e não posso deixar isso continuar. Me sinto traída por todos os lados, principalmente

pelo governo. Como eles ousam nos tratar dessa forma? Como se não fôssemos nada? E também... Eu não quero viver em guerra constante. Não quero que o primeiro lugar que considerei como lar se torne o inferno que é Kali e, mesmo que eu não faça diferença nenhuma no final, ficar parada não vai ajudar em nada.

Também penso em Fenrir constantemente. Se souber que ainda estou viva, o que fará comigo? Eu não alimento ilusões de que ele me deixaria sair impune, de que não me usaria de novo como ferramenta do seu plano. E há a promessa sempre constante de que ele pode usar Rubi, Dimitri, Tomás e os outros para tentar me atingir. Voltar significa enfrentar Fenrir, e não sei se estou pronta para isso.

Escuto passos no quarto e me sento na cama, abrindo a cortina do beliche um pouco para ver quem é. Quando vejo Gunnar parado ao lado da porta, com as mãos nos bolsos e uma expressão de desconforto, tenho certeza de que Hannah e Hassam voltaram, e teremos que ir embora. Certamente, ele está aqui para me apressar, e eu gostaria de mais tempo antes de tomar uma decisão.

– Você está melhor? – o garoto pergunta, visivelmente sem jeito.

– Nós podemos ir se for necessário. – Me sento na cama, procurando meus sapatos.

– Não, não é isso. Ainda temos algum tempo, Hassam e Hannah ainda devem estar a caminho. – Ele se aproxima e senta na cama ao lado da minha, curvando as costas para caber no beliche.

– Você está bem? – devolvo a pergunta, analisando-o.

– Não é o pior que já vi acontecer – responde, segurando um dos degraus da escada do beliche com força. – Eu... Antes de sairmos, Hannah pediu para eu conversar com você porque... Bem, não sei. Por algum motivo ela acha que sou bom nisso.

– Ela acha que você é bom? – repito quase como um reflexo, segurando um sorriso.

É engraçado ver alguém tão grande ficar vermelho rapidamente. Gunnar engasga nas palavras seguintes e esconde o rosto, mas consigo ver que até suas mãos estão coradas. Depois, ele bate na testa algumas vezes, como se estivesse repassando a conversa mentalmente e se castigando pelo que falou, e tenho vontade de rir, mas me controlo para não aumentar o seu embaraço.

– Se você veio aqui dizer que não havia como impedirmos aquilo, eu já sei disso – falo, numa tentativa de tirá-lo da espiral de vergonha. – Não é só isso que está me incomodando.

Ele suspira e encosta a cabeça na escada, sem olhar na minha direção.

– Eu também sou como você, Sybil. Você, Hannah e os outros sabem que eu estou vivo, mas minha família... – Ele faz uma pausa, respirando fundo. – Eles têm certeza de que eu morri. Eles me enterraram e me deixaram para trás.

Toda a descontração vai embora no momento em que ele diz isso, e sinto um pesar muito grande, sem saber exatamente o porquê. Não faz nem uma semana que estou aqui e a ideia de viver nessa duplicidade me atormenta, imagina o que não faz com esse garoto? Me levanto e encosto no seu ombro, em uma tentativa idiota de dizer para ele que tudo ficará bem em breve.

– O que aconteceu?

– Quando eu tinha 15 anos, fui escolhido para uma missão e... – Ele para e levanta o rosto, olhando para mim. – Você está bem?

Abro e fecho a boca algumas vezes, sentindo tudo ao meu redor girar. Eu fui escolhida para uma missão. Sei como a história acaba. Sei, porque acabava exatamente como a de Leon, como o que quase havia acontecido conosco. Só que em vez de me safar como Gunnar fez, acabei me envolvendo em uma bagunça muito maior, virei uma presa fácil.

– Continue – eu ordeno, num tom que mal reconheço. – Você foi escolhido para uma missão...

– Era idiota, quatro adolescentes indo para o meio do deserto em Dakar atrás de umas cápsulas com algumas amostras que pertenciam aos dissidentes... Nós conseguimos isso com uma facilidade imensa.

– Mas, quando vocês voltaram, eles os obrigaram a escolher alguém para ficar para trás – eu completo, sabendo que a história é ridiculamente parecida com a de Leon.

– Dois de nós. Eu e Abena, você vai conhecê-la quando chegarmos à fortaleza. Mas essa história deve soar familiar para você.

– Sim... nós... nós fomos para uma missão – eu digo, me apoiando na madeira da escada do beliche. – Mas a nossa foi difícil.

— Às vezes eles fazem isso, quando querem que todo mundo morra. Eles não esperavam que vocês tivessem sucesso. — Gunnar contempla, pensativo. — Ou foi um teste, para ver as habilidades de vocês e tentarem recrutá-los. É o *modus operandi* deles.

— Deles?

— Do governo. É tudo um plano elaborado para... bem, deixa eu terminar minha história e você vai entender.

Faço um sinal com a cabeça para que continue e ele respira fundo, olhando para o estrado da cama acima, enquanto recita as palavras, como se as tivesse decorado e odiasse ter que repeti-las.

— Eu e Abena fomos levados para uma instituição, um prédio, não sei, onde vários outros anômalos estavam presos, todos na mesma situação que nós. Nos separaram: eu em uma cela com outros doze garotos, e Abena em uma com duas meninas. Por algum tempo, nós ficamos lá, com uma rotina bem parecida com a de uma prisão: comíamos e trabalhávamos juntos, então voltávamos para a cela para passar a noite. Até que...

Há uma pausa e ele me observa, como se tentasse prever qual será minha reação. Estou impaciente, me sentindo cada vez mais incapaz e mais furiosa a cada palavra dita por ele. Não sei o que vê, mas Gunnar decide continuar:

— Eles escolheram um de nós e, todos os dias, o mesmo garoto era tirado da cela cedo e trazido de volta bem tarde. Ele começou a ficar magro e a passar mal de noite, com convulsões, tosses, até começar a vomitar sangue. Nenhum dos outros garotos sabia o que podia ser, mas quando Abena contou o que estava acontecendo para as outras meninas, elas ficaram pálidas, porque era o que havia acontecido com todas as outras garotas antes de morrerem. Eles estavam tão assustados que mal conversavam entre si para trocar informações, mas eu e Abena éramos novos demais para ter esses receios. Não demorou muito para esse garoto morrer, em sua cama, engasgado no próprio sangue.

— Espera. — Eu levanto a mão, sentindo o peito apertado. — Você disse que eles tinham convulsões, tosses e vomitavam sangue? A pele do garoto também ficou amarelada ou as pupilas ficavam dilatadas o tempo todo, deixando os olhos bem pretos? Ele teve febre?

31

– Não sei quanto a febre, mas as pupilas, sim e...
– Isso parece com os sintomas da Morte Vermelha. – Minha voz sai tão irritada que quase não a reconheço. – A doença causada por uma das armas biológicas dos dissidentes, que dizimou quase metade dos anômalos de Kali antes que descobrissem um tratamento eficaz, quase vinte anos atrás. É extremamente contagiosa e letal para anômalos, mas só passa pelo contato com fluídos corporais contaminados.

– Quando fomos salvos... Idris nos disse que aquilo eram testes para encontrar a cura para anômalos, para nos transformar em pessoas sem poderes. Nós estávamos ali como cobaias vivas – Gunnar explica. – E é isso que nós fazemos, sabe. Salvamos anômalos, refugiados e fugitivos das garras do governo, para ajudar a salvar mais gente. É como uma rede de proteção.

Estou tão concentrada nas implicações do que ele diz que mal noto o que revela por último. Conheço os sintomas da Morte Vermelha muito bem, porque em Kali nos ensinam a identificá-los desde pequenos, com medo de que a doença volte e comece a atacar não só anômalos, mas humanos também. Foi um dos golpes mais baixos que os dissidentes já deram na União em toda a história. Um dos motivos de anômalos serem tão preciosos assim para o exército era a baixa que haviam tido nas décadas em que a doença esteve fora do controle. Eu não sei quase nada sobre essas coisas, mas seria possível que estivessem usando a Morte Vermelha para desenvolver a cura para as anomalias? Eu não tenho sequer palavras para descrever o redemoinho de sentimentos que brota dentro de mim, uma mistura de angústia com raiva e uma pitada de revolta. Como eles podiam fazer algo desse tipo? É exatamente o que os dissidentes estão fazendo com os anômalos deles!

Eu cresci em Kali, e de algumas noções era difícil de se livrar, sendo a principal a de que nós éramos melhores do que o Império em todos os aspectos. É ultrajante pensar que estamos nos rebaixando ao nível deles, copiando um sistema tão arcaico e terrível, ainda por cima usando uma arma que matou nossa gente. As coisas ficam subitamente claras: todas as missões são desenhadas não para atrapalhar o Império em seus esforços, mas para deliberadamente roubar suas pesquisas e tentar replicá-las. Recrutar anômalos em missões em busca de pesquisas que visam à cura das anomalias e, de quebra, usar alguns deles como cobaias, garantindo o silêncio dos outros. É um plano doentio, mas que funciona perfeitamente bem e que não cria nenhum tipo de suspeita.

– Sybil? – Gunnar me chama de volta para a realidade e percebo que estou com o punho fechado, minhas unhas afundando contra a minha carne.

– Me desculpa, o que você disse?

– Eu perguntei se você tem alguma dúvida. – O garoto se levanta, fica de frente para mim.

Levanto o queixo e o encaro. Ele disse que tinha 15 anos quando foi na missão, mas hoje aparenta ser mais velho do que eu, mais ou menos da idade de Hassam. Eu não consigo nem imaginar como ele deve se sentir quanto a isso tudo, mas se é algo parecido com o que estou sentindo agora, me espanta que os anômalos rebeldes não tenham feito algo drástico ainda, como explodir o Senado.

– Estou pronta para ir a qualquer momento – declaro com a voz firme, determinada. – Não é como se tivesse outro lugar para estar.

Gunnar me dá dois tapinhas desajeitados no braço e se vira para sair, ficando implícito que irá me chamar quando Hassam e Hannah chegarem. Eu observo enquanto se abaixa para passar pela porta.

– Gunnar? – chamo, abraçando minha mão enfaixada contra mim.

– Sim?

– No final disso tudo, nós vamos poder voltar para casa e para nossas famílias – prometo e o garoto dá um meio-sorriso desajeitado, balançando a cabeça em descrença. – Eu juro, nem que seja a última coisa que eu faça.

– Vamos torcer para que não seja a última coisa que você faça – diz, antes de me deixar sozinha com meus pensamentos.

Capítulo 4

Hassam e Hannah chegam e encontram Gunnar ansioso, caminhando pelo pequeno espaço como um tigre enjaulado. Estou encolhida em um canto, abraçada à minha mochila, roendo as unhas de preocupação. Não sei se o tempo passa diferente aqui embaixo, mas eles demoraram demais, a ponto de nos perguntarmos se havia acontecido algo.

Hannah parece abalada e joga seu lenço em um dos cantos da sala de forma rebelde, sob o olhar reprovador de Hassam. O silêncio que fica enquanto movemos Victor até uma maca improvisada é pesado e incômodo, como se algo terrível tivesse acontecido, como se os dois irmãos estivessem escondendo isso de nós. Estamos prestes a abandonar o local quando Maritza entra, aliviada por ainda nos encontrar ali.

Hassam se aproxima da mulher rapidamente, enchendo-a de perguntas sussurradas, todas variações de "Como você está?". Maritza responde com um gesto para que se cale, com seus ombros encurvados e sua expressão exausta. Ela deve ser da idade da mãe de Andrei – um pouco mais velha do que o Almirante era –, mas com bolsas escuras embaixo dos olhos e postura encurvada, me parece muito mais velha que vovó Clarisse. Sua pele está amarelada, como se estivesse doente, e seus lábios estão machucados em um dos cantos, provavelmente de tanto mordê-los.

– Não aguento ficar um segundo mais nesta cidade – ela diz, fechando os olhos e massageando as têmporas. – Idris enviará outra pessoa para acompanhar os outros; eu irei com vocês.

Ninguém tem coragem de responder, e Hassam, Hannah e Gunnar se movimentam coordenadamente, colocando mochilas nas costas e organizando o esconderijo, como se já tivessem feito isso milhares de vezes antes. Paro ao lado de Maritza, apoio minha mão boa em seu braço, e ela a segura, apertando-o de forma reconfortante.

— Você está melhor do que eu esperava — declara, olhando para mim pelo canto dos olhos. — Como está sua mão? Parou de doer?

— Os remédios que vocês me deram diminuíram a dor, sim. Estou preocupada com Victor.

— Nós não podemos arriscar e ir buscar ajuda — ela fala, olhando para onde o garoto está deitado na maca, com a mesma respiração difícil. — Mas assim que chegarmos à fortaleza, vocês dois irão direto para a ala médica. Eu me preocupo com a sua mão, não podemos arriscar que seus ossos cicatrizem de forma errada. Seria terrível ter que quebrá-los novamente só para arrumá-los.

— Já foram duas vezes, mais algumas não vai fazer diferença — falo, amarga, e Maritza ensaia um sorriso, apertando minha mão mais uma vez.

— Maritza? — Minha voz soa pequena, hesitante.

— Sim?

— Os outros... Leon e Andrei... — eu começo. — Eles vão nos encontrar mesmo? Você falou com eles?

Ela suspira pesadamente. Junto com o meu resgate espetacular, Hassam havia trazido Leon e Andrei para cá após a explosão, em algo que pareceu estranhamente com um recrutamento. Eu não tenho muita escolha, porque não sei o que fazer agora e nem para onde ir. Maritza havia deixado claro que, se eu voltasse, estaria indo direto para as garras de Fenrir, principalmente por saber como ele age. Mas e os garotos? Eles poderiam vir conosco ou ficar em Pandora, a escolha é deles. Eu me preocupo com Andrei porque não consigo imaginá-lo deixando seu pai para trás numa situação tão difícil. Não consigo imaginá-lo se juntando a um grupo que mal conhece sem questionar tudo, como eu. A reação de Maritza me deixa nervosa, porque parece confirmar minhas suspeitas.

— Leon disse que estará esperando no local marcado em dois dias, com toda certeza — ela responde, e sinto meu coração pesar.

— Quanto ao outro... não tive coragem de perguntar.

Agradeço silenciosamente enquanto a observo se afastar, apressando os outros.

Hannah é a última a deixar o esconderijo, equilibrando o peso de quase todas as mochilas em seus braços, apagando a luz e trancando a porta ao sair. Gunnar e Hassam dividem a maca que carrega Victor, sem nenhuma preocupação em não balançá-lo muito. Maritza segue na frente, e sua pele se ilumina com uma luz esverdeada que permite que vejamos um pouco à frente na escuridão dos túneis de metrô abandonados. Todos nós estamos com várias mochilas pesadas, cheias de mantimentos, cobertores e medicamentos. Parece que não há intenção de voltar aqui tão cedo.

Nós caminhamos em um ritmo constante, virando à esquerda em uma intersecção, num túnel com uma grande placa que diz: INTERDITADO: NÃO ULTRAPASSAR. Os pelos da minha nuca se arrepiam com o vento frio que sopra constantemente, a umidade gruda na minha pele como uma camada de suor. Os trilhos são irregulares neste túnel, com várias carcaças enferrujadas e retorcidas nos acompanhando por todo o caminho. O único cheiro que consigo distinguir é o de mofo, e sinto minha garganta se fechar, tornando a respiração difícil. Para onde estamos indo?

Maritza para abruptamente e nós a acompanhamos, apreensivos. O silêncio que se segue é quase sobrenatural, me dando calafrios. Nem o ar se move. Depois, escuto o que assustou Maritza: o som constante e ritmado da marcha de soldados. Ele está aumentando, cada vez mais próximo, e sinto minha palma suar.

– Mari! – Hannah sussurra, assustada, e Maritza se apaga, nos deixando na escuridão.

Estico a mão e encosto nas costas tensas de Hassam. Tenho certeza de que consigo ouvir nossa respiração pesada e coração acelerado. Seja lá quem está vindo, irá nos encontrar e nos pegar, e eu vou ter adiado minha morte em apenas quatro dias.

A luz chega primeiro, clara como o sol, me fazendo encolher e cobrir os olhos. Consigo discernir um grupo como o nosso, de cinco pessoas, que entra no túnel com uma precisão tremenda, e seus passos ecoam como trovões. Me encolho atrás de Hassam, esperando a hora em que vão nos encontrar, mas ela não vem. Meus olhos se acostumam um pouco com a escuridão, e fico surpresa em ver não os soldados humanos que eu esperava, mas garotos de blusa amarela.

– Realmente existe, eu achei que era mentira – uma das garotas diz, se afastando do grupo e caminhando em nossa direção. Prendo minha respiração e Hannah me segura, tão apreensiva quanto eu.
– Uau, parece que ninguém passa aqui há um milênio.
– Traga a luz até aqui. – A voz de um dos rapazes ecoa pelo túnel, e a luz se movimenta alguns metros mais para frente, iluminando o caminho que iríamos seguir.

Pisco algumas vezes e Maritza faz um sinal para andarmos para trás, devagar e sem fazer barulho, grudados à parede. Com a quantidade de coisas que estamos carregando, é uma missão quase impossível, principalmente com Victor entre Hassam e Gunnar.
– Um entroncamento de três túneis, exatamente como ele disse. – O comentário ecoa pelo túnel. – O da esquerda vai para fora, o do meio, para dentro, o da direita leva ao abismo.
– Eu odeio, odeio, odeio muito como ele insiste em tentar ser poético o tempo inteiro. – Quando ouço a voz, paro meu progresso lento para trás, surpresa. Faz mais de três meses desde a última vez em que fui à escola, mas eu reconheceria a voz de Anya, a tremeterra, em qualquer lugar. O que ela está fazendo aqui!? – Por que só não diz: três túneis, o que vocês querem é o do meio?
– Não teria graça – alguém responde. – Vamos, precisamos continuar o reconhecimento antes de voltar para a base. Não queremos que ninguém nos descubra antes da hora.
– Eu ainda não entendi por que Fenrir quer tanto conhecer esses túneis – Anya comenta, e alguém manda que faça silêncio.

Maritza faz um sinal para pararmos novamente e observamos em silêncio enquanto a luz e os garotos desaparecem pelo túnel do meio. Quando não conseguimos mais ouvi-los, solto a respiração e nos desgrudamos da parede. Estou tremendo de nervosismo e ainda mais confusa. Aprendi a reconhecer os adolescentes vestidos de amarelo como integrantes da Aurora, mas... Fenrir!?
– Eu achei que ia morrer – Hannah comenta baixo. – Nós não podemos mais usar os túneis, Mari.
– Vamos, se apressem. Eles podem voltar a qualquer instante e estamos quase na nossa base.

A caminhada que resta é tensa e pegamos o túnel da esquerda, finalmente chegando no que um dia foi uma estação de metrô, com uma plataforma coberta de detritos, as colunas de sustentação esverdeadas, com líquen e teias de aranha pendendo do teto. Mas não é isso que mais me chama a atenção; é o veículo que está parado ao lado dela. Só consigo vê-lo quando Maritza sobe em cima dele, intensificando o brilho da sua pele e destacando os contornos do carro contra a escuridão. Há quase nada além da estrutura de metal: não existem portas ou cobertura e, das quatro fileiras de bancos, uma está fechada para ser um espaço de carga. Hassam e Gunnar deitam Victor no último banco, firmando-o com uma corda.

– Sybil, tome. – Maritza me entrega uma lanterna. – Eu preciso abastecer o carro e deixá-lo pronto para sair. Você pode ajudá-los a obstruir o túnel?

Fico confusa por alguns instantes, até perceber que os garotos e Hannah estão em um dos cantos, enchendo um carrinho de mão com vários tipos de entulho, de pedras a pedaços de metal retorcidos. Acendo a lanterna e os sigo, iluminando o trabalho que fazem para tornar o caminho até a estação impossível. Me sinto culpada por não conseguir ajudá-los por causa da minha mão quebrada, mas Gunnar tem mais força do que os outros e faz com que o trabalho seja rápido.

Quando voltamos, o carro está com o farol aceso e o ruído baixo do motor funcionando preenche o túnel. Maritza parece tão cansada quanto quem estava levantando pedras pesadas, e Hannah me ajuda a subir antes de partirmos.

– O que foi aquilo? – Gunnar faz a pergunta antes que eu possa, quando nos afastamos o suficiente da estação. – Como eles descobriram os túneis?

– Não sei – Maritza responde, segurando de forma tensa o volante do carro. – Estou tão no escuro quanto vocês. Sinto muito, Gunnar. Idris não gostará disso.

– Quem é Idris? – aproveito a deixa para perguntar e recebo expressões enigmáticas indicando que não vão me responder. – Para onde estamos indo? Quem são aquelas pessoas de amarelo e por que falaram sobre Fenrir?

– Ei, calma aí – Hassam diz, surpreso, se virando do banco da frente para me olhar.

– Eu achei que você tinha entendido – Gunnar fala ao mesmo tempo que ele. Os dois se olham e Hassam levanta as sobrancelhas, com uma repreensão óbvia em seu olhar. – Só disse para ela o que fazemos, nada demais. Que somos uma rede de proteção.
– Você sabe qual é a política...
– Eu não concordo com a política – Hannah fala, cruzando os braços no lugar onde está. – Nem Gunnar. Não faz sentido...
– Hannah, e se nós achamos alguém, contamos tudo para a pessoa e depois ela decide não se juntar a nós? Ela vai poder espalhar nossos segredos por aí. Como o mapa dos nossos túneis – Hassam responde, exasperado.
– Vocês! Não é hora de discutir isso – Maritza chama a atenção de forma ríspida, me lembrando de vovó Clarisse. – Sybil, você vai descobrir em breve a resposta de quase todas as suas perguntas. Nós estamos te mantendo a salvo, mas não exigimos nada em troca disso. Fique calma. Já quanto a Fenrir, eu não sei.

Aceito sua resposta, um pouco mais tranquila com a garantia de que não vão exigir nada em troca por me manter a salvo. E se fazem isso para viver – salvar e esconder pessoas – toda atitude misteriosa de não dar informações é mais do que compreensível. Imagina se Fenrir descobre que estou viva e decide me caçar?

Sinto um calafrio só de pensar e fecho os olhos, desejando que minha família e amigos fiquem bem em Pandora enquanto estou escondida.

Capítulo 5

O caminho é cheio de subidas e descidas, entroncamentos e mudanças de direção. Não sei em qual sentido vamos, só que estamos nos afastando de Pandora. É a primeira vez, desde a missão, que saio da cidade, e fico ansiosa quando penso nisso. A velocidade com a qual avançamos também não ajuda; um ritmo constante e lento que nos faz levar horas para chegar ao nosso destino. Ninguém puxa assunto, e Hannah está apreensiva, provavelmente ponderando sobre o que acabou de acontecer.

Subimos uma ladeira bastante íngreme com dificuldade e, por alguns instantes, acho que o carro não irá aguentar e teremos de empurrá-lo, mas, quando chegamos ao topo, um portão de ferro está aberto para nos receber. É algo bem antigo, elevado por alavancas e com algumas manchas vermelhas de ferrugem.

Entramos em um lugar que é um armazém-garagem, com outros carros como esse e várias caixas; as paredes são de uma pedra escura, bem diferentes das de concreto dos túneis. Duas mulheres usam as alavancas para fechar o portão com um baque atrás de nós, e Gunnar salta do carro, juntando-se a elas para tirar as mochilas do bagageiro. Mais duas pessoas se aproximam com uma maca, e Hannah as orienta a remover Victor. Todas vestem uma mistura de calças cargo verde-oliva, como o uniforme do exército, e blusas nas cores mais exóticas possíveis. Um dos homens que ajuda a carregar Victor veste uma blusa com mandalas laranja-berrante. Maritza sai do seu lugar na frente, dando algumas instruções para todos, que a tratam com deferência. Todos parecem ter uma função, e eu fico no carro, sem saber para onde ir.

– Sybil? – uma mulher me chama e acho que estou ficando louca por alguns instantes, porque juro que conheço a voz.
– Oi?

– Você está bem? – A mulher se senta no carro ao meu lado, suas feições parecem preocupadas enquanto me examina. – Precisa de ajuda para sair?

Minha voz fica presa na garganta. Mesmo com a luz fraca desse lugar, é fácil discernir os traços suaves e o queixo teimoso, o sorriso gentil e o cabelo grisalho de vovó Clarisse. O que ela está fazendo aqui!? Eu devo estar tendo alucinações. E em vez dos vestidos elegantes que sempre usa, está com a mesma calça dos outros e uma regata preta discreta, que a fazem parecer bem mais nova.

– Vovó? – É a única palavra que digo e ela sorri, me abraçando.

– Minha menina! – Ela me aperta contra seu peito, passando a mão em meu cabelo, e eu a abraço de volta de forma desajeitada, ainda tensa, confusa. Não acredito que ela está aqui, não acredito.

– É tão bom vê-la novamente, inteira. Estava prestes a te buscar eu mesma! Vocês demoraram demais para vir para cá.

Fecho os olhos e encosto minha testa em seu ombro. O cheiro cítrico de seu perfume me leva ao passado, e a pressão de todas as emoções que sinto ao mesmo tempo me sufoca. Seguro o tecido da sua blusa com uma das mãos, lutando contra a vontade de chorar como uma criancinha, percebendo o quanto senti sua falta desde que saí de Kali. É engraçado como às vezes você só repara como teve saudades quando reencontra alguém, como se o sentimento se acumulasse num cantinho do coração para explodir na hora mais inesperada. Vovó arruma meu cabelo atrás das orelhas, passa a mão pelas minhas costas, sussurra como está com saudades e eu não consigo acreditar. Isso é real? Por que ela está aqui e não em Kali?

– Você realmente está aqui? – eu pergunto com um sussurro, e ela levanta meu rosto para que eu a encare.

– Não faz nem um ano que você saiu de casa e já está muito diferente – diz, acariciando minha bochecha. – E, sim, eu e as meninas chegamos uma semana atrás. Assim que soube do bloqueio tive de vir ajudar Idris. Não poderia deixá-los enfrentar isso sozinhos.

– Ah... Você trouxe as outras meninas? – Confusa, eu me afasto, mas ela apoia a mão em meu ombro, impedindo que eu vá muito longe.

É tão estranha a ideia de que ela fez toda a longa viagem de Kali até aqui trazendo as outras crianças a tiracolo. A viagem por terra é muito cansativa e eles nunca teriam dinheiro para pagar uma passagem de navio nem para uma pessoa, imagina para todas? A menos que esse grupo, essa rede de proteção, fosse rica, e tivesse coberto todas as despesas.

– Sybil, nós devemos entrar. Você precisa verificar o ferimento na sua mão, melhorar essa bandagem, e depois nós conversamos. Existem outras pessoas que você precisa conhecer.

Eu a encaro, receosa. Ela está exatamente como eu me lembro, mas tem algo que não parece certo. Primeiro, o fato de estar aqui e ter trazido as meninas com ela. Depois, a familiaridade com a qual falou de Idris, seja lá quem for essa pessoa. Será que não é uma ilusão, algo para me convencer a ficar e ajudá-los? Maritza havia me dito que não iriam exigir nenhum tipo de contrapartida da minha parte, mas não duvido da capacidade de manipulação alheia. E por que a mulher que me criou teria algo a ver com esse grupo de pessoas que salva anômalos? Ela é humana e só cuida de crianças humanas órfãs e...

– Você está desconfiada – vovó Clarisse afirma, com um tom divertido. – Como sempre, não é?

– Eu... me desculpa. – Fico ligeiramente constrangida. – Mas...

– Eu sei, eu te criei. Hum, como eu posso te convencer de que sou eu mesma? – Ela fica pensativa e leva um dedo à boca, olhando para cima, numa expressão típica de vovó Clarisse. – Você aprendeu a andar antes de aprender a falar, e a nossa vizinha, Susi, sempre achou que você tinha algum problema porque só falava quando era obrigada. Você aprendeu a ler com 5 anos, antes de todo mundo da casa. O que mais? Ah, você menstruou pela primeira vez aos 11 anos e achou que estava morrendo...

– Tudo bem! – eu a interrompo, sentindo minhas bochechas quentes. Acho improvável que alguém tenha se dado ao trabalho de conseguir essas informações só para me convencer de algo, mas continuo confusa sobre como e por que ela está aqui. – Tudo bem, tudo bem, vovó. Eu entendi.

– Nem falei da vez em que você se perdeu na feira e, quando

te achei, você estava afundada até a cintura em uma tina de tintura com xixi...

– Vovó! – eu exclamo e ela ri, segurando meu ombro.

– Venha, menina, nós temos muito o que fazer e pouco tempo. Posso responder às suas perguntas depois.

– Como você sabe que tenho perguntas a fazer?

– Se não tivesse, não seria você – ela responde, enquanto me ajuda a descer do carro.

Percebo que estamos sozinhas, a não ser por uma das mulheres que abriu o portão e nos espera na frente de uma porta de ferro, com uma expressão neutra. Vovó é mais alta que eu e, enquanto caminhamos, ela passa um braço pelos meus ombros, como se eu ainda fosse criança. Entramos na fortaleza, em um túnel coberto pelas mesmas pedras escuras da garagem. O ar aqui é menos denso que do lado de fora, e uma temperatura amena torna a curta caminhada agradável.

Há uma bifurcação no túnel: o lado esquerdo é contínuo, no mesmo nível, e, o direito tem uma escada um pouco íngreme para outro andar. Seguimos pela esquerda, e as paredes e o chão de pedra dão lugar a azulejos brancos e a uma sala com alguns sofás, que parece uma recepção. Há um homem atrás de uma mesa de madeira antiga, vestido com roupas parecidas com as de vovó Clarisse, e, quando nos vê, apenas abre uma das portas no fundo do cômodo para que continuemos.

Se torna óbvio que estamos num hospital quando atravessamos algumas enfermarias com macas e camas, algumas ocupadas por pacientes, estantes de medicamentos e instrumentos, pias, toalhas, lençóis, cobertores... Procuro por Victor em uma delas enquanto vovó me leva até uma sala no fundo da ala, mas não o encontro. Lá, há uma cadeira, uma maca e uma mesa, e vovó Clarisse me deixa só por alguns instantes, trazendo um copo de água e alguns comprimidos quando volta. Eu os tomo sem que peça, e ela se ajoelha na minha frente, pedindo para examinar meu braço.

– Hum, quem fez essa imobilização? – pergunta, procurando a ponta da bandagem. Começo a sentir minha cabeça meio leve e

pisco algumas vezes. – Nós vamos ter que refazê-la. Sua mão está virada numa posição estranha, com certeza teremos problema no futuro.
– Foi o pai do Leon – eu digo, e ela levanta uma sobrancelha.
– O pai do meu amigo. Mas eu a machuquei novamente quando Hassam me salvou.
– Então foi isso que deixou tudo torto. – Ela faz um bico enquanto fala num trejeito próprio que significa desaprovação. Contenho um sorriso, ainda sem acreditar que ela está aqui. – Mari te deu os comprimidos, não? O que te dei agora é um pouco mais forte, para eu e Ziba podermos cuidar do seu braço sem que você sinta muita dor.
– Certo – respondo, observando enquanto ela pega uma série de objetos de um dos gabinetes. A luz bate no seu cabelo acinzentado e cria um halo ao redor da sua cabeça, como se ela fosse uma daquelas santas que as pessoas idolatravam anos atrás. – Tem certeza de que você não é uma alucinação?

Isso a faz rir antes de começar a desenfaixar meu braço. Não sinto nenhuma dor, o que é impressionante, considerando o incômodo constante que o machucado me causou, mesmo com os analgésicos que Maritza me deu. Quando ela termina, minha mão está horrível, a pele está esverdeada em alguns lugares e há uma bola inchada em uma das juntas. Vovó Clarisse faz uma careta que não consigo decifrar enquanto examina, num padrão parecido com o que o pai de Leon fez.
– Esse remédio é bem forte.
– Sim, e muito rápido – ela adiciona, mas sua expressão é de preocupação. – Há quanto tempo você não come alguma coisa? Talvez você sinta tontura, seria bom comer algo enquanto esperamos por Ziba. Não vou conseguir fazer nada sem ela.
– O que você está fazendo aqui? – Não consigo resistir e pergunto, porque a resposta que me deu não é suficiente. Quanto mais eu penso na presença dela aqui, menos sentido faz. Como ela, uma dona de orfanato em Kali, pode ter ligação com esse grupo, e uma ligação com o Almirante Klaus? Com meu *pai*? A única explicação é... bem, eu não quero pensar nisso.

– Nós vamos começar a fazer perguntas agora, é? – ela brinca enquanto se levanta. – Idris precisa de mim, e estou aqui. Eu já te disse.
– Mas quem é Idris? – questiono, frustrada.
– É quem está no comando dessas pessoas, e é alguém que conheci muito tempo atrás e considero muito. – Ela repousa minha mão na mesa à minha frente. – É minha vez agora. Quem fez isso com a sua mão?
Eu a encaro, em silêncio, me lembrando do incidente. Sinto uma raiva que sobe pelo peito e fecha a garganta, e aperto os lábios para não gritar. Não consigo explicar exatamente o que me irrita mais – a maneira casual como ela faz a pergunta, o fato de que o soldado me atacou só porque me recusei a obedecer uma ordem estúpida, ou estarem me usando como desculpa para atacarem humanos inocentes assim como fui atacada.
– Ninguém te contou? – falo, finalmente, entredentes.
– Quero ouvir de você. – Ela segura minha mão boa na sua.
– Alguns soldados humanos estavam esvaziando as mercearias de Pandora e... bem, uma senhora dona de uma perto da minha casa pediu que eu ligasse para Rubi... – falo, reticente. – Rubi é a mulher que me acolheu em sua família em Pandora.
– Eu sei, querida – vovó confirma, suavemente. – O que aconteceu?
– Ela mandou que fôssemos embora e, quando estávamos saindo... eles acharam que nós fôssemos fugir, mas ela só iria me levar em casa. E aí... e aí...
Minha voz fica rouca e abaixo a cabeça. As imagens passam como um filme pelos meus olhos, com o soldado gritando conosco, eu o desafiando... O momento em que tentei me defender, usando o poder esquisito e ainda desconhecido que possuo... O barulho da bota contra o asfalto, esmagando meus ossos... Minha respiração fica difícil, apressada e abaixo mais ainda a cabeça, tentando sorver o ar, sem sucesso. O cheiro de carne queimada dos humanos que vi morrerem mais cedo se junta às memórias e começo a tremer de medo, de raiva, de não sei o quê.
– Sybil, respire fundo. – Ouço a voz de vovó Clarisse, e sua

mão está nas minhas costas para me acalmar. – Eu não imaginei... Me contaram outra coisa.
– Desculpa – eu sussurro. – Sou melhor que isso.
– Não, não, não, não. Por favor, não diga isso. Você tem o direito de se sentir mal pelo que aconteceu, de reagir. Eu só... – Ela me abraça e encosto a cabeça no seu ombro, ainda tentando controlar a respiração. Quando continua falando, consigo ouvir sua voz reverberar em seu peito, e isso, aos poucos, me acalma. – Você sempre foi tão durona, achei que não teria problema em perguntar. Principalmente porque pensei que não fosse tão ruim assim. Quem tem que te pedir desculpas sou eu, meu amor. Se eu soubesse o que iria acontecer, nunca teria deixado...
– Deixado...?
Vovó Clarisse me solta e se afasta, passando a mão pelo rosto, com uma expressão que nunca vi. Sua boca forma uma curva para baixo, as rugas ao redor de seus olhos parecem se multiplicar e, de repente, ela parece ter o dobro da idade. Não parece mais a figura maior do que tudo que sempre esteve presente na minha infância, a figura invencível. Aqui, nesse consultório, em um hospital subterrâneo, ela parece uma senhora frágil como vidro, e sinto um ímpeto de protegê-la do pior dos meus sentimentos, porque acho que ela não seria capaz de aguentar.
– Não sou enfermeira. – Ela quebra o silêncio. – Nunca fui. Eu sou uma médica, uma pesquisadora de medicamentos, que se escondeu em Kali para desaparecer do radar do governo. O analgésico que você está tomando é de autoria de um grupo de pesquisadores liderados por mim, assim como vários outros tratamentos, todos controlados pelo governo Unidense. Eu conheci sua mãe quando estava em um trabalho em Kali, e, mais ou menos no momento em que decidi fugir e me esconder, sua mãe... ela me pediu para cuidar de você.
Olho para a mulher que chamei de avó a vida inteira, séria, me sentindo traída. Ela conheceu minha mãe, apesar de ter dito várias vezes enquanto eu era pequena que havia me encontrado em um dos hospitais, como uma das crianças órfãs que nem sequer sabiam de onde vieram. O que mais ela havia escondido? Por que faria uma coisa dessas?

– Você conheceu o Almirante? – pergunto de forma calma, contida.
– Não. Não – ela responde, balançando a cabeça. – Eu só soube quem ele era quando cheguei aqui e todos estavam agitados por causa da campanha, do comício, do que poderia acontecer. Ninguém me disse diretamente que ele era... seu pai, mas pelo que sua mãe me contou, deduzi rapidamente que era ele.
– O que ela disse? Que ele era narigudo e tendia a fazer omissões extravagantes? – As palavras escapolem da minha boca antes que eu possa me controlar, e vejo Clarisse se encolher, como se elas machucassem.
– Sybil... Eu tenho certeza de que ele teve seus motivos. Sei que tenho os meus – diz, cruzando os braços. – Não, sua mãe me disse que ele era oficial no navio Varuna e tinha uma irmã quase da idade de Dimitri. Claro que não imaginei que ele chegaria tão longe na carreira, mas provavelmente Cassandra sabia. Provavelmente, se não tivesse morrido, sua mãe seria a Almirante, e não seu pai. Era ela quem tinha todas as características para ser uma líder.
– Então você sempre soube de tudo? – pergunto, com uma voz fina.
– Eu sei o que sei: sua mãe estava doente e veio atrás de mim, porque eu estava testando a cura para a Morte Vermelha nessa época. Nós ficamos amigas e ela me contou que era capitã-tenente em um navio, mas que havia fugido tanto deles quanto da sua família, porque estava com medo de transmitir a doença, mas, principalmente, com medo de passar a doença para você. Ela tinha acabado de descobrir que estava grávida na época. E não queria, em hipótese alguma, que você viesse para o Continente Pacífico, porque coisas ruins iriam acontecer... E, por isso, não queria que eu procurasse seu pai, porque ele te traria para cá; não queria que você fosse fácil de encontrar. – Ela pausa. – Nós conseguimos impedir que a doença passasse para você, mas não foi possível salvá-la... Então eu te criei. Ela havia dito que queria que você se chamasse Sybil, e o sobrenome... Bem, eu achei que o melhor a fazer era te dar o nome do navio onde seus pais serviam.
Fico em silêncio, olhando para os joelhos e tentando processar

as informações. De alguma forma, Idris possui uma conexão com os meus pais biológicos, mesmo que minha mãe tenha tomado todos os cuidados para que eu nunca entrasse em contato com o resto da família. Por que ela faria isso? Por que ela teria tanto medo de me deixar vir para cá, onde a vida era infinitamente melhor que em Kali? Era. A resposta está aqui, no ponto em que estamos, na minha mão quebrada, no horror que presenciei mais cedo. Até algumas semanas atrás, a vida realmente era melhor, mas e agora? Aposto que Kali oferece facilmente mais conforto do que Pandora.

Saio dos meus devaneios quando uma mulher entra no quarto, vestida com calça verde-escura e uma blusa rosa-choque embaixo de um jaleco branco. Ela tem a pele marrom como a minha e as feições de quem nasceu em Kali, e sorri quando me vê, franzindo a testa ao ver minha mão. A conversa é interrompida e um clima esquisito paira no ar, mas a nova visitante parece não reparar.

— Olá, você deve ser a Sybil! — ela fala, animada. — Sou Ziba, e nós vamos dar um jeito em todos os seus ferimentos hoje, de uma vez por todas. Vejo que Clarisse já desenfaixou seu braço para que eu examine, muito bom, Clá.

— Você está com muito trabalho, Ziba. Pensei em adiantar as coisas — vovó diz, se acomodando no outro lado da sala. Se fosse alguns minutos atrás, eu lhe pediria para se aproximar, mas tudo está muito confuso e não me sinto mais segura perto dela.

— Maravilha! — A médica pega minha mão quebrada e a examina, pensativa. — Hum, bem, não sei se Clarisse disse, mas eu sou anômala, não sou como ela. Posso refazer ossos e tecidos, mas não de uma vez. Se fosse uma fratura comum ou um corte, você sairia daqui inteira, mas, do jeito que está aqui, você precisará me ver uma vez por dia e continuar tomando seus analgésicos. Farei o possível para te curar o mais rápido, mas não posso fazer uma previsão de quanto tempo levará.

— Tudo bem — eu respondo, resignada. — É mais rápido do que esperar curar naturalmente, não é?

— Com certeza! — Ziba sorri de forma reconfortante. — Nós precisamos deixá-la na posição correta, porque, apesar de conseguir curar, nem sempre dá certo. Quando eu estava aprendendo a controlar minha anomalia, remendei um osso na posição errada e tivemos que quebrá-lo novamente e, oh, não, não faça essa cara. Eu aprendi agora, nada vai dar errado.

– Tudo bem.

Ziba envolve minha mão nas suas e, depois de poucos segundos, mesmo com o efeito dos analgésicos, sinto um calor no centro da palma, que se espalha pelos dedos e sobe pelo braço, se tornando uma sensação parecida com a de um formigamento. Minha mão não parece melhor enquanto ela a imobiliza novamente com bandagens limpas, mas espero que em uma semana comece a ter algum resultado visível. Quando termina, menciono que meu joelho também dói às vezes, e ela resolve isso em dois segundos, deixando-o como novo.

Ziba nos deixa com uma combinação dos analgésicos de Clarisse e um silêncio de sete toneladas entre nós. Abraço a mão recém enfaixada contra o peito, me recusando a olhar para vovó. Entendo que ela só fez o que a mulher que me pariu pediu, que talvez ela tivesse razão de ter medo que eu viesse para cá, mas não deixo de me sentir traída. Na última semana, tudo o que achei ser verdade se mostrou parte de uma omissão extremamente elaborada por parte de todos os adultos ao meu redor, como se eu fosse apenas uma peça em um jogo que não domino. Por que eles acharam que esse era o melhor caminho? Se eu soubesse mais cedo de tudo isso, talvez... talvez... não sei, talvez nada fosse diferente, mas eu saberia. Eu teria um referencial, seria Sybil, filha do Almirante Alexander Klaus e de Cassandra Koukleva, seria a sobrinha de Dimitri. Não Sybil Varuna, a pobre órfã náufraga de Kali.

– Você ainda é a mesma pessoa que sempre foi, Sybil. – Clarisse quebra o silêncio, como se estivesse lendo minha mente. Por um milésimo de segundo penso que ela está, mas então me lembro de que é humana. Ou talvez não seja? Tudo isso é confuso demais! – Nada mudou. Você continua sendo Sybil, a garota corajosa que foi criada por mim, e é isso o que importa.

– Como você sabe? – Eu levanto o queixo em desafio. – As pessoas mudam.

– Tudo bem, você pode ter mudado sim. – Ela suspira. – Mas só quero que se lembre de que você não é o que seu pai ou sua mãe são, e que isso não pode te definir. Você não é a filha do Almirante, você é Sybil Varuna. Não deixe que ninguém tente ignorar ou apagar isso. Não sei por quê, mas sinto vontade de chorar. Meus sentimentos estão uma bagunça e parece que a forma que escolhem para se organizar é vazando pelos meus olhos, me sufocando com soluços, encharcando o tecido da blusa de vovó Clarisse. Pelo menos ela está aqui para recolher meus pedaços e tentar me reorganizar em algo mais ou menos coerente.

Capítulo 6

Quando me acalmo, vovó Clarisse mostra o caminho que tenho de fazer para chegar ao longo corredor de concreto onde ficam os dormitórios. O clima ainda está pesado entre nós, e ela aponta onde ficam o banheiro e os armários coletivos com uniformes e roupas, ordenadas por tamanho, sem muita conversa. Há uma diversidade imensa de blusas, mas as calças e as botas são todas iguais. Vovó Clarisse pergunta se quero comer, e recuso.

Minha mochila já está no quarto onde vou ficar, um cubículo com uma cama, uma mesinha e uma cadeira. Acho estranho que eu fique sozinha, mas não pergunto nada para vovó. Ainda não estou bem o suficiente para conversar, incerta sobre como me sentir quanto a ela.

Gasto todo o tempo de descanso lendo os diários com as capas vermelhas de Cassandra, impressionada como as coisas fluem bem, apesar do sono. Além dos diários que Klaus me entregou no dia do comício, vovó Clarisse me deu mais dois, de capa preta, além de um sapatinho vermelho de bebê que Cassandra fez, os únicos pertences que deixou antes de morrer. Os relatos formam um retrato quase completo dos 18 aos 24 anos da minha mãe, com um ou dois anos faltando no meio. É fascinante.

Quando abro um dos cadernos pretos, uma carta cai no meu colo e a abro, sentindo o coração na boca enquanto a leio.

Querida Sybil,

Espero que não me odeie. Minha avó – sua bisa, Dafne – diria que tentar mudar o futuro e se preparar para ele é uma contradição, porque você está supondo que ele vai acontecer de qualquer forma, mas espero que meus sonhos sobre você não se tornem realidade. Espero que tudo não passe dos devaneios de uma mulher grávida doente, com medo pela sua filha. Também espero que Clarisse realmente tenha te dado esse nome, ou vou parecer ainda mais idiota para você.

Alguns dias, só quero saber se vou viver o suficiente para conseguir ver seu rosto, e fico pensando em um futuro alternativo, em que eu consiga sobreviver a essa doença terrível que destrói meus pulmões pouco a pouco, e volte para Alexander com você em meus braços. Com certeza, ele gostaria de sair da Marinha para se dedicar integralmente a você. Eu não. Não consigo imaginar uma vida sem a brisa do mar em meu rosto, presa ao chão como uma flor extremamente exótica que sempre anseia por mais. Espero que Clarisse me enterre perto do mar.

Ah, mas esta carta é sobre você e não sobre mim. Você deve estar se perguntando: por quê? Por que eu fiz isso, por que pedi para uma pessoa desconhecida te criar numa cidade no meio do nada, em Kali, correndo todo tipo de risco? Por que eu escolhi te esconder de seu pai, te privar de uma infância com todos os benefícios que uma criança tem no Continente Pacífico? Você não viu o que eu vi, ninguém viu. Meus sonhos estão cada vez piores, e embora eu nunca te veja de frente, eu sei que é você. A dor e o sofrimento são palpáveis, além do desespero que você sente. Eu acordo atordoada, com lágrimas nos olhos, pensando nas formas de te proteger mesmo sem estar com você.

O medo tem sido meu companheiro nesses dias e a única solução que me dá paz é essa. Clarisse é uma mulher maravilhosa que já te ama, mesmo que você nem sequer tenha nascido, e te criará tão bem quanto eu a teria criado. Tenho certeza de que ela te protegerá com unhas e dentes, da forma como eu a teria protegido. E se por algum acaso ela tenha te entregado esta carta, não a odeie. Ela só cumpriu o pedido de uma mulher moribunda, só tentou te manter a salvo.

Seja audaciosa e corajosa, tenha compaixão e não deixe nunca, jamais, que te façam duvidar do seu valor. Siga o que acha

ser certo e seja quem dita as regras da sua própria vida. Não fuja das suas obrigações, mas saiba dosar quanto sacrifício cada um dos seus compromissos vai custar. O amor é como um animal nas suas entranhas, se aninhando em seu coração e cavando buracos em seu peito, e você sentirá tentada a matá-lo. Mas ele vale a pena, cada segundo.
Não faça nada que eu não faria.
Eu te amo, não se esqueça.
Com pesar,
Cassandra
PS: Por favor, diga a seu pai que eu sinto muito. E que eu não deixo de pensar nele nem por um segundo sequer.

Por mais raiva que tenha sentido quando soube da história, não deixo de sentir compaixão por ela. É tão palpável o medo que ela tinha, que eu queria poder voltar no tempo e dizer que estou bem. Volto à leitura dos diários, fascinada com a forma como ela escreveu, como se soubesse que um dia alguém fosse lê-los. Em algum ponto, paro de pensar nela, no Almirante e em seus amigos como pessoas reais, e eles se tornam personagens em minha cabeça, personagens de quem gosto muito. Klaus começa irritante, um segundo-tenente um pouco arrogante, rigoroso demais com seus recrutas; mas ele é a única pessoa que ouve Cassandra quando ela tem os sonhos. Ela os descreve vividamente em seus diários, com considerações do que podem significar. Alguns são mais impressões do que fatos, enquanto outros são imagens, como filmes que passam em sua cabeça. Acho difícil identificar quais são visões e quais são frutos do seu subconsciente, mas ela parece saber que eles são fatos, que realmente vão acontecer.

Meu estômago ronca depois de um tempo e largo os diários. Deveria ter deixado meu orgulho de lado e aceitado a oferta de comida de vovó Clarisse. Agora não faço ideia de onde posso ir para comer. Caminho pelo corredor, tentando ouvir barulho atrás das portas, mas não há nenhum. Será que estou sozinha aqui? Que horas são? Não sei se é dia ou noite, não sei nem onde estamos. Essa

incerteza me deixa ansiosa e começo a abrir as portas, descobrindo quartos coletivos com vários beliches e indícios de que estão ocupados. Deve ser o meio do dia, então.
— Sybil? — Hannah aparece de um dos cômodos no fim do corredor, parecendo cansada. — Ah, eu sabia que era você. Está tudo bem?
— Sim. — Vou até ela, aliviada por encontrar alguém conhecido. — Eu... bem, estou meio perdida. Não comi nada desde que cheguei e...
— Ah, você quer saber onde fica o refeitório? Que sorte a sua, estava planejando ir para lá daqui a pouco. — Ela abre a porta e faz um sinal para eu entrar. — Deixa só eu trocar de roupa que te ensino a chegar lá.

O dormitório é bem, bem maior do que o quarto em que estou, com fileiras de beliches com três camas, todas com sinais de ocupação. A cama de Hannah é a mais próxima da porta e está toda revirada, com os lençóis se arrastando pelo chão e as coisas que trouxe acumuladas em um canto. Ela se arruma rapidamente, atrás de uma divisória no fim do quarto e, quando volta, só cobre sua bagunça com um lençol, como se isso a fizesse desaparecer.

— Abena não gosta de bagunça — ela oferece como explicação enquanto saímos do quarto.

— Ah, agora sim, ela nunca vai perceber nada — brinco e a garota sorri.

— Ela não vai brigar comigo, meu aniversário foi esta semana — fala sem pensar, e toda a descontração vai embora.

Eu e ela fazemos aniversário com um dia de diferença. O meu foi no dia do comício e olha só o presentão que eu recebi. O de Hannah foi um dia depois, quando ainda estávamos tentando entender o que aconteceu. O pesar na expressão da garota ao meu lado é visível e não consigo imaginar a dor que está sentindo. Além de esposa de Maritza e assessora do Almirante, Lupita também era quem cuidava de Hannah. Como eu me sentiria se Rubi morresse assim? Só o pensamento faz meu peito se apertar e dou um meio--abraço estranho em Hannah para tentar confortá-la.

— Eu sinto muito — sussurro.

— Eu que peço desculpas. — Ela me aperta contra si antes de

se afastar. – Vamos, se você está com a mesma fome que eu, vamos acabar com o estoque de comida.

Nós seguimos em silêncio. Viramos à esquerda e à direita até chegarmos num corredor mais largo, cheio de mesas com vários rádios, mapas e outras coisas, com pessoas correndo apressadas de um lado para o outro. Algumas delas cumprimentam Hannah e me encaram, e seguimos, as mesas sendo substituídas por grandes armários e várias portas adjacentes, os sons das conversas se misturando e ecoando pelo túnel.

– O que é este lugar? – pergunto, curiosa, quando chegamos ao fim do corredor, em uma sala imensa que é um refeitório improvisado. O teto é bem mais alto do que o do corredor, formando arcos de pedra simétricos. Ao longo do cômodo, há alcovas com alguns murais apagados pelo tempo, e fica óbvio que nem sempre foi um refeitório.

– Ah, são túneis de guerra! – Hannah explica, empolgada, enquanto me guia para o lugar mais elevado no fundo da sala, onde a comida está servida em grandes tinas. – Estamos no sudeste de Arkai, podemos ver a Frankia daqui. Antigamente, era uma ótima posição de defesa da ilha, quando ainda não éramos um só país e, ao longo das guerras, eles foram construindo mais e mais túneis aqui para acomodar o exército. Lá em cima tem uma ruína de um castelo que tem milênios, mas não usamos porque não queremos ser identificados.

Eu pego um dos pratos e tento absorver a informação enquanto Hannah me ajuda a servir uma porção de batatas recheadas. Os corredores parecem bastante antigos, realmente, mas como é que existe uma estrutura tão grande assim sem que ninguém repare? Sigo Hannah até uma das mesas, onde ela senta de frente para mim e parte um pedaço de pão, molhando-o em sua sopa. Duas garotas se aproximam e a cumprimentam com entusiasmo.

– Você deve ser Sybil, então – uma delas diz, sentando-se ao meu lado com seu prato. Ela tem a pele negra como a de Leon e um cabelo lindo, enorme e cheio de volume. – Sou Abena, muito prazer. Aquela ali é Reika, não dê ouvidos a ela, é terrível!

– Eu não fiz nada! – Reika diz, se acomodando ao lado de

Hannah. Ela parece um pouco mais velha que nós, com os olhos estreitos como os de Naoki e um cabelo liso, preso em uma trança.
– Pelo Criador, Abena, dá para você esquecer isso?
– Quem sabe em algum momento, daqui a três mil anos – ela retruca e se vira para mim, falando de um jeito conspiratório. – Você sabia que Reika roubou minhas botas novinhas? Sem nem me consultar! Ela pegou e usou, assim. Sorte a sua que você chegou agora e tem um quarto só para você!
– Já te disse que não foi assim! Eu não sabia que eram suas, as coisas não têm nome e você deixou no armário coletivo. Sybil, ignore Abena, ela é louca – Reika fala, e percebo que tem o mesmo sotaque aberto de Sofia. Olho para Hannah, confusa, mas ela continua comendo, se divertindo com as duas.
– Eu – Hannah as interrompe, repousando o talher no prato – estava contando para Sybil sobre a fortaleza.
– Oh, ela é maravilhosa, não é? – Abena pergunta, apoiando os cotovelos na mesa e olhando para cima. – As adaptações que eles fizeram ao longo do tempo foram muito boas. Por exemplo, este refeitório costumava ser uma capela.
– O que é extremamente herege – Reika adiciona, enquanto tira o miolo do seu pão e separa a casca. – Por isso eu gosto de vocês.
Abena e Hannah riem, mas continuo comendo, me sentindo por fora. As três prosseguem me explicando não só as modificações que foram feitas, mas também pedaços de informação que consigo juntar para fazer uma imagem mais clara dessa "rede de proteção". O fluxo de pessoas no refeitório fica cada vez maior e noto que chegamos bem na hora do jantar. São pessoas de todas as idades, mas há uma grande quantidade de adolescentes, que se acomodam em grupos nas mesas. Não há o mesmo entusiasmo das duas garotas que conheci, e o clima da refeição é pesado, silencioso demais para a reunião de um grupo desse tamanho. Várias pessoas parecem olhar para mim e para Hannah, fazendo algum gesto, algo para indicar que sabem quem somos e o que aconteceu.
– Amanhã, todos os grupos estarão aqui – Abena fala, chamando minha atenção. – Foi o prazo que Cléo deu quando saiu para buscar comida, não foi?

– Idris fará a assembleia com ou sem ela – Reika responde. – E ela está marcada para amanhã à noite, então é melhor que chegue a tempo.
– Assembleia? – pergunto, olhando para Hannah.
– Nós vamos discutir os últimos acontecimentos e descobrir o que vamos fazer agora – Hannah oferece como explicação. – Idris nos orienta, mas só avançamos com um plano se consultarmos a todos. Mas raramente alguém discorda de Idris.
– É um bom sistema. Você sabe se... – Eu hesito, olhando para o prato na minha frente, alterando a pergunta que estou morrendo de vontade de fazer. – Se Leon vai chegar a tempo da Assembleia?
– Hassam voltou para buscá-los e planeja estar de volta a tempo, sim. Meu irmão idiota não quis nem descansar e deixar para outra pessoa, precisa ele mesmo garantir a segurança dos *novos recrutas*.
– O tom de Hannah é de chacota, mas percebo que está preocupada. Devo ter feito uma careta, porque ela aperta minha mão boa para me confortar. – Não fique preocupada, nós temos outras rotas além daquele túnel. Demora um pouco mais, mas pelo menos não corremos o risco de ser detectados.

Espero que ela esteja certa. Não só quanto à segurança, mas no uso do plural. Por mais que eu goste de Hannah, não é a mesma coisa estar com ela e estar com Leon e Andrei. Estar nessa mesa no meio desse mar de desconhecidos me deixa ansiosa, e preciso dos meus amigos para servirem como uma âncora.

Quatro dias longe deles e eu já estou com saudades. Quem é essa pessoa e o que ela fez com a Sybil?

Capítulo 7

A relativa privacidade do meu quarto é boa, porque posso ficar acordada lendo até ficar tão cansada que durmo como uma pedra. No dia seguinte, só desço para comer, me divertindo com o fluxo constante de palavras entre Reika e Abena, sob os olhos preocupados de Hannah. Devo estar com uma aparência péssima, mas não me importo. Decido ficar no quarto até alguém precisar de mim.

Estou numa parte especialmente tensa dos diários de minha mãe quando a porta do quarto se abre. Levo um susto, largando o caderno de uma vez, como se estivesse fazendo algo errado. Andrei está encostado na porta, com uma expressão engraçada e os braços cruzados. Meu peito se aquece quando o encaro, surpresa por vê-lo aqui. Não acredito que ele veio, que deixou o pai sozinho e decidiu seguir um monte de malucos para um lugar que não sabia onde era. Ele sorri para mim, mas o gesto não atinge seus olhos, que estão sombrios e carregados de dor. Não parece estar nada bem e tenho vontade de afundar meu rosto em seu pescoço e escondê-lo do resto do mundo até que tudo volte ao eixo certo.

– O que você está fazendo? – pergunta, como se fizesse dois minutos desde a última vez em que nos vimos, se acomodando ao meu lado na cama e pegando um dos diários que ainda não li.

– Conhecendo minha mãe biológica – respondo, e as palavras soam muito esquisitas. Me contenho para não enchê-lo de perguntas e observo enquanto ele abre um caderno vermelho e levanta uma sobrancelha, e seus lábios se curvam num quase sorriso.

– "Eu sonhei que você me beijava, eu disse, mordendo os lábios, me sentindo idiota por estar parada de madrugada na frente do quarto de um oficial." – Ele lê, fazendo as vozes. – "O quê?, Alexander perguntou, sonolento. E então reuni toda a minha coragem e..."

– Andrei! Você está estragando a história! – Roubo o diário de forma desajeitada por só estar usando uma das mãos.
– Você sabe que nasceu desses dois, Sybil, em algum momento isso ia ter que acontecer – ele diz, de forma prática, se inclinando na minha direção para pegar o caderno de minha mão. Apesar da brincadeira, posso ver a tensão em seus ombros e como seus movimentos são calculados para serem descontraídos. – Não seja difícil, Syb, ou vou ter que usar todas as minhas armas contra você.
– Ohh, que medo – zombo, e ele aperta os olhos, se aproximando mais de mim. Sinto meu coração se acelerar com a proximidade e, em um segundo, Andrei parece desistir e encosta a cabeça na minha testa, fechando os olhos e suspirando. Eu sussurro, com minha voz fraca. – Você veio.

Não me importo com minha mão enfaixada quando o abraço, sentindo sua respiração quente contra a minha bochecha. O garoto mantém os olhos fechados, e uma de suas mãos repousam na curva entre meu ombro e o pescoço, como se ele quisesse verificar se a minha pulsação ainda existe. Os lábios do garoto se curvam numa tentativa de sorriso quando deslizo um dedo pela sua mandíbula, encostando os lábios contra sua bochecha. Ele esconde o rosto no meu ombro, me puxando para seu colo.

– Você está viva – ele fala no meu ouvido, e sua voz reverbera no meu peito. – Você está realmente viva.

– Andrei...

– Eu já sabia disso antes, mas ver o caixão que deveria ser o seu entrar na terra... não conseguia parar de pensar que era você ali, ao lado da minha mãe, você e ela, juntas embaixo do solo, para serem comidas pelos vermes. Que eu só havia imaginado que você sobreviveu. – As palavras saem em uma torrente, e sua voz está embargada. – Mas aqui está você, exatamente como da última vez.

Meus lábios se movem, traçando o desenho da sua bochecha, a linha íngreme do seu nariz, a curva dos seus lábios. Seus cílios acariciam minha pele e eu sinto seus dedos se afundarem contra minha cintura, me puxando mais para perto, como se nossa proximidade nunca fosse ser o suficiente. Andrei retribui meus beijos suavemente, tomando tempo para explorar a pele do meu pescoço e a curva do meu queixo. Sinto sua mão nas minhas costas, por debaixo da blusa, e fecho os olhos, beijando-o, sentindo a batida acelerada do seu coração no meu.

Ele é o primeiro a se afastar, devagar, e seu rosto tem manchas vermelhas, seus lábios estão ligeiramente inchados. Me sento ao seu lado, arrumando meus cabelos atrás da orelha, tentando controlar a respiração e meu coração, que parece prestes a explodir. Andrei passa a mão pelo rosto, bagunçando ainda mais os cabelos loiros, e eu jogo um travesseiro para ele, que usa para cobrir seu colo, no lugar onde eu estava sentada antes. A culpa por estar mais preocupada em beijá-lo do que com outras questões mais urgentes me invade e abaixo a cabeça, envergonhada. Ele deve estar pensando exatamente a mesma coisa.

– Merda – ele diz, olhando para cima, e sua respiração é ainda ofegante. – Merda, merda, merda. Nós deveríamos ir encontrar os outros, colocar as coisas em movimento, vingar minha mãe. Não... você sabe.

– Eu sei. – Suspiro, massageando as têmporas. Mas a sensação da sua pele contra a minha ainda está fresca, e meu corpo parece protestar por ter sido privado dela. – Eu só... eu achei que você não ia.... Você deixou seu pai?

– Meu pai veio comigo. Sofia também. Estamos todos aqui – responde, olhando para as próprias mãos que repousam sobre o travesseiro. Depois, levanta o rosto e me encara, com um meio sorriso mais genuíno do que o anterior. – Eu não iria deixar você e Leon ficarem com toda a diversão.

– Está sendo ridiculamente divertido, olha só, não parei de rir um minuto desde que cheguei aqui – respondo, sarcástica, e isso o faz rir, mas não demora muito para que seus olhos fiquem perdidos, encarando a parede na frente da cama.

– Eu quero fazer algo. Qualquer coisa que possa ajudar, qualquer coisa que faça o que estou sentindo ir embora. – Ele abaixa a cabeça, fechando suas mãos em punhos. – Precisei de toda minha força de vontade para não derrubar Fenrir do palanque no funeral.

Quero tocá-lo novamente, mas me limito a colocar a mão ao lado da sua, esperando que se mova. Ele só usa um dedo para acariciar o dorso da minha mão, e seus olhos estão distantes. Não sei exatamente como reagir a esse Andrei, porque acho que nem ele sabe o que fazer com tudo o que está sentindo. É tão estranho pensar que nossos dilemas são opostos: enquanto meus sentimentos são por descobrir que tenho uma mãe, uma família, o dele é por ter perdido a sua. Me faz sentir vergonha pensar em como estou perdida só por um detalhe como esse.

– Eu fico com muita raiva quando penso nisso. – Andrei se levanta abruptamente, caminhando pela pequena área do quarto com passos largos. – De todos os sentimentos, o único que consigo discernir é raiva. Eu vejo o rosto de Fenrir sorrindo com aqueles dentes brancos e afiados o tempo todo em minha mente, enquanto nos observava no enterro, como se não se importasse. Minha mãe era amiga de infância dele, sabe, e é assim que ele a trata. E isso sempre me leva para outros lugares. Por que eu não a tratei melhor? Por que fui estúpido o suficiente para não aproveitar enquanto minha mãe estava viva? Por que ela teve que se arriscar e acabar desse jeito? Por que meu pai tem que passar por tudo isso, logo ele, a melhor pessoa do mundo?

– Andrei, me escuta. – Me levanto também, parando à sua frente e o segurando, até que ela olhe para mim. – Entendo a raiva de Fenrir, porque eu senti a mesma coisa, mas não... não fique com raiva de si mesmo nem de sua mãe. O que aconteceu não pode ser mudado e se você ficar se remoendo, não vai trazer ninguém de volta.

– Você não entende. – Ele praticamente cospe as palavras e eu me encolho, cruzando os braços, acuada.

– Não, não entendo. Nunca tive um pai ou uma mãe para saber o que é perdê-los – respondo, com um tom duro, me levantando também –, mas sei o suficiente para saber que você tem que usar o que está sentindo para se mover para cima, e não para baixo.

Andrei não responde por algum tempo, visivelmente tenso. Eu consigo sustentar silêncios muito melhor do que ele, então apenas o encaro, confusa sobre como seu humor pode ter mudado tanto em tão pouco tempo. Conheci pessoas de luto o suficiente para saber que cada um age de uma forma, mas não esperava que Andrei fosse dos que oscilam entre fingir que está tudo bem e o fundo do poço. Ele parece desconfortável sob o meu olhar e, finalmente, quebra o silêncio:

– Nem perguntei como você está. Alguém deu uma olhada na sua mão?
– Estou melhor que você, Andrei. Não se preocupe comigo.
– Arrumo os diários na mesa de cabeceira e jogo o travesseiro na ponta da cama com um pouco mais de violência do que o necessário.
– Quero ir ver Leon e Sofia, onde estão?
– Eles podem esperar mais um pouquinho, não faz diferença.
– Tudo bem, você quer saber sobre mim? – estouro, falando rapidamente, irritada com a sua presunção. – Estou aqui, tentando me ajustar com a ideia de que tenho um pai e uma mãe e que pelo menos um deles estava vivo até quatro dias atrás e, surpresa! Agora realmente sou órfã, de verdade! Vi duas pessoas serem queimadas até a morte como vingança pelo que fizeram comigo. Estou morta para as pessoas que considero minha família. A única coisa que tenho são promessas vagas, de pessoas que mal conheço, de que tudo vai ficar bem, de que nada disso vai se repetir. Tenho um namorado que perdeu a mãe e não sabe como agir quanto a isso, e eu não sei como consolá-lo, porque quando tento ajudar, ele me trata como se eu não soubesse nada sobre o luto. Logo eu, que cresci em Kali. Na maior parte das vezes, só me pergunto que tipo de merda vai acontecer a seguir, porque é impossível que algo bom aconteça na minha vida sem que haja algo terrível logo depois!

Andrei me encara com a boca entreaberta, porque nunca me viu desse jeito, tão alterada. Aperto o punho e mordo os lábios, respirando fundo para não me descontrolar ainda mais. Ele parece arrependido de ter insistido na pergunta e, provavelmente, de ter mencionado qualquer assunto. Tenho medo de que ele se feche e não queira mais conversar comigo, mas, em vez disso, ele se abaixa, devagar, como alguém se desmanchando, e sinto meu coração na garganta quando vejo que ele se senta no chão, com o rosto afundado nas mãos. O único indício de que está chorando são os espasmos periódicos nas suas costas e mesmo com toda raiva, não consigo deixá-lo passar por isso sozinho. É tão esquisito vê-lo assim, tão vulnerável, tão diferente do que estou acostumada. Eu o abraço, forte, até que suas lágrimas passem.

Nós estamos todos ferrados se nosso futuro depender de pessoas tão machucadas quanto eu e Andrei.

Capítulo 8

Quando Andrei se acalma e mostro para ele onde é o banheiro, Abena passa pelos quartos, convocando todo mundo para o refeitório. Algumas pessoas parecem surpresas, mas logo o corredor se enche com os sons delas se movimentando, suas conjecturas e perguntas jogadas no ar. Andrei me encontra e fica intrigado com a quantidade de pessoas, e faço um sinal para que me siga. O clima continua pesado entre nós, mas ele o preenche com conversa.

– Hassam disse que iria levar meu pai e Sofia para o nosso quarto, para eles descansarem – me diz, e reconheço um pedido de desculpas em sua voz. – Nós viajamos a madrugada inteira, foi bem cansativo. Eu escolhi ir te ver.

– Você quer descansar? Pode ficar com eles se quiser, eu te conto o que acontecer – ofereço, e Andrei abaixa a cabeça, provavelmente entendendo tudo errado. – Olha, eu quero que você venha comigo, mas não quero que fique exausto.

– Eu estou bem – ele se defende. – Você sabe para onde estamos indo?

– Descobrir exatamente qual é a dessas pessoas. Pelo menos, é o que acho.

Isso o leva a fazer várias perguntas sobre o lugar, os túneis, as pessoas. Só respondo o que aprendi no dia anterior, mas quando nos aproximamos do refeitório e o fluxo de gente fica cada vez maior, ficamos em silêncio. Ele passa um braço pelo meu ombro para não nos perdemos um do outro e, quando finalmente entramos no refeitório, fico impressionada com a quantidade de pessoas ali dentro, sentadas ao redor das mesas, em pé perto das paredes, ocupando cada espaço possível.

No local onde ficava o altar da capela, a mesa que usavam para servir comida deu lugar a algumas cadeiras dobráveis, organizadas num semicírculo. Identifico Maritza sentada em uma delas e, ao seu lado, vovó Clarisse está tão diferente com o cabelo grisalho preso e as roupas escuras que mal a reconheço. Guio Andrei entre as pessoas até lá, pedindo desculpas quando tropeço em alguém numa cadeira de rodas.

— Sybil! — Ouço a voz de Leon me chamar à direita, acima da conversa da multidão, e me viro para procurá-lo, encontrando-o num grupo com Hassam, Hannah e Gunnar. Os outros três parecem impressionados que ele tenha me identificado, mesmo com todo o barulho, mas, conhecendo Leon, ele provavelmente ouviu nossos passos quando estávamos nos aproximando. Ele também é capaz de reconhecer nossas vozes à distância, então para mim não é surpresa.

Nos aproximamos e Leon me abraça com força, afagando meus cabelos. Me sinto protegida com seu abraço, provavelmente por ele ser tão maior que eu, e o aperto contra mim. De todos nós, é o que tem menos motivos para estar aqui conosco e sinto uma gratidão estranha por ele ter decidido nos acompanhar. Andrei para ao nosso lado, com uma expressão de alívio, como se nós três estarmos juntos de alguma forma suavizasse o buraco de dor em seu peito. Leon também o puxa para o abraço e ficamos assim por alguns segundos, apenas sentindo nossos batimentos cardíacos como se fosse só um coração. Mesmo quando nos soltamos, ainda fico entre os dois, nossos braços entrelaçados pelas costas, como uma corrente.

— Está tudo certo com seus pais — Leon sussurra para mim. — Eu e Andrei falamos com Dimitri antes do funeral.

— Obrigada. — Meus ombros relaxam instantaneamente, como se tivessem tirado mil toneladas de cima deles. Me sinto aliviada e olho para Andrei com o canto dos olhos. Ele poderia ter me dito antes e poupado um pouco meu nervosismo, mas só desvia o olhar, observando o cômodo em que estamos. Nossos outros companheiros se juntam em um trio também, ao nosso lado, conversando baixinho. — E seus pais, como ficaram?

— Eles acham que estou com Andrei e com a família dele, ajudando-os nesse período — ele responde, com um tom divertido. — Também acham que isso é o mais seguro a fazer, já que meu pai está atendendo pessoas clandestinamente lá em casa.

— Bem, não foi exatamente uma mentira — Andrei comenta. Ele consegue fingir bem demais que nada aconteceu.

— Espero que todos eles fiquem bem. — Minha voz sai num suspiro. — Vocês conheceram vovó Clarisse?

— Vovó Clarisse? A mulher que te criou? — Andrei questiona, intrigado. — O que ela está fazendo aqui?

— Sim, olhe ali, perto de Maritza... ah, acenem para ela. — Duas mulheres levantam o rosto de suas conversas e olham na nossa direção. Vovó acena de volta, com um sorriso. — Depois apresento vocês.

— Isso não faz sentido. — Leon franze a testa. — O quê...?

Mas toda a conversa no refeitório cessa aos poucos quando percebem que duas pessoas chegaram. A mulher que segue à frente está vestida com uniforme militar modificado e tem o cabelo escuro cacheado na altura dos ombros, com sobrancelhas arqueadas e um rosto largo. Caminha com passos largos e com propósito no espaço que as pessoas abrem para ela, seu nariz proeminente formando um arco orgulhoso enquanto equilibra os óculos de grau quadrados. Atrás, com um passo mais lento e descontraído, uma pessoa bem mais alta segue, e seu pesado casaco preto me faz sentir calor só de olhar. Parece ser mais ou menos da idade de vovó Clarisse, pelas rugas que aparecem ao redor dos olhos quando sorri. Seu cabelo crespo está cortado curto, um pouco maior que o de Leon, e nada em suas feições ou em sua vestimenta me permite discernir se é um homem ou uma mulher. Ela, ou ele, caminha até o altar. Todos ficam em um silêncio reverente e, do meio da multidão, encontro Charles, o pai de Andrei, e Sofia. Aceno e eles começam a tentar abrir caminho até nós.

— Estão todos aqui? — a pessoa no centro do altar pergunta e, mesmo quando fala, continuo sem saber seu gênero. — Todas as missões já estão de volta?

— Sim, Idris. — Um homem por volta de seus 30 anos se descola da multidão e faz uma reverência dobrando quase o corpo inteiro, com as mãos encostadas à sua frente. Tenho certeza de que já o vi antes; seu rosto e sua voz soam familiares. Ao meu lado, Leon inclina a cabeça, concentrado. Tenho certeza de que ele também o reconheceu. Mas de onde? — Todas as operações retornaram com sucesso, os suprimentos foram recuperados.

– Muito obrigada, Juan – Idris fala, olhando para a multidão. – Gostaria de agradecer por vocês disporem de seu tempo para virem até aqui ouvir o que temos a dizer. Peço desculpas pela omissão nos últimos cinco dias, mas não queria convocar uma assembleia sem um plano bem definido. – Apesar de sua postura ser de um (ou uma) líder nato, seu tom de voz não é de comando, é mais amigável. – Para começar, Cléo deseja falar com vocês.

Com um gesto, a mulher de cabelos cacheados toma o lugar de Idris à frente. Aqui embaixo, Hassam para ao lado de Leon, e sua mão repousa em um dos braços do garoto que não está ao redor da minha cintura. Hannah se encosta na parede ao lado de Andrei, com os braços cruzados, parecendo conter o entusiasmo com o que irá acontecer. Gunnar, ao seu lado, apenas observa tudo atentamente, como sempre. Continuo olhando para o homem, que voltou a se sentar em um dos bancos do refeitório, intrigada. Onde o vi antes?

– Abena não está aqui. Nem os outros da equipe dela – Hassam comenta, e seus olhos correm pela multidão. Me desconcentro, olhando para o garoto sem entender.

– Provavelmente Idris os colocou em alerta, ouvindo o rádio e vigiando o telégrafo – Hannah responde, tranquila, mas vejo que Gunnar está tão tenso quanto Hassam. Eu ainda não entendi como funcionam as coisas aqui, mas é óbvio que tanto Abena quanto Reika têm alguma posição de comando.

– Mas *toda* a unidade de comunicação? – Hassam questiona.

– Bastaria uma ou duas pessoas para isso.

– Antes de começar, gostaria de dar as boas-vindas aos nossos convidados e novos recrutas. – Cléo interrompe o pensamento de Hassam com sua voz clara e límpida, e, ao contrário de Idris, seu tom é de ordem, mesmo que suas palavras sejam calorosas. – Deixe-me apresentá-los. Primeiro, temos os Novak, a família de Zorya, que veio buscar asilo e proteção conosco depois do Massacre Amarelo. Nós sentimos muito pela perda de vocês, juramos fazer o possível para que não tenha sido em vão.

Algumas pessoas da sala fazem uma reverência como o costume dos dissidentes, outras apenas abaixam a cabeça e levam a mão ao peito, em sinal de compaixão. Aperto Andrei contra mim, consolando-o, mas ele tem o queixo erguido numa postura orgulhosa, e seus olhos estão atentos nas palavras da mulher.

— Zorya nos ajudou por pouco tempo, mas foi valiosa no que trouxe para nós. Ela foi uma das mulheres mais corajosas que já conheci, principalmente pelo que colocou em risco ao nos contatar — ela continua falando e vejo, com o canto dos olhos, a incredulidade no rosto de Maritza. — Por isso, peço um minuto de silêncio em sua memória.

Charles e Sofia nos alcançam exatamente quando Cléo pede a homenagem à Zorya, e a garota se joga contra mim, me abraçando com força. Eu retribuo como posso, sentindo seu rosto contra meu ombro, e suas mãos trêmulas na minha cintura. Andrei vai até seu pai, que parece abatido, mas tem uma expressão tão impassível quanto a do filho. Fingir que está tudo bem é de família.

— Também temos Leon Martins, um jovem que participou de duas missões para o governo e saiu inteiro. Leon nos procurou por conta própria, seja muito bem-vindo.

Algumas pessoas olham para onde estamos, e Hassam parece estranhamente orgulhoso com a apresentação de Leon. Passo a mão nas costas de Sofia, tento acalmá-la. Ela não está chorando, mas está tremendo tanto que sei que não está bem. Ela sussurra algo que se perde quando Cléo volta a falar.

— Vinda de Kali, temos Clarisse LeRoux, uma amiga antiga de Idris, que veio nos auxiliar na última parte de nossa jornada. Clarisse é uma médica cientista excepcional, a responsável por metade dos medicamentos que usamos aqui hoje e, dezoito anos atrás, foi quem descobriu a cura para a Morte Vermelha, doença que dizimou anômalos na zona de guerra por anos a fio. — Cléo aponta para vovó Clarisse, que está sentada em uma das cadeiras. Ela se levanta e faz uma pequena mesura, sendo saudada com palmas. Cléo mal deixa que elas cessem antes de prosseguir.

— E, por último, temos Sybil Klaus, filha de Alexander Klaus, meu irmão, a única sobrevivente do atentado ao comício. Nós todos sentimos pela sua perda, porque Alexander foi um homem admirável, com conquistas extraordinárias para todos nós durante sua vida e, por isso, nosso escolhido para nos representar pelas vias legais.

Tudo o que sei hoje foi graças a ele, e esperamos que Sybil seja bem recebida no segundo lar de seu pai. – Seus olhos estão grudados em mim, e várias pessoas se viram em minha direção. Me agarro à Sofia, querendo que ela me torne invisível aqui, agora. Essa mulher é minha tia? Meu nome não é Sybil Klaus. O que estou fazendo aqui, sendo apresentada dessa forma? Essa não sou eu.

– Varuna – vovó Clarisse fala baixo, interrompendo Cléo. Ela continua da sua cadeira, mas sua voz ressoa pelas abóbadas do refeitório. Quando olho para os outros, o desconforto que sinto é visível em seus rostos. – O sobrenome dela é Sybil Varuna, não Klaus como vocês.

Vejo os lábios de Cléo se moverem em algo que entendo como "veremos", mas, à distância, não consigo ouvir. Vovó Clarisse a encara, com uma expressão beligerante, e *minha tia* dá um sorriso desdenhoso. Ela se volta para a multidão, que parece alheia aos pequenos gestos entre as duas.

– Essas são adições que serão peças-chave no nosso próximo plano. Muito obrigada por estarem conosco.

As pessoas ao redor batem palmas, as mais próximas nos desejam boa sorte e apertam nossas mãos. Quando Sofia finalmente me solta e limpa o rosto com as costas das mãos, seus olhos estão vermelhos e ela tem olheiras imensas. Arrumo seu cabelo atrás da orelha e lhe dou um beijo na bochecha.

– Você está bem! Não acreditei quando me disseram – ela diz, baixinho. – Eu precisava ver com meus próprios olhos.

– Shhh. – Alguém na nossa frente pede silêncio e faço cara feia, puxando a menina para ficar entre mim e Leon, que coloca a mão em seu ombro.

Um pouco mais à frente, Andrei e seu pai observam Cléo com o mesmo olhar clínico, como duas águias vigiando uma presa. Olhando-os de perfil, consigo ver como são parecidos, têm as mesmas bochechas altas, o mesmo nariz agudo. Consigo ler a desconfiança em seus gestos e entendo que, se estão aqui, é na mesma situação que eu: certamente temem algum tipo de retaliação de Fenrir.

– Os últimos dias foram terríveis para nós. A candidatura de meu irmão, o nosso plano maior para começar a expandir nossa bandeira de igualdade, teve um fim trágico. Perdemos não só ele, mas duas pessoas fundamentais de nossa equipe de planejamento e articulação. O plano que Maritza sugeriu, das mudanças lentas e graduais, começadas de dentro para fora, falhou de forma desastrosa, com um sacrifício desnecessário – Cléo volta a falar, tomando toda a atenção do cômodo para si. Ela caminha com passos firmes, sua voz se eleva com um tom de comando absurdo. Se eu não soubesse, diria que ela é a líder, e não Idris, que se sentou ao lado de Maritza, com seu rosto andrógino impassível de emoções.

– Nós sabíamos que iríamos perder pessoas muito queridas para nossa organização no processo, mas isso acontecer sem que nenhum avanço ocorresse? Não podemos desperdiçar nossos recursos dessa forma. Nós temos um objetivo claro, que é tornar a vida melhor para todos nós, anômalos, humanos, refugiados de Kali ou do Império, todos os que são perseguidos injustamente só por não concordarem com o que o governo nos impõe. E nunca, nunca chegamos tão perto de conseguir uma mudança drástica como agora, como hoje. Não somos mais uma minoria escondida nas ruínas de um castelo milenar, estamos na voz de todos os anômalos que clamam por mudança. Ou nós pegamos essa oportunidade e tomamos a história para nós, ou ficaremos escondidos aqui para sempre.

Olho para Leon, querendo fazer algum tipo de comentário, mas tenho medo de ser ouvida. Cléo discursa extremamente bem, talvez melhor que o Almirante, talvez melhor que Fenrir. Ela é precisa, fazendo todas as inflexões nos momentos certos, se movimentando pelo cômodo e mantendo contato visual com o público. É impossível não sentir empolgação enquanto fala, o senso de urgência em seu tom de voz contagia os presentes.

– Então é a vez de mudar o plano – Cléo declara, levantando três dedos. – Teremos três frentes de trabalho, agora, para cobrir nossos principais desafios: precisamos estar prontos para a cura, ela existindo ou não. Precisamos, também, derrubar o cônsul e colocar alguém que execute as mudanças que demandamos. E, por último, temos Fenrir. Muito já foi discutido sobre o homem, mas é visível seu desprezo por anômalos em geral, e seu único interesse é o poder. Não podemos deixar que um homem desses tome nosso lugar e continue a desperdiçar vidas como se elas fossem descartáveis.

– A ideia é bem simples, na verdade – Idris declara, levantando-se e caminhando até Cléo. Tenho a impressão de que a temperatura na sala cai um pouco, e Sofia se encolhe contra mim, arrepiada. Se Cléo passa a impressão de autoridade com sua voz, Idris a veste em todos os seus gestos e trejeitos. – Todos vocês sabem que o Império diz ter descoberto uma cura para os anômalos e, embora ainda estejamos aguardando a confirmação dos nossos agentes infiltrados, temos certeza de que a União também chegou a uma descoberta semelhante, principalmente depois da última missão que realizaram. – Os olhos de Idris param onde eu e os meninos estamos e sinto vergonha. – Uma das nossas equipes de resgate soltou um novo grupo de crianças de um dos centros de pesquisa e eles estão na enfermaria até hoje, sofrendo de algo desconhecido. É por isso que Clarisse está aqui, para tomar frente e descobrir o que exatamente é isso que eles chamam de *cura*. Ela tem autorização para usar nossos laboratórios e escolher quem julgue necessário para ajudá-la. Vocês devem tratá-la com a mesma deferência que usam com Cléo, meu braço direito, e com Maritza, meu braço esquerdo. Pensem nela como o cérebro.

Cléo cruza os braços. Sua expressão é fechada, os pés estão separados em uma postura dominante. Tenho certeza de que ela e Clarisse não se dão bem, a hostilidade entre as duas é palpável, mas Idris parece ignorar a tensão. Não sei o motivo, mas pensar que sou parente dessa mulher me dá um bolo no estômago. Vovó Clarisse levanta o queixo, orgulhosa, e Cléo desvia o olhar rapidamente.

– Depois, o cônsul. Os anômalos não precisam de nada para invadir a cidade e tomar o senado, mas se não fizermos isso como um só, não dará certo. Todas as pessoas precisam estar insatisfeitas e juntas decidirem que Fornace não serve mais para nós. Se for uma tomada de poder de um lado só, a balança ficará desequilibrada. – Idris caminha pelo altar com as mãos nos bolsos e olhos focados na audiência. – Os humanos precisam de incentivos. Com os anômalos sem trabalhar, a maior parte das fábricas está produzindo bem menos, porque os humanos se recusam a sujar as mãos pelos salários oferecidos. Os donos de fábricas estão irritados por receber menos, apesar dos grandes pagamentos que o governo está dando a eles, e humanos estão cada vez mais insatisfeitos com a escassez de mantimentos, embora compreendam a necessidade nesse momento difícil. Nós podemos esperar até que finalmente Fornace seja deposto – o que pode levar meses –, ou podemos dar o nosso jeito.

– As pessoas podem viver sem roupas ou sem desodorante por um tempo, se for necessário – Cléo continua, caminhando no sentido oposto ao de Idris. – Mas sabe o que ninguém consegue viver sem?
– Comida – Idris completa, com um gesto amplo na direção onde fica a cozinha. – Nós sabemos muito bem disso, com os nossos esforços constantes para não deixar nos faltar alimento. O próprio cônsul demostrou saber quando racionou a comida dos anômalos. Nossa ideia não é fazer as pessoas passarem fome, mas reduzir suas opções, tornar o governo refém das nossas demandas. Quase 80% da comida que nós consumimos é produzida nas fazendas do Estado, com mão de obra de refugiados, como vocês já devem saber. Se nós controlarmos as duas maiores, em Arkai, calculo uma semana até que eles estejam, literalmente, comendo em nossas mãos.

– Eu e Juan seremos responsáveis por essa parte – Cléo conclui, parando na frente do homem, no outro lado do cômodo. – Os participantes da operação serão convocados, mais tarde, para maiores informações sobre os detalhes e datas das nossas movimentações.

– Ao mesmo tempo em que Cléo age, temos de garantir que o próximo governo seja bom. – Idris para, juntando as mãos de forma pensativa. – Algo que não seja apenas as mesmas ideias embaladas em um papel de presente brilhante. Nós temos alguns candidatos ao posto, dentro do próprio Senado, e Maritza será a responsável por sondá-los, investigá-los e ver qual é o mais favorável. Também estamos trabalhando com outros contatos para fazer um bom caso contra o cônsul, se, por acaso, o que ele vem fazendo com os anômalos desde que assumiu o poder não for o suficiente. Nós vimos, ao longo da história, várias revoluções darem errado por falta de planejamento. A nossa não sofrerá desse mal.

– E Fenrir? – Cléo adiciona. É o único sinal de fraqueza demonstrado por ela, a forma como olha para Idris como se não soubesse como proceder.

– Eu cuido dele. – A voz de Idris é gelada e, com suas palavras, a temperatura do cômodo parece baixar ainda mais. – Se cada um de vocês fizer sua parte, as peças vão se encaixar perfeitamente no final. Fico curiosa quanto ao que Idris planeja, pois Fenrir já mostrou inúmeras vezes que sempre está um passo à frente de todo mundo. É preciso um plano muito, muito bem-feito para poder pegá-lo desprevenido, porque o homem parece se resguardar de todos os lados.

– Os líderes de cada operação irão orientá-los sobre como proceder. Mas antes que vocês se dispersem e voltem para seus afazeres, gostaria que refletissem sobre essa nova etapa. Sobre o que vocês querem para sua vida, sobre o que esperam, sobre em que lugar querem viver. Alguns de nós estão aqui há anos, vivendo numa bolha em que não importa se você é anômalo ou humano, então as dificuldades que podemos encontrar lá fora são incontroláveis. Não importa o passo que dermos agora, ele será difícil. – Do centro da sala, a voz de Idris reverbera pelo cômodo, e suas palavras soam pesadas. – Não só no sentido de perdermos mais companheiros, mas haverá resistência. Mesmo se conseguirmos o que queremos, a vida não será como é aqui. Ponderem sobre isso, conversem com quem chegou há pouco tempo e pensem em que soluções a longo prazo podemos dar para isso. É nossa chance de sermos ouvidos e fazermos as coisas da nossa forma.

O cômodo fica em um silêncio quase sobrenatural por alguns instantes até que vários focos de conversa começam a brotar de todos os cantos. Idris levanta a mão e, como um maestro, faz com que todos se calem.

– É isso, por enquanto. Podem voltar às suas atividades – diz e faz um gesto na nossa direção, me surpreendendo por saber onde estamos no meio de toda a multidão. – Vocês fiquem, por favor. Maritza também.

Capítulo 9

As pessoas começam a se dispersar e Maritza desce do altar para conversar com Hassam, e o rapaz tenta convencê-la de algo, mas encontra-a irredutível. Ele parece contrariado, mas segue o fluxo da multidão com Hannah e Gunnar, olhando na nossa direção antes de partir.

Vovó Clarisse também se junta a nós e aproveito para apresentá-la rapidamente aos meus amigos. Não conseguimos conversar muito pois várias pessoas nos cumprimentam, desejando os pêsames para Andrei, para Charles e para mim. Não sei como reagir. Não é como se eu não me importasse com a morte do Almirante, pelo contrário, mas as pessoas prestam condolências como se eu tivesse sofrido uma enorme perda, a perda de meu pai. Minha dor é de longe parecida com a que Andrei sente, e isso me deixa desnorteada. Vovó Clarisse agradece às pessoas por mim, puxando conversa para si enquanto me escondo atrás dela.

Quando o lugar está praticamente vazio, vejo um grupo de meninas que conheço muito bem se aproximar de nós e meu peito se aperta. São apenas três, uma delas carrega um bebê, e é estranho como nos tornamos tão poucas num espaço de tempo tão curto. A mais velha, Carine, dá um sorriso imenso quando me vê, embalando seu filho no colo enquanto se aproxima com pressa, e as pequenininhas a seguem. Sarai, a menor de todas, tropeça algumas vezes nas calças compridas e precisa da ajuda de Mina para não cair. A visão delas é suficiente para me jogar em uma espiral de saudades e lembranças das quais fugi durante o último ano e, no final, o que resta é a culpa por não ter pensado nelas nem por um minuto durante o período em que estive aqui.

— Syb! — Carine exclama quando está perto, mas algo a faz parar de uma vez, abraçando o bebê que dorme em seus braços.

Ela parece uma menina brincando de boneca, mais baixa que eu, com o rosto redondo e infantil, e bochechas coradas. Talvez ela esteja lembrando de como, quando nos separamos, mal estávamos nos falando, de como eu exibia tão abertamente minha desaprovação pelo relacionamento que ela tinha com um soldado bem mais velho.

Me desvencilho do meu grupo de amigos e diminuo a distância entre nós. As meninas mais novas não tem o mesmo pudor de Carine: elas se jogam contra mim e me abraçam, e fico impressionada ao ver que Mina está quase me alcançando em altura. Aperto Sarai contra mim, sentindo seus braços ossudos me envolverem. Ela deve estar com o quê, 4 anos de idade? Parece muito maior do que me lembrava.

– Você está tão grande – Sarai fala, com sua vozinha fina. – Você está com bebê?

Sinto minhas bochechas queimarem, constrangida, e olho com o canto dos olhos para onde meus amigos estão. Leon e Andrei estão perto um do outro e sei que ouviram a menina pela expressão de riso contido em seus rostos. Mina e Carine também parecem desconfortáveis, e a menina mais nova me olha com curiosidade. A questão não é nem ela achar que estou mais gorda, mas é uma menina desse tamanho supor que alguém só pode engordar se estiver grávida. Vovó Clarisse intervém, para meu alívio.

– Isso é o que acontece quando você come toda a comida do seu prato, Sarai. – Ela pega a menina no colo, e Sarai ri, escondendo o rosto. – Ah, sua safadinha, você achou que eu não tinha percebido?

– Você quer vê-lo? – Carine me chama, desviando minha atenção para ela e seu filho, então se aproxima de mim com cuidado, como se eu fosse um animal selvagem. – Ele está com oito meses.

Eu faço que sim com a cabeça, sem saber o que dizer para ela. O pacotinho é bem maior do que eu esperava e, quando ela puxa um pouco a coberta, vejo o rosto sereno do bebê dormindo. Ele se parece demais com Carine, com as bochechas cheias e os lábios em formato de coração. Quero sair correndo, mas a felicidade que vejo no rosto da menina me faz aguentar por algum tempo.

– Deve ter sido difícil fazer a viagem com um bebê tão pequeno. – Fico surpresa quando vejo que Andrei se juntou a nós, parando ao meu lado, olhando para o bebê por cima de nós. Ele pergunta para Carine:
– Ele parece com você, é seu irmão?
– Filho – ela responde, constrangida, e Andrei olha para o bebê e para a menina discretamente algumas vezes, e quando trocamos olhares, ele encosta a mão na minha cintura, de forma protetora.
– Ele é muito bonito, Carine – digo, por fim, me afastando.
– Como você está?
– Bem. – E no silêncio que se segue, ela aninha o bebê no colo com uma naturalidade de quem já fez isso centenas de vezes. – Nós temos que ir, foi bom te ver. Mina, Sarai, vamos?

Clarisse dá um beijo em cada uma delas e se volta para nós. Andrei observa enquanto as meninas deixam o refeitório em silêncio, com uma ruga de concentração na testa e não faço ideia do que está pensando. Encosto a cabeça em seu ombro e ele me envolve em seus braços, me reconfortando quando sente como estou trêmula.

– São suas irmãs do orfanato? – ele pergunta baixinho e eu assinto. – Quantos anos tem aquela menina?

– Quinze. Ela fez aniversário na primavera – respondo baixinho e a expressão no rosto de Andrei fica rígida quando ele faz as contas. Espero uma torrente de perguntas sobre Kali, mas ele só me abraça antes de voltarmos para onde Leon está.

Na porta, Idris termina de conversar com as últimas pessoas que ainda estavam ali e caminha em nossa direção. Aproveito a proximidade para tentar definir se devo chamá-lo de senhor ou senhora, mas é praticamente impossível. Seu volumoso sobretudo está aberto e, embaixo, usa uma roupa preta grossa com várias costuras que não revelam detalhes do seu corpo. Desvio o olhar para seu tórax para encontrar algum sinal de seios, mas a roupa deixa o peitoral quadrado e musculoso. O rosto e a voz são andróginos o suficiente para tornar a definição uma tarefa impossível. Acho que todos o chamam apenas de Idris por não quererem ser desrespeitosos.

– Agradeço muito por terem esperado – Idris fala com um sorriso quando finalmente nos alcança. – É um prazer tê-los todos aqui, gostaria que se sentissem em casa enquanto estão em nosso humilde refúgio.

– Acho que estamos a sós – Cléo interrompe, se aproximando do nosso grupo. Ela esteve sentada nas cadeiras do altar o tempo inteiro, só nos observando.

Idris levanta uma sobrancelha ao vê-la. Não me escapa o olhar divertido que troca com Maritza, como se Cléo ainda estar aqui fosse engraçado. Eu não consigo entender a dinâmica de poder entre eles, mas é óbvio que as duas mulheres estão em um posto alto da hierarquia, talvez só abaixo de Idris em influência. O braço esquerdo e o braço direito, como havia dito.

– Venha cá, Cléo. Você ainda não conheceu oficialmente Sybil, conheceu? – Idris a chama com um gesto. Eu me empertigo, desconfortável com a ideia de estar no centro das atenções. – Sybil, você já deve ter percebido pela apresentação que Cléo fez de você, mas ela é irmã de Alexander. É provável que parte de seu tempo aqui seja gasto com ela, pois acreditamos que você precisa de treinamento para desenvolver melhor suas habilidades.

– É um prazer finalmente conhecê-la. – Minha tia sorri calorosamente, e sinto que me abraçaria se eu não estivesse tentando me esconder atrás de Andrei com tanto afinco. – A semelhança com sua avó é impressionante, você irá conhecê-la assim que tudo isso acabar.

– Tudo bem. – Minha voz sai incerta, e olho para suas botas escuras e pesadas. – Eu não sabia que...

– Que eu sou sua tia? Que você tem tias? – ela completa, com um sorriso amargo. – Sua mãe fez um trabalho muito bom em afastar você de nós. Vamos reverter esse quadro em breve. Dido e Harun vão adorar conhecê-la, as meninas vão amar ter uma prima mais velha. Todo mundo a receberá muito bem, nós estávamos esperando por você todo esse tempo.

Não sei o que me desagrada mais: o fato de Cléo assumir que vou me integrar à família imediatamente, esquecendo completamente minha família adotiva só porque descobri que possuo parentes biológicos, ou o tom de desprezo que usa ao falar de minha mãe. Eu não a conheci, mas o que li nos diários me fez criar uma admiração estranha por ela. Não deve ter sido fácil fazer o que fez, mas era o que minha mãe achava que seria melhor para minha segurança.

Nesse momento, tenho mais ressentimento com o Almirante, que se manteve omisso por todo o tempo em que estive em Pandora, do que com Cassandra. Andrei a fuzila com os olhos pela falta de tato, mas se mantém calado. Sinto Leon se aproximar, e sua presença sólida atrás de mim me dá um pouco mais de confiança.

– Você podia ir com calma – vovó Clarisse comenta. – Você mal conheceu a garota e já quer empurrar uma dezena de parentes para ela. Dê um tempo para ela se acostumar.

A mulher para por alguns segundos, como se estivesse considerando suas palavras, e depois cruza os braços, contrariada. É óbvio que percebeu que vovó está certa e que foi indelicada, mas não parece disposta a dar o braço a torcer. Mas quando continua, seu tom é um pouco menos sufocante.

– Maritza me disse que sua anomalia é como a minha e a de Alexander. Posso ensinar você a controlá-la enquanto não começamos a operação, mas como temos pouco tempo, preciso de toda a sua força de vontade – explica, arrumando os óculos na ponta do nariz.

– Tudo bem – repito, aparentemente as únicas duas palavras que consigo dizer para aquela desconhecida à minha frente. Não posso negar que estou curiosa para saber como controlar minha capacidade de transformar coisas em uvas-passas.

– Pronto? – Idris se aproxima, apoiando as mãos nos ombros de Cléo.

– Pronto o quê? Nós vamos começar a conversa? – ela questiona.

– Não, Cleópatra. – Seu tom é duro e Cléo se encolhe, como uma criança que está sendo recriminada. – Você não foi convocada para esta conversa; só estou esperando que termine com Sybil e saia para começarmos.

Ela me lembra muito uma criança de castigo quando abaixa a cabeça e concorda silenciosamente, olhando para Maritza com uma expressão indecifrável antes de sair. Idris a observa em silêncio e, quando Cléo finalmente fecha a porta atrás de si, comenta com humor na voz:

— Cléo pode ser um pouco difícil às vezes. Tem que saber lidar com ela. Mas chega de enrolação. — Ela nos mede com os olhos antes de continuar. — Eu estava esperando conhecê-los, todos vocês. Zorya falou tanto do seu marido e dos seus filhos! E Sybil... nós esperávamos que tudo tivesse sido diferente. E Leon! Se um terço do que Hassam disse sobre você é verdade, você será uma ótima adição à nossa causa – Idris elogia, com um sorriso. — Nós esperávamos que quando o plano desse certo, iríamos nos conhecer. Eu sinto muito que as circunstâncias tenham sido diferentes.

— Não temos muito tempo, Idris — Maritza a lembra. — Tente não dar muitas voltas.

— Bem, primeiro, gostaria de oferecer a vocês um lugar em nossa organização. Vocês estão aqui como convidados e são bem-vindos para ficar o tempo que quiserem, mas não gosto que fiquem no escuro quanto ao que somos. Acredito que tenham perguntas, então é a hora de fazê-las.

— *O que* são vocês? — Obviamente Andrei é o primeiro a se pronunciar, cruzando os braços. — O que vocês querem? Se entendi direito, vocês querem derrubar o governo, mas não tomar o poder? Isso não faz sentido.

Idris parece se divertir com a pergunta e coça o queixo anguloso, ponderando a resposta.

— Vamos começar pelo nome: não temos um oficial, mas a nossa presença infiltrada em fábricas e nas camadas mais baixas de trabalhadores fez com que nos chamassem de *Sindicato*, para ninguém desconfiar – explica –, o que faz um pouco de sentido dentro dos nossos ideais, pois lutamos por direitos e melhorias de vida. Também servimos como um refúgio, um esconderijo para todos que não se adequam. Somos um grupo de pessoas que foram expulsas ou exiladas de nossos lares e de nossas vidas, e por motivos injustos: guerra, perseguição política, termos sido forçados a ser cobaias em testes médicos. Aceitamos humanos e anômalos igualmente porque acreditamos que a convivência é possível e necessária. Nós queremos uma sociedade mais justa.

— Perseguição política? — eu pergunto, curiosa.

— Eu sei que o governo vende uma ideia de tolerância extrema para opiniões, mas ouse comentar que os dissidentes podem não ser tão ruins assim para ver o que acontece com você. Tente achar que anômalos são humanos também. Tente dizer que não concorda com o que o governo está fazendo. – Idris aponta para vovó Clarisse. – Clarisse sabe muito bem o que é isso.

– Então vocês oferecem uma rede de proteção para que as pessoas desapareçam e fiquem a salvo – Leon raciocina. – E também tentam desestabilizar o governo?

– Um efeito colateral do que fazemos.

– Vocês têm recursos para fazer tudo o que planejam? – o pai de Andrei pergunta, com a testa franzida. – Parece algo grande. Como planejam fazer um dossiê contra o cônsul? Vocês têm os contatos necessários? Como planejam articular humanos contra o governo? Tem pessoas infiltradas? Como vão... parar Fenrir?

A última pergunta fica no ar e não sei exatamente o que precisamos para impedir Fenrir. Sei que ele possui uma grande coleção de artigos tecnológicos em seu porão, eu mesma puder ver quando Áquila me levou naquele tour bizarro em sua mansão. Porém, se o Sindicato conseguir realizar as duas primeiras coisas, também conseguirá a última. Pelo menos é o que eu espero.

– Eu posso te garantir que temos tudo o que você acha necessário. Temos os contatos, as pessoas. Mas se você estiver oferecendo ajuda, não recusarei – Idris fala calmamente. – Sei que você tem uma influência diferente da de Zorya, e seria bem mais fácil se pudesse nos auxiliar.

– Vocês foram responsáveis pelas bombas na Prova Nacional?
– Leon mal deixa que termine, e a pergunta sai um pouco mais atrapalhada que o normal.

– Não. – É Maritza quem responde, com os braços cruzados.
– Nós nem temos certeza se existiram bombas naquele dia.

As implicações disso fazem com que todos fiquem em silêncio. Se não havia bombas, então o governo *inventou* o fato para começar o bloqueio dos anômalos? Tudo o que veio a seguir foi feito de propósito, com uma desculpa fajuta para justificar os atos absurdos? Me abraço, envolvendo minha tipoia com o braço bom, me sentindo desprotegida. Sei que nada justifica o que fizeram, mas a tentativa de atentado à Prova Nacional era pelo menos uma motivação, algo que me fazia pensar: *Ah, eles estão se sentindo ameaçados, por isso estão agindo dessa forma.* Saber que tudo isso é uma mentira transforma tudo em ódio puro e simples, direcionado a milhares de inocentes.

– Antes de prosseguirmos, gostaria que me respondessem: vocês querem nos ajudar? – Idris questiona, nos observando. Charles leva a mão ao queixo, pensativo.

– Você disse que minha influência facilitaria seu trabalho. – A forma como fala dá a entender que ele tem uma ideia se formando.

– Que adoraria minha ajuda.

– Sim. Mas você precisaria voltar para Pandora – Idris retruca, olhando para Andrei e para Sofia, que está próxima ao seu pai adotivo. – Eu entendo se não quiser ir e deixá-los para trás.

– Vou pensar no assunto – é sua resposta. Não o conheço tão bem assim, mas me parece que já tomou uma decisão, principalmente pela expressão determinada em seu rosto.

– Sybil? – Idris se volta para mim. – Você está aqui como nossa protegida, até que Fenrir não seja mais uma ameaça. Não sabemos o que ele pode fazer se descobrir que você está viva. Com certeza você é uma ameaça para a imagem de salvador que ele está construindo para a população. Não há nenhuma obrigação de nos ajudar, mas, se tiver interesse, temos um lugar para você.

– Eu... – Olho para os dois garotos ao meu lado e respiro fundo; e meus pensamentos estão a mil. Penso em Rubi, Dimitri e Tomás, em algum lugar em Pandora, e não sei se eles correm perigo ou não; nas famílias que estão hospedadas na nossa casa por falta de abrigo e mantimentos. Penso nos dois humanos que vi morrerem queimados. Penso na bota do soldado humano esmagando cada osso da minha mão. No corpo do Almirante Klaus caindo no chão ao levar dois tiros. Na explosão, no cheiro de carne chamuscada, nos gritos de dor de crianças e idosos. Lembro da procissão de caixões do funeral pós-comício, a primeira de muitas que acontecerão se não agirmos. E então sei minha resposta. – Eu não conseguiria ficar impassível enquanto tanta coisa horrível acontece. Precisamos fazer algo antes que fique pior.

– Então você está conosco? – Idris não esboça reação alguma à minha resposta.
– Só se me prometerem que não haverá mais segredos.
– Isso faz com que apareça um sorriso em seu rosto, que o torna bonito e estranhamente caloroso.
– Prometo para você: sem mais nenhum segredo. Andrei?
– Pela minha mãe – ele responde sem hesitar, sem nem sequer olhar para seu pai. – Sim, eu quero ajudar vocês.
– A vingança é um combustível perigoso, garoto – Idris filosofa, e Andrei levanta o queixo, orgulhoso.
– Não é vingança; é porque é o que ela queria. Se ela achou que a melhor solução era ajudá-los, eu vou ajudá-los.
Idris o encara por alguns segundos e, por fim, assente, aceitando a resposta. Depois, vira-se para Leon, examinando-o.
– E você, Leon? Por que está aqui? As motivações de Sybil e Andrei são bem claras para mim, mas você... Você poderia estar lá em cima, com sua família, correndo menos riscos do que nós. Poderia não tê-los seguido até aqui. Você ainda pode voltar se quiser, Hassam pode levá-lo.
– Você faz a oferta sabendo que vou recusar – Leon responde, com um quase sorriso no rosto. – Não, Idris, você sabe por que estou aqui. Não preciso explicar.
– Quando você ficou tão presunçoso? – Andrei sussurra com o canto da boca, baixo o suficiente para que só eu e Leon ouçamos. Leon abaixa a cabeça, um pouco envergonhado.
– Eu sei? – diverte-se. – Por que você acha que eu sei?
– Você deixaria Maritza, Cléo ou Clarisse se meterem em algo sozinhas, sem sua ajuda? – elabora. – Você deixaria que algum dos seus membros saísse daqui sem que você fizesse tudo para garantir que eles ficassem bem?
– Continue. – Idris faz um gesto com a mão que é desperdiçado, pois Leon não o vê.
– Estou aqui porque é o certo a fazer. Por lealdade. Não porque eu ache que Andrei e Sybil não são capazes, mas porque quero estar aqui para apoiá-los quando eles precisarem. Já cometi o erro de não fazer isso antes, não quero repeti-lo. – Sinto sua mão apertar ainda

mais meu ombro e abaixo a cabeça, pensando em como nossos motivos são tão diferentes.

— Você trabalhará com Maritza — Idris declara assim que ele termina de falar. — Ela te orientará quanto ao que fazer e tirará qualquer dúvida que tiver.

— Andrei é da minha equipe — Clarisse diz, e percebo que isso foi algum tipo de teste para saber onde iríamos ficar. Andrei olha para mim e para Clarisse, parecendo ansioso. — Eu conversei com Charles quando chegaram e ele me disse que o garoto é esperto e criativo, além de ser bom em biologia. É um ótimo candidato para me ajudar.

— E quanto a mim? — Sofia se pronuncia. Ela estava tão quieta que eu quase havia esquecido que estava ali. — Posso ajudar também, eu vim do Império. Eu era uma cobaia.

— Eu... — Vovó franze a testa, como se não estivesse esperando uma voluntária. — Você gostaria de nos ajudar? Seria ótimo se pudesse, mas não se sinta obrigada.

— Não sei muita coisa, mas eu aprendo fácil — ela responde, e isso arranca um sorriso de vovó.

— Então você será bem-vinda.

— Tudo bem. O que nos deixa com Sybil. — Idris me analisa. — Se eu a tirar de Cléo, nunca vou parar de ouvir as reclamações. Mas ela seria interessante para o meu plano... hum.

— Qual é seu plano? — pergunto, abruptamente, e Idris arqueia as sobrancelhas.

— Por enquanto, quero que você treine com Cléo e faça o que ela pedir, mas observe todos os detalhes — aconselha, um pouco mais baixo. — Vai ser importante para sua educação.

Exatamente nesse momento, as portas do refeitório se abrem com um estrondo, e Abena entra como um furacão, e seu cabelo balança conforme ela se aproxima de nós. Em seu punho, consigo ver um papel amassado, e sua irritação também é aparente. Ela nem sequer se deu ao trabalho de tirar os fones de ouvido pesados que usa para monitorar os rádios, e ele pende de seu pescoço como um colar.

— Idris! — exclama. — Nós acabamos de receber essa mensagem de Pandora. Você precisa ver isso.

Antes que ela termine a frase, Idris atravessa o cômodo e pega o papel de suas mãos; suas feições passam de relaxadas para tensas em um segundo. Ouço um xingamento baixinho e ela vai até Maritza ansiosa. A temperatura do ambiente começa a baixar e fico confusa, até perceber que o frio vem de Idris.

– O que aconteceu? – Charles pergunta, tenso, como se já soubesse a resposta.

– Fenrir acabou de declarar os anômalos independentes da União – Idris fala, amassando o papel com força.

Capítulo 10

Ira é um eufemismo para o que Idris parece estar sentindo. Demonstra isso ao caminhar pela fortaleza como um tornado gelado, dando ordens a praticamente todos que encontra. Ao seu lado, sinto cada vez mais frio, porque a temperatura parece estar atrelada ao seu humor. Maritza me entrega seu casaco e me enrolo nele, tentando me manter no ritmo frenético de Idris. Hassam nos encontra um pouco antes de chegarmos ao nosso destino, caminhando ao meu lado em silêncio, compenetrado.

Vamos para um lugar que não conheço, descendo uma escada com degraus cada vez menores e mais íngremes, até chegar a um corredor comprido, sem fim, em que as pedras parecem mais antigas que as dos túneis acima, e o ar tem um cheiro de bolor e de morte. As pedras parecem vibrar sob meus pés, como se estivessem vivas, e a única luz que nos guia é a que Maritza emite de sua pele enquanto caminha.

Idris tira um chaveiro pesado do bolso e percebo que estamos na frente de celas, cada uma coberta por uma pesada porta de metal que parece ser uma aquisição mais recente. Esse lugar deve ter centenas de anos, no mínimo, e me causa arrepios. Idris abre uma das portas com uma chave e um mecanismo que parece usar da sua anomalia de emanar frio do corpo para destrancá-la. Lá dentro, vejo que Victor está sentado, enrolado em uma coberta, encarando o nada. Apesar de ser uma cela, o lugar é bem parecido com o quarto onde estou: há uma cama, um banco e uma pequena mesa de cabeceira onde repousa um prato cheio de comida e uma garrafa de água intocada. Num canto, um vaso sanitário exala o fedor de vômito.

Ele se ajeita quando nos vê. Seus olhos verdes estão fundos no rosto, e uma camada fina de suor cobre sua pele morena; mas, apesar disso, sua mandíbula está tremendo e ele parece estar morrendo de frio, mesmo com o cobertor grosso. Olho para Maritza e para Idris com receio, porque se elas tratam uma pessoa que visivelmente me ajudou como um prisioneiro, não sei do que serão capazes.

Hassam se acomoda num dos cantos, praticamente invisível, e não faz contato visual comigo, como se estivesse envergonhado. Maritza se aproxima e coloca a mão na testa do garoto, preocupada. Victor se encolhe com o toque.

— Você não melhorou? — Maritza pergunta, preocupada. — Sua febre continua alta e você não tocou na comida. Deveria beber algo.

— É assim mesmo. Vai passar — ele responde, desvencilhando-se da mão e piscando algumas vezes, como se tentasse focar a visão.

— O quê... Oh, você.

Victor olha para mim e se senta na beirada da cama, desenrolando-se do cobertor mesmo que isso signifique tremer mais. Percebo que seus lábios estão um pouco arroxeados, e Idris se encolhe com o olhar que eu lanço a ela.

— O que ele está fazendo aqui? Não deveria estar no hospital? — eu exijo saber, me aproximando. Victor se encolhe um pouco quando enxugo o suor de sua testa, e sinto sua pele pegando fogo.

— Eu pedi para vir para cá. — A voz de Victor sai rouca. — Eu não sei... não sou confiável.

— Nós o colocamos sob cuidados na ala médica, mas, depois que acordou, só se acalmou quando estava preso e longe de todos — Idris explica, observando o garoto com olhos atentos. — Queria que ele se recuperasse antes de conversarmos, mas dado o último acontecimento...

— O que Fenrir fez agora? — ele pergunta, fechando as mãos em punho no seu colo para controlar a tremedeira.

— Os anômalos não obedecem mais às regras da União e, sim, às leis de Fenrir. Pelo menos de acordo com ele — Maritza diz, se aproximando de mim.

— Ah, não — Victor resmunga, fracamente, encolhendo os ombros. Ele me lembra um filhote de pássaro caído do ninho, fraco e assustado.

— Por favor, se agasalhe — eu peço, colocando o cobertor em seus ombros. Pego o copo de água da mesa e insisto até que ele beba um gole. Victor agradece balançando cabeça, lambendo os lábios antes de pegar o copo com suas próprias mãos e beber todo seu conteúdo de uma vez.

— Eu sei que você quer nos ajudar, ou nunca teria seguido Hassam e Sybil. Nós sabemos que você é o escudeiro fiel de Felícia Fornace, então deve ter informações sigilosas que nenhum dos nossos espiões possui — Idris explica, enquanto se acomoda no único banco da cela de forma extremamente elegante, apesar do tamanho de suas pernas.

— Vocês sabem quem eu sou — Victor afirma.

— Nós temos olhos e ouvidos em todos os lugares, Victor.

— Então explique para ela. — O garoto aponta para mim com o queixo, encolhido embaixo do cobertor. Idris parece surpresa, e Maritza olha para Hassam, que sai de sua posição de guarda e passa a mão pelo cabelo.

— Ele é Victor Amani, filho da senadora Petra Amani. Não tem nenhuma anomalia, assim como o resto da sua família. Há três anos é visto em todos os lugares com Felícia Fornace, a filha do cônsul e... é isso. — Hassam para ao meu lado, parecendo preocupado com o estado do garoto à nossa frente. — Não deveríamos chamar um médico para ajudá-lo? Ele parece pior.

— N-não — Victor balbucia. — Vou ficar bem. Vocês podem me dar mais água?

Esperamos em silêncio enquanto Victor bebe mais quatro copos de água, lambendo os lábios repetidamente a cada um que termina. Não demora muito para que seu corpo comece a ter espasmos, e só a reação rápida de Hassam faz com que o garoto chegue ao vaso sanitário a tempo de colocar todo o conteúdo do seu estômago para fora de uma vez. É só água e bile, pelo cheiro azedo, e olho para o outro lado, sem saber o que fazer. Hassam senta o garoto novamente na cama, e Victor parece extremamente constrangido, mas eu e Maritza o limpamos com a fronha do travesseiro e um pouco da água que ainda resta na garrafa.

— Vai passar — ele repete como um mantra. — Vai passar.

— Idris, não vamos conseguir tirar nenhuma informação dele hoje. Podemos voltar quando ele estiver melhor — eu suplico.

– Não, vocês precisam da minha ajuda. – Victor segura no meu braço com determinação. – Eu consigo. Eu consigo. Eu consigo. Uso o outro lado da fronha para enxugar mais um pouco do suor da sua testa, e Victor se acomoda na cama, encostando-se contra a parede numa tentativa de parecer um pouco melhor. Não funciona, porque logo tem que puxar a coberta para que sua voz não saia trêmula.

– Eu conheci sua mãe – falo suavemente, numa tentativa de distraí-lo. Ele não tem condição de dar nenhuma informação no estado em que está. – Eu não sabia... não sabia que você era filho dela.

– Você não teria como saber isso – o garoto fala, e seus lábios se contorcem em um sorriso amargo. – Porque ela não se lembra.

– Ela não se lembra? – Idris pergunta com um tom suave, inclinando-se na direção do garoto.

– Não preciso que você tenha pena de mim – ele responde rispidamente, segurando o cobertor com força. – Eu preciso é que vocês me escutem.

– Nós estamos escutando, Victor. – Hassam se abaixa na beirada da cama. – Mas você não deveria se esforçar tanto.

– Estou bem. – Ele balança a cabeça. – Não. Eu estou bem. É Felícia, ela... a culpa disso tudo é dela.

Sua respiração fica ofegante e me lembro claramente do dia em que o conheci, quando passou mal ao meu lado e me disse quem Felícia era. Há algo de errado com Victor e eu não faço ideia o que é, só que, se continuar dessa forma, acabará morto.

– Desde que eu a conheci, minha vida... – Ele tem dificuldade em continuar e decide mudar a abordagem. – Vocês precisam impedi-la. Não deixem que ela tenha sucesso no que quer fazer.

– Victor, você não está fazendo sentido – Maritza diz suavemente.

– Não fale assim comigo. – O tom dele é de mágoa. – Eu... estou fazendo o meu melhor. Vocês são anômalos? Todos vocês? Então podem me ajudar. Eu preciso... mas não posso.

– Ajudar com o quê? – Hassam pergunta, e Victor o encara por alguns segundos em silêncio, abrindo e fechando a boca algumas vezes. Depois, parece se irritar e joga a coberta para um lado, tentando se levantar. Hassam tenta apoiá-lo, mas ele se encolhe e se apoia na cabeceira de metal da cama, e, apesar de estar visivelmente fraco, se porta com orgulho.

— Quero ser o responsável por Felícia. Não importa o que façam, quero que ela olhe para mim enquanto todos os seus planos são destruídos, que veja o que o *cachorrinho* dela foi capaz de fazer — ele rosna.

Victor fala com uma mistura de ódio e nojo tão grandes que não tenho ideia do que pode estar pensando. O que Felícia tem a ver com tudo isso? O que Felícia fez para despertar tanto ódio? Ele não podia simplesmente ir embora e deixá-la, como havia feito ao nos seguir? Por que parecia tão irritado? Idris, Maritza e Hassam estão sem palavras como eu. Idris limpa a garganta e se levanta.

— O que você sabe?

— *Tudo* — ele responde, satisfeito. — Ela nunca imaginou que eu conseguiria me livrar do... do... do que ela faz, não havia motivo para esconder nada.

— E o que você pode nos falar?

Victor deixa que Idris se aproxime, inclinando a cabeça para um lado. Parece frustrado.

— Felícia — ele diz, por fim, como se fosse uma explicação. — Por favor, sejam rápidos.

Confusa, olho para Hassam, que encara o garoto à nossa frente com descrença. É óbvio que existem certos assuntos que Victor não pode mencionar, mas *como*? Se Felícia fez algo com ele para que não falasse, seu ódio é mais que justificado. E ainda havia o fato de que sua mãe não se lembrava dele... Felícia também estaria envolvida nisso?

Idris promete que irá fazer o possível para ajudá-lo, e convence Victor a voltar para a cama e lhe dá mais água, mas dessa vez obrigando-o a beber devagar. Promete que alguém virá cuidar dele em breve e repete que vai ajudá-lo mais cinco vezes, até Victor acreditar.

Quando saímos, Idris encosta a porta, mas não a tranca. Não há motivo para isso, pois mesmo que Victor seja uma ameaça, ele jamais conseguirá sair do quarto no estado em que se encontra. Maritza e Hassam parecem tão espantados quanto eu, enquanto a expressão de Idris está ainda mais irritada do que antes, se é que isso é possível.

– Nós estamos com um grande problema – Idris diz, parando no corredor, com as mãos na cintura. – E não sei o que fazer quanto a isso.

– Nós deveríamos ter essa conversa aqui? – Maritza pergunta, olhando para mim e para Hassam.

– Eles podem nos ajudar, Mari – declara. – Confio neles.

– Nós acabamos de nos conhecer – falo, ligeiramente constrangida. Fico ansiosa com a resposta, porque se ela disser que confia em mim porque sou filha do Almirante, provavelmente vou sair correndo como uma louca. Em vez disso, Idris abaixa a cabeça, ponderando minhas palavras.

– Você foi criada por Clarisse. Se eu não confiar em você, duvidarei da capacidade de minha melhor amiga – Idris diz e olha para Hassam. – O mesmo com você. Seu mentor foi Alexander, você nunca nos trairia.

Fico em silêncio, chocada com a sinceridade e a confiança que ela demonstra. Em sua posição, eu seria mais cautelosa ao acreditar em desconhecidos. Talvez eu fosse desconfiada demais, mas a forma desconcertada com que Hassam agradece a confiança me parece um indício de que ele também não está confortável. Não somos do seu círculo pessoal, apenas duas peças irrelevantes no quebra-cabeça de poder em que estamos inseridos, mas se Idris acha que podemos ajudar, o mínimo que posso fazer é tentar.

– Nossas informações estão defasadas. Até pouco tempo, saberíamos de todas as ações de Fenrir um pouco antes de ele executá--las. Quando Zorya veio até nós, com o intuito de nos ajudar desde que garantíssemos a segurança de sua família, nossas informações ficaram ainda melhores, mais específicas, mais precisas – Idris expõe. – Estávamos sempre um passo à frente, sempre deduzindo o que iria acontecer e arrumando alguma forma de sabotá-los. Mas...

– Nas últimas semanas, Fenrir começou a ficar estranho – Maritza continua, resignada, vendo que não há escolha a não ser confiar em nós. – Zorya mesmo nos disse isso, ela estava assustada. Fenrir não confiava mais nela como antes e, às vezes, se comportava de maneira errática, diferente da precisão de sempre. Isso começou uns dois ou três meses atrás, mais ou menos na época do início da campanha.

– Oh.

– E o ápice veio quando descobrimos, dois ou três dias antes do comício, o plano de Fenrir, um plano insano e absurdo. E nós elaboramos uma estratégia insana e absurda para tentar impedi-lo de vez, mesmo com algum sacrifício – Maritza narra, cruzando os braços com força contra o corpo. – E aí...

– O Almirante foi morto antes mesmo que pudéssemos agir, antes que pudéssemos levar Fenrir conosco – Hassam fala, fracamente. – E alguém passou a informação do nosso plano mais rápido do que nós recebemos a informação do outro lado.

– Eu sabia que vocês iriam entender rápido. – Idris caminha até uma das paredes, apoiando-se nela. – Mas não é só isso: mesmo que Victor não consiga falar com todas as palavras, é óbvio que Felícia não é só mais uma coadjuvante nos planos de Fenrir como a nossa inteligência levou a crer. Também há o fato de só termos descoberto que a cura foi efetivamente alcançada por meio de Zorya semanas depois do que saberíamos normalmente. Informações *importantes* estão chegando até nós com um atraso significativo.

– Você acha que alguém... descobriu? – pergunto. – Descobriu seus agentes? Ou como vocês trocam informações?

– É uma possibilidade que já cogitamos e estamos aos poucos tentando mudá-los. Mas descobrir *todos*, em todos os lugares? Até no Império? Acho improvável. A única forma seria se fosse alguém de dentro, com acesso a muitas informações.

– Você desconfia de alguém daqui? Do próprio Sindicato? – pergunto, abaixando o tom de voz. Sinto um calafrio, que nada tem a ver com a anomalia de Idris, percorrer meu corpo.

– Ah, não nos chame assim aqui. – Idris parece descontente. – E eu não desconfio de ninguém específico, eu só preciso de ouvidos e olhos abertos para o caso de alguém estar se comportando dessa forma...

– Quer que eu ande por vários grupos para ver se o que as pessoas estão falando são verdade ou mentira? – Hassam questiona, com a mão no queixo, como que planejando a melhor forma de fazê-lo.

– A pessoa suspeitaria – Idris afirma. – Não, faça o que sempre faz, mas mantenha os olhos atentos para qualquer atividade fora do normal.

– Sim, senhora. – O garoto praticamente bate continência e Idris parece se divertir. Me surpreendo por finalmente descobrir que Idris é tratada como mulher, já estava me acostumando a pensar nela como se fosse uma entidade. Nem homem, nem mulher, apenas Idris.

– Mari, por favor, Victor deve ficar em observação o tempo todo. Julian e Mako devem se revezar para examiná-lo e anotar todo o progresso da doença. Nós precisamos descobrir o que ele tem antes das missões saírem, se é contagioso ou não – ordena, e Maritza concorda. – Hassam, junte sua unidade e faça um inventário das nossas provisões e se elas são o suficiente para o influxo de pessoas que vamos receber em breve. Se não for, se reúna com a logística para organizar o transporte dos alimentos da fazenda para cá.

Com um gesto, os dois sobem as escadas. Hassam olha para trás uma vez, como se perguntando o porquê de Idris não me dar alguma tarefa, mas logo desaparece e ficamos só eu e a líder no subsolo, mais parecido com as masmorras de um castelo medieval. O silêncio entre nós é confortável, apesar de eu mal conhecê-la. Idris faz um gesto para que eu caminhe ao seu lado, e acabo acompanhando o resto das suas atividades do dia.

Capítulo 11

O dia seguinte começa cedo e, quando estou saindo do refeitório, Idris faz um sinal para que eu a siga. No corredor principal, viramos na primeira porta e chegamos em um lugar com três mesas cheias de livros e papéis. Há um mapa gigantesco da União atrás de uma delas, com pinos pretos, vermelhos e azuis em algumas das cidades, e Idris se acomoda na cadeira, me convidando a sentar ao seu lado. Divide uma pilha de papéis comigo e sigo suas instruções para lê-los e anotar qualquer anormalidade. São relatórios de missões, de todo tipo. Algumas têm como objetivo roubar comida de trens, então paro por um minuto, me lembrando de um dia que parece ter sido anos antes, quando estávamos a caminho da missão que começou tudo isso. O trem em que estávamos havia sido parado por um grupo de pessoas que procuravam rações do exército. Olho para Idris e para o papel, extremamente surpresa ao perceber que meu contato com eles aconteceu bem antes do que esperavam.

Depois de algumas horas, já li dezenas de relatórios, e todos eles seguem o mesmo padrão, com nada muito diferente. Missões para conseguir comida demoram entre um e três dias, missões de resgate demoram um pouco mais, principalmente porque precisam trazer as pessoas de volta. São muitas acontecendo ao mesmo tempo, e me espanta que o Sindicato não tenha sido descoberto ainda. Idris parece me observar e, quando levanto o rosto do papel que estou lendo, sorri.

— Você quer dar uma volta?

Concordo e em pouco tempo estamos atravessando o corredor largo onde Abena coordena o grupo de pessoas que monitora as frequências de rádio. Ela parece exausta, como se não tivesse dormido desde o dia anterior. Entramos em uma das portas e passamos por uma câmara larga, com paredes de concreto, onde várias pessoas da minha idade parecem estar treinando algum tipo de luta. Reika os supervisiona, corrigindo posturas e movimentos. Quando nos vê, nos cumprimenta com um aceno de cabeça e nos segue com os olhos, curiosa. Depois, mais uma porta e um lance de escadas nos leva até uma câmara mais ou menos do mesmo tamanho da de treinamento, mas com várias estantes cobertas de livros. O centro é adornado por quatro mesas compridas, bem parecidas com mesas de refeições, e curvadas sob o peso dos livros empilhados em cima delas. Em um canto, percebo um grupo de pessoas ocupado com livros grandes, grossos, de capa preta. Leon é uma delas, e um garoto pequeno, mais novo que Tomás, sussurra baixinho as palavras para ele.

Idris atravessa a biblioteca improvisada, virando no corredor da última fileira de estantes e caminhando até o fim. Só falta existir uma passagem secreta atrás de uma estante, como nos romances policias. Se isso acontecer, não conseguirei conter a risada. A líder tira o chaveiro de seu bolso novamente e, quando olho para frente, percebo que há uma porta pesada de metal, parecida com a da cela de Victor. A porta é aberta com uma das chaves, mas sem o uso do mecanismo que envolve o frio que Idris emite e, quando entramos, a luminosidade intensa do cômodo me deixa atordoada.

Ouço um burburinho de conversa enquanto pisco para me acostumar à claridade e, aos poucos, consigo definir os contornos das bancadas de metal com vários tipos de aparelhos em cima, o microscópio é o único que reconheço de cara. A porta se fecha atrás de nós e as botas de couro de Idris fazem barulho enquanto caminha. Esse cômodo não parece pertencer ao resto da fortaleza, com suas paredes brancas, armários firmes de madeira e cheiro de álcool. Na verdade, me lembra e muito os Centros de Apoio do governo da União. Isso faz meu estômago embrulhar de nervosismo.

Vovó Clarisse, Andrei, Sofia e outras duas moças estão em volta de uma mesa no fundo do laboratório, entretidos demais com o que estão fazendo para perceber nossa aproximação. Andrei tem uma expressão séria que forma uma ruga entre suas sobrancelhas, enquanto observa o que está na mesa.

Nós paramos ao lado do grupo, e Idris limpa a garganta, assustando-os. Andrei se sobressalta tanto que mordo a língua para não rir alto. Acho que nunca o vi tão concentrado assim. Vovó Clarisse arruma uma mecha que cai em seu rosto antes de nos cumprimentar:

— Ora, ora, não achei que as veria tão cedo.

— Vim verificar se está tudo em ordem — Idris diz, com um sorriso. — Vejo que escolheu Milena e Rosália para ajudá-la, boas escolhas. Depois você deveria conversar com Myung, ele pode te indicar mais pessoas com o perfil que você procura.

— Quero começar devagar — vovó Clarisse se justifica. — Segundo minha experiência, pessoas demais podem atrapalhar mais que ajudar. Mas ainda estamos fazendo um levantamento do que vamos precisar.

Enquanto as duas conversam, me aproximo de Andrei e ele me cumprimenta com um beijo rápido. Nós havíamos nos visto no café da manhã e ele parecia bem, apesar de seu pai ter decidido ajudar Idris e voltar a Pandora. As duas jovens perdem interesse na conversa entre Idris e Clarisse e voltam para a mesa, explicando algo para Sofia como se nunca tivéssemos interrompido. Percebo que estão com um desenho grande, quase do tamanho da mesa, de algumas fitas com várias cores e letras, e reconheço uma fórmula química num canto, mas fico um pouco atordoada com tanta informação. Sei o suficiente para reconhecer uma sequência de material genético quando vejo uma, mas há informação demais aqui.

— Você consegue entender isso? — sussurro para Andrei, com medo de atrapalhar enquanto Idris dá referências de várias pessoas que podem ajudar também.

— Não é difícil depois que você sabe do que se trata. Sua avó explicou para nós — ele se gaba, com um sorriso. — Você deveria ver isso.

Ele pega um dos livros que estão abertos do seu lado e apoia nas mãos, me mostrando. Fico completamente confusa porque é só um monte de traços brancos em frequências diferentes, quase como uma mensagem em código Morse. Passo as páginas e vejo que eles se repetem de forma diferente em cada uma delas, e me inclino para ler O GRANDE LIVRO DOS GENES 7 na lateral.

— ...Como você consegue entender isso?

– Não é tão difícil assim. Eu te ensino quando tivermos tempo. Sofia está quase entendendo. – Ele soa tão presunçoso que rio baixinho, deixando-o desconcertado. – O que foi?

– Só é engraçado ver você tão empolgado assim com alguma coisa *acadêmica* – explico, com um sorriso. – Estou orgulhosa.

– É feio achar que pessoas bonitas como eu também são burras, Sybil – ele brinca, mas consigo perceber que está feliz com o que falei. Fico satisfeita ao ver que ele ainda consegue fazer piada, apesar de tudo pelo que está passando.

– Andrei, por favor, pegue uma caneta e anote a lista de coisas de que precisamos? – A voz de vovó Clarisse demanda nossa atenção e Andrei concorda com a cabeça, pegando um bloco em cima da mesa e procurando uma caneta embaixo dos papéis.

Vovó Clarisse se aproxima de mim, enquanto Idris se junta às meninas, observando a sequência de DNA na mesa. Vovó me segura pelos ombros, observando a movimentação de Andrei, e sussurra, bem perto do meu ouvido:

– Você tem um ótimo gosto, querida.

– Vovó! – eu a repreendo baixo, sentindo minhas bochechas quentes, e ela solta uma gargalhada, daquelas que ressoam no estômago e fazem você querer sorrir junto.

– Ahá! – Andrei exclama e volta para onde estamos, sem dar sinal de tê-la ouvido.

– Muito bem, querido. Venha comigo. – Ela faz um gesto para que ele a siga e vai até um dos armários, revelando dezenas de frascos escuros com rótulos escritos em branco quando o abre. Os dois se debruçam lá dentro, o tilintar do vidro contra madeira o único indício do que estão fazendo. Vovó explica para que serve uma ou outra coisa, chama uma delas de "lixo" e começa a recitar uma lista de nomes estranhos que Andrei anota.

Talvez eu devesse avisar a ela que não é uma boa ideia deixar que ele faça isso, dada a natureza terrível da sua letra, mas ela vai descobrir mais cedo ou mais tarde. Além disso, Andrei parece animado, como se estar aqui lhe desse algum propósito, e que tipo de pessoa horrível eu seria se fizesse algo para impedi-lo?

– Vamos ter que fazer um desvio em alguma operação. – Idris

para ao meu lado, observando a senhora e o garoto do outro lado do laboratório improvisado.

— Desvio?

— Achei que tinha pego tudo o que Clarisse precisa, mas aparentemente ela quer o coração da Branca de Neve, além de todo o resto — reflete, com um ar divertido. — Eu sei que ela conseguiria avançar com o que temos aqui, mas precisamos ser rápidos.

— Você quer invadir algum lugar que tenha essas coisas para roubá-las? — pergunto, me divertindo com a ideia.

— Por que não? A maior parte dos centros de pesquisa é perto das fazendas de refugiados, é só dar um pulinho lá e pronto. Quem sabe até não pegamos um deles para nós.

— Invadir e conquistar devia ser o seu lema pessoal.

— O que mais podemos fazer? — Idris dá de ombros. — Juntar todos e marchar até Prometeu, só para sermos esmagados pela polícia e pelo exército logo depois? Eu não tenho ilusões de que, sem neutralizá-los, nós conseguiríamos isso.

Reflito sobre as suas palavras e assinto, sabendo que Idris tem razão. Fico ansiosa quando penso que estamos aqui, a salvo, mas que se não agirmos logo isso pode acontecer com todos os anômalos que estão nas cidades especiais. Idris percebe minha ansiedade e apoia a mão no meu ombro, me reassegurando de que tudo vai dar certo.

Vovó e Andrei voltam e ela se inclina na direção do caderno com a testa franzida. O rapaz parece um pouco constrangido.

— Bem, eu já vi piores. — Vovó dá dois tapinhas nas suas costas. — Idris consegue se virar.

— Eu consigo me virar com o quê? — Idris pergunta, cruzando os braços. — Clarisse, você não me pediu nada impossível de conseguir, pediu? Você sabe que minha anomalia não é materializar coisas do nada, eu tenho limites.

— Ah, não, não é isso, querida — vovó se diverte. — Menino, entregue a lista para ela.

Andrei destaca um bolo de folhas de papel e entrega para Idris, que faz a mesma expressão de Clarisse ao ler o escrito. Fico na ponta dos pés para poder enxergar também e vejo que Andrei se esforçou, mas não fez muita diferença.

– Uau, dá até para ler. Parabéns, Andrei – elogio e o garoto faz uma careta para mim.

– Bem, se você consegue ler, então passe a limpo depois. – Idris me entrega os papéis. – É só isso? Se precisar de algo mais, tem um ou dois dias para me procurar.

– Tudo bem. Obrigada – Clarisse agradece. – Nos vemos no jantar.

Nos despedimos e Idris me leva de volta ao seu escritório, onde retorno para a mesa e começo a passar a lista de vovó Clarisse a limpo antes de perceber que, sem falar nada, Idris me transformou em algum tipo de assistente pessoal.

Poderia ser pior.

Capítulo 12

O segundo dia como assistente de Idris é muito mais movimentado: andamos por toda a fortaleza, supervisionando cada um dos grupos, conversando e ouvindo tudo. Visitamos Victor, que mal consegue falar, está muito pior que antes. Não comento, mas vejo que Idris compartilha o medo de que ele esteja prestes a morrer sem que possamos fazer nada.

Quando o dia chega ao fim, estou tão exausta que não a acompanho até o refeitório, e volto para meu quarto. Tento ler um pouco mais dos diários de minha mãe, mas acabo adormecendo e só acordo algumas horas depois, quando Andrei e Leon me trazem comida. O jantar é sopa e pão, mas está tão gostoso que quase me arrependo de não ter descido para comer enquanto estava quente. Os dois, empolgados, me relatam seu dia, e mal parece que pouco tempo atrás estavam em um funeral. Leon está em uma equipe que investiga os senadores humanos e, nesses dois dias de trabalho, descobriu tanta história maluca e engraçada sobre eles que me faz duvidar da sanidade da União em geral.

O que Andrei conta é mais novidade para Leon do que para mim, mas a forma como ele fala de vovó Clarisse, como se ela fosse a criatura mais inteligente do planeta, é divertida. Fico aliviada por saber que eles se deram bem, de alguma forma isso parece ser importante para mim. Leon faz algumas perguntas sobre genes e métodos de identificação de DNA, e Andrei responde de maneira fácil, mas não compreendo muito bem, porque estou muito atrasada em Biologia. Em algum momento, os dois estão em pé, e Andrei explica para Leon algo sobre STRs, seja lá o que isso for, e sobre transcrição de DNA, desenhando com os dedos na parede como se fosse um quadro negro.

Quando é minha vez de contar sobre meu dia, falo de Victor

e seu estado de saúde. Leon comenta que Hassam lhe contou tudo. É uma pena que ele seja cego, porque as expressões que eu e Andrei fazemos quando ele fala isso são impagáveis. Quando foi que Leon teve tempo de se encontrar sozinho com Hassam por tempo suficiente para que ele contasse algo aparentemente sigiloso? Eu mal tive tempo de ver Andrei, seguindo Idris para cima e para baixo, anotando ordens e coisa e tal, e pelo mesmo motivo não vi Hassam, que está responsável pela parte logística quase inteira.

– Leon... – começa Andrei, com o sorriso contido na voz. – Você e Hassam...

– O que tem? – pergunta Leon, sentado na minha cama e de pernas cruzadas.

– Como é que eu pergunto isso?

Dou de ombros.

– Pergunta o quê?

– Esqueci que você é lerdinha para essas coisas – diz ele num tom carinhoso, mas eu me ofendo.

– Lerdinha com o quê? – cruzo os braços, emburrada.

– Andrei, você não está querendo perguntar... – diz Leon, e eu olho para os dois, exasperada.

– Talvez esteja.

– Minha nossa, que conversa louca essa que vocês estão tendo!

– Nós somos só amigos – Leon afirma, e Andrei dá uma risada.

– Sabe quem você está parecendo? *Eu.*

– Não é desse jeito entre nós.

– Como não é, Leon? Você se anima todo só de ouvir os passos dele se aproximando no corredor, parece hipnotizado quando ouve a voz dele, qualquer coisa agora é *Hassam disse isso, Hassam fez aquilo.*

Olho para os dois, confusa, e depois diretamente para Leon, repassando todos os momentos em que o vi com Hassam. É verdade. Estão sempre juntos, Leon prefere conversar com ele, estar com ele a estar conosco. Eu achava que fosse só porque, sei lá, os dois tinham se tornado muito amigos, mas a forma como Leon reage – com vergonha – quando Andrei toca no assunto, é o indício de que preciso para entender.

– Oh, você gosta dele! – exclamo, com um sorriso.

— Nossa, até a Sybil percebeu! — Andrei ri, e Leon esconde o rosto nas mãos, parecendo mortificado.

— Posso até gostar dele, mas ele não gosta de mim. Não desse jeito — declara Leon, pragmático, mas sua voz parece abafada. — E nós temos outras prioridades agora.

— Como você sabe? Já perguntou? — Andrei insiste, e eu apoio a mão em seu braço, num sinal para ele parar. — É só que... ugh, Leon, você me ajudou algum tempo atrás, lembra? Nós tivemos uma conversa bem parecida com essa e o que me disse? Você lembra?

— Que se você não tomasse uma atitude logo, ia acabar destruindo a amizade com a Sybil de uma forma pior do que se ela te desse um pé na bunda — Leon fala, levantando-se da cama. Sinto meu coração apertar e olho para Andrei, que parece determinado.

— Eu sei disso, mas não é o mesmo caso.

— Por quê?

— Não vou discutir isso com você, Andrei.

— Bem, se você der sorte, Hassam vai tomar o primeiro passo que nem a Syb — ele diz, me abraçando, e sinto um frio no estômago. — Só não seja idiota como eu quando isso acontecer.

— Por que você acha que isso vai acontecer? É impossível, ele nem gosta... — Leon balança a cabeça, caminhando até a saída. — Essa conversa acabou.

Observamos enquanto ele bate a porta, irritado, e Andrei suspira, frustrado. Eu o abraço, e ele me aninha em seu colo, encostando o queixo na minha cabeça.

— Eu vou conversar com a Hannah discretamente — ele sugere, por fim. — E perguntar sobre Leon.

— Tudo bem — digo, sem entender o plano. — Mas como isso vai ajudar?

Ele olha para mim por alguns segundos, como se não acreditasse na minha pergunta e sorri.

— Nunca perguntei isso pra você porque não me importo, mas o beijo da biblioteca... foi seu primeiro?

— Não — confesso, um tanto confusa. — Teve um menino que era um ano mais velho, qual era mesmo o nome dele? E um soldado.

E um garoto no mercado. E uma vez eu beijei uma menina, mas foi estranho.
— Como isso aconteceu? — ele pergunta, descrente.
— A menina? Bem, Amita disse que era bom e eu devia experimentar e aí...
— Não só a menina, todos os outros. Você não consegue perceber... — Eu sei quando quero beijar alguém, Andrei — digo, dando um beijo de leve em seu queixo. — Só não sei quando as pessoas têm interesse em mim ou em outras pessoas. E, para isso, eu tinha amigas que me davam dicas...
— Como? — Ele parece estar querendo chegar a algum ponto.
— Elas me diziam, "Olha, aquele menino gosta de você", e era isso. — Dou de ombros.
— Porque antes, provavelmente, elas perguntavam às pessoas se os garotos tinham interesse em você — ele explica, apertando meu quadril carinhosamente. — E é isso que vamos fazer para Leon agora.
— Ah! — eu exclamo. — Oh, você é tão inteligente.
E faz tanto tempo que não o ouço rir desse jeito que não consigo deixar de acompanhá-lo.

Capítulo 13

Cléo me acorda no outro dia para o primeiro treino, e fico confusa porque achei que ficaria com Idris o dia inteiro. A mulher não responde às minhas perguntas, mas a sigo até a câmara de treinamentos. Descubro que é muito cedo, e quase ninguém está em pé. Só Reika está lá, brandindo sua espada de madeira com uma concentração impecável. Cléo me leva até o outro lado, onde degraus improvisados de madeira se passam por bancos.

Ela parece mais calma hoje e não menciona o fato de sermos parentes. Primeiro, me explica que teremos aulas intensivas de quatro ou cinco horas por dia, porque preciso ter o mínimo de domínio antes de sairmos na primeira operação, em cinco dias. Começaremos cedo e, depois do almoço, volto a ajudar Idris, o que oficializa minha posição como secretária da líder.

Cléo é objetiva e começa me explicando exatamente como funciona minha anomalia: a ideia é que nós somos como "esponjas", sugando ou transferindo água, dependendo da quantidade que temos no corpo. Treinados, podemos escolher como isso acontece, mas, em geral, descontrolados, só sugamos a água. Isso não serve apenas para seres vivos ou derivados, como frutas e comidas, e ela demonstra o que disse em poucos segundos, absorvendo toda a água de uma toalha úmida.

Ela pede que eu comece devagar, secando algumas uvas em minha mão, e não consigo deixar de lembrar do Almirante, quando me contou que era meu pai. Meu pai. Será que um dia vou conseguir pensar nisso sem me sentir estranha, como uma peça de quebra-cabeça defeituosa? Quando fecho as mãos sobre as frutas, sentindo sua superfície lisa, meus sentimentos estão tão malucos que consigo secá-las rapidamente. Cléo as analisa e olha para mim, séria.

— Essa é a lição dois: se você não consegue controlar seus

sentimentos, não consegue controlar seus poderes. – A mulher pega um morango da mesa e o repousa na mão aberta. Ela o encara, impassível, e observo com um misto de admiração e repulsa enquanto ele murcha até ficar ressecado. – Você sabe o que estou sentindo?

– Não – respondo.

– Porque não importa. Eu posso estar triste ou irritada, feliz ou nervosa que vai funcionar do mesmo jeito. Porque eu limpo a mente e penso apenas na ação de secar a fruta – explica, me entregando umas uvas. – Limpe sua mente de tudo o que não seja seus poderes.

Pego as frutas, incerta, e respiro fundo, fechando os olhos. Tento não pensar em como me sinto com tanta determinação que, no final, nada acontece. Cléo, pacientemente, pede que eu tente mais uma vez, e dessa vez penso água, água, água, num mantra, imaginando uma cachoeira e um oceano. Levo um susto quando as uvas explodem em minha mão, espalhando a polpa gosmenta por todos os lados, inclusive na testa de Cléo.

– Bem, pelo menos você descobriu como fazer o contrário.

– Cléo pega um lenço de papel, limpa o rosto, e me entrega um. Sua expressão é neutra, mas algo em seus olhos me diz que está frustrada. – Continue tentando, garota.

Penso em desertos e no sol. Penso na água fluindo e saindo dos objetos em minhas mãos para minha pele e, embora eu consiga na maior parte das vezes, minha treinadora não parece satisfeita. Começo a sentir fome. Além de não ter ido tomar café da manhã, ainda sou obrigada a treinar com comida, criando uma pilha crescente de frutas secas. Mas Cléo não parece sequer notar isso quando me manda sentar num canto e meditar, para tentar limpar minha mente de todas as influências que podem atrapalhar.

Me sinto patética. Com as costas apoiadas na parede, observo a movimentação da sala de treinamentos. Mais pessoas se juntaram a Reika, e eles estão fazendo abaixamentos que cansam só de olhar. Como é que alguém pode meditar? Como é que alguém para um segundo e não pensa em nada, com tantas coisas acontecendo ao mesmo tempo? Fico inquieta e fecho os olhos, decidida a não falhar.

O que as pessoas achariam se eu desistisse na primeira hora, sem sequer ter tentado? Me esforço o máximo possível para não pensar em nada, mas acabo pensando sobre como conseguir não pensar em nada é difícil.

Cléo parece satisfeita depois de alguns dolorosos minutos e vejo que usou esse tempo para buscar comida para nós duas. É pão, queijo e um copo de suco, com as frutas secas de sobremesa. A maior parte tem um gosto horrível, e faço careta ao mastigá-las.

– Sabe o que é isso? – pergunta Cléo, quando cuspo uma uva particularmente ruim.

– O quê?

– Você estava pensando em algo negativo quando a secou.

– Isso quer dizer que se eu matar uma pessoa assim e for comê-la, ela vai ter um gosto ruim? – retruco, sarcástica.

– Não é sobre gosto, é sobre controle. – Ela parece contrariada.

– Se você precisar se proteger ou até atacar alguém, não vai querer que qualquer distração te atrapalhe. Pode ser a diferença entre ter a mão quebrada ou não.

Fico irritada com sua insensibilidade e me levanto, aproveitando a oportunidade para ir ao banheiro. Toda essa coisa de ficar sugando água de frutas tem um efeito parecido com o de beber vários copos de água seguidos e acho que minha bexiga vai explodir. Quando volto, Cléo está em pé, com as mãos na cintura, me esperando.

– Não podemos prosseguir enquanto você não dominar o básico – declara. – Mas antes, queria te dizer que não tolero esse tipo de comportamento de *ninguém*. Você pode ser filha de Alexander, o que for, mas se falar comigo dessa forma mais uma vez, vai se arrepender.

Mordo a língua para não responder de forma grosseira e peço desculpas, embora não ache que eu deva. Se ela quer que eu fique impassível enquanto menciona um momento horrível da minha vida, tudo bem. Sou boa com o silêncio e com os olhares cheios de julgamento. Sento-me, determinada a fazer com que o suplício dessas horas passe mais rápido, mas quando não consigo fazer as coisas da forma como ela quer, Cléo fica cada vez mais frustrada.

– Estou tentando – digo a ela depois da quarta tentativa falha.

– Não parece – reclama. – Não é tão difícil assim, Sybil. É só não pensar em nada e fazer.
– Não estou pensando em nada, mas você continua dizendo que está errado! – exclamo e ela fecha a expressão.
– Você é realmente ruim nisso. – Reika se aproxima, enxugando as mãos em um pequeno pano, e Cléo se vira para ela em fúria.
– Outra pirralha achando que sabe de algo! – Ela levanta a mão e Reika se encolhe, e seus olhos estreitos ficam atentos.
– Não desconte em nós o que está sentindo – Ela retruca. – Posso tentar ajudar?
– Vá em frente – Cléo diz em tom de zombaria. – Se você conseguir ensiná-la a fazer da forma certa, pode treiná-la pelo resto da vida.
– Com licença então. – Ela faz um gesto para que se levante e Cléo obedece, descrente. Reika se senta na minha frente, descascando uma banana e apontando para as outras frutas. – Escolha uma delas.

Pego a última uva do cacho e ela concorda com a cabeça, mastigando, pensativa, um pedaço da banana. Ela se senta de forma engraçada, com as pernas abertas, o cotovelo apoiado em uma das pernas e a cabeça amparada na mão, parecendo um boneco de corda, ou algo assim, com seus braços e pernas longilíneos e bem definidos.

– Agora feche os olhos e sinta a fruta. Sim, soa idiota e você vai parecer boba, mas só faça o que estou pedindo. Sinta a textura da fruta, pense no gosto que ela tem, pense em como ela tem água, assim como você.

Olho para Cléo, que está ao seu lado impaciente, e resolvo obedecer a garota à minha frente só para irritá-la caso dê certo. Me sinto estúpida enquanto tento sentir a uva, girando-a entre o meu indicador e meu dedão. Eu tinha secado quase uma dúzia de uvas e nunca percebi que elas não são circunferências perfeitas, nem que alguns pedaços de sua pele são um pouco mais ásperos que outros, ou como parte da experiência de comê-las é o momento em que a pele arrebenta e a parte de dentro, gelada e escorregadia, se espalha pela boca. É uma coisinha assim, cheia de água. Não sei quando paro de rodá-la entre meus dedos e a escondo em minha mão, nem exatamente quando a seco, mas abro os olhos e ela está lá, no centro de minha mão, tão ressecada quanto as de Cléo.

A mulher encara Reika, que parece estar se divertindo, com descrença. Cléo pega a uva da minha mão e joga na boca, balançando a cabeça enquanto a prova. Reika me entrega a casca da banana que acabou de comer.

– Muito bom, Sybil. Agora com isso aqui.

E eu faço, novamente, sem saber quando parei de prestar atenção na fruta e agi. Fico mais animada, e Cléo se senta um pouco mais para trás, resignada. Reika é, de longe, uma instrutora muito melhor do que ela. A garota corta pedaços de maçã e de melão, de melancia e de manga, e nem me importo com a sujeira que fica nas minhas mãos, porque estou conseguindo. Depois de um tempo, percebo o que Cléo quis dizer sobre controlar meus sentimentos: é só pensar no que estou tocando até que o objeto e minha mão se tornem um e, então, está feito. Mas ela me deixou tão nervosa que foi impossível perceber isso sozinha.

– Você... a sua anomalia é como a nossa? – pergunto depois de alguns minutos, curiosa.

– Não, não é – Reika diz, seus dedos se movendo rapidamente pelos cabelos e formando uma trança em cinco segundos. – Sou *rápida*. Não absurdamente rápida, como a velocidade da luz, mas rápida o suficiente para desviar de uma bala de revólver se eu precisar. Pelo menos hipoteticamente. Meu irmão era bem melhor do que eu nisso, mas estou me aperfeiçoando.

– Então... como? – pergunto.

– A maior parte da exploração dos limites de uma anomalia passa pelos mesmos princípios. No meu caso, não posso pensar sobre minha velocidade ou não consigo ir tão rápido quanto posso. Então é bem mais fácil me concentrar só na ação que estou fazendo e deixar que meu corpo faça o resto, como em um reflexo. Mas Cléo é... impaciente. Ela vem aqui e age como se você tivesse a obrigação de entender isso de primeira. – Balança a cabeça. – Tenha paciência com ela, suas intenções são boas. Ela ajudou a me treinar.

– Como ela espera que eu aprenda desse jeito? – pergunto

baixo, para que ela não escute. – Ela vai te falar as coisas e você vai me treinar?

– Vou conversar com ela. Enquanto isso, vá treinando com o que temos aí. Meus alunos vão comer tudo quando você terminar, então capricha, viu? – ela pede, com um sorriso, e eu concordo.

Cléo se levanta para se juntar a mim, mas Reika a impede, levando-a para o outro lado da sala. Eu continuo, animada por estar funcionando, secando figos, pedaços de banana, pedaços de maçã, ameixas... Depois de um tempo, praticamente vira um reflexo. Pegar a fruta na mão, pensar nela, secá-la. É relaxante, até, porque todos os problemas parecem estar a quilômetros de distância. Como será que é o processo contrário? Eu tinha pensado em água quando explodi a uva, mas provavelmente estava errado. Talvez seja só pensar no oposto, em como a textura da minha mão é diferente da fruta, em como eu tenho muito mais água que ela... Sinto o interior gosmento da ameixa que eu estava segurando grudar no meu rosto antes mesmo de perceber o que eu fiz. Tudo está sujo e terei que tomar banho de qualquer forma, então explodo mais uma antes de perceber que as duas mulheres estão me observando.

– Olha, eu consegui. – Dou um sorriso, mostrando a bagunça ao meu redor.

Cléo e Reika trocam olhares e a minha tia suspira.

– Parabéns – ela diz, irônica. – Você entendeu exatamente como é, não achei que seria tão rápido. Mas com frutas é fácil, a primeira etapa. Quer tentar em outras coisas? – As palavras são inofensivas, mas o tom é de desafio.

– Claro! Tenho certeza de que vou conseguir rápido. – Minha resposta é petulante, e Cléo parece ficar mais irritada.

– Não é tão fácil assim.

– Mas o princípio é o mesmo, você não disse?

– Exige bastante energia e concentração.

– Não tem problema, eu dormi bem à noite.

– Então que tal testar com isso? – Ela pega um dos degraus de madeira como o que estou sentada e joga na minha frente, com uma violência desnecessária. – Se você conseguir, te libero para o almoço.

– Ah, então vou almoçar mais cedo, que ótimo!

– Veremos.
– Já chega! – Reika eleva a voz e eu me assusto, tendo esquecido completamente de que ainda está ali. – Cléo, nós tínhamos combinado que você ia se controlar e me deixar com a parte didática da coisa.

Ela esconde o rosto com a mão, mas consigo ver sua expressão de desdém, como se ter uma garota tão mais nova a repreendendo lhe desse nos nervos. Não consigo imaginar como essa mulher pode ser irmã do Almirante, porque ela age de forma completamente diferente da dele. Também não entendo porque ela parece ser tão apreciada por Idris, já que parece ter 14 anos e acha que todas as pessoas são obrigadas a fazer o que ela quer, quando quer e da forma que ela escolher.

– Tudo bem, use sua paciência milenar cultivada no Império para ensiná-la – responde, e me sinto ofendida pela garota, apesar de ela achar engraçado. – Madeira é o próximo passo, depois água, depois objetos de plástico e, por último, pessoas. Não acho que vamos conseguir passar disso nesses próximos dias.

Reika concorda e Cléo sai, sem sequer se despedir de mim. A garota pede que eu a ajude a limpar a bagunça que fiz e chama o grupo de pessoas do outro lado da sala para comer as frutas secas. Quase todos são um pouco mais novos do que eu, mais ou menos da idade de Sofia e fico surpresa quando escuto alguns deles sussurrarem entre si no idioma do Império. Enquanto comemos, Reika conversa comigo sobre si, respondendo minhas perguntas de bom grado.

Descubro que minha treinadora e seu irmão mais velho, Takumi, fugiram do Império para cá, anos atrás, e que muitas das pessoas daqui também são dissidentes. É surpreendente pensar que eles estão tentando nos ajudar a tornar a União um lugar melhor para viver, mas quando digo isso, Reika tem uma crise de riso contida, antes de levantar a manga da camisa e mostrar seu pulso, que tem uma cicatriz imensa em formato de gota.

– Você está vendo isso? É onde o meu chip de identificação costumava estar. Eles inseriram isso em mim na hora que em que nasci, no momento em que descobriram que eu também era... como vocês dizem aqui? Anômala, como minha mãe e meu irmão. Meu

pai nos devolveu para meu avô depois disso, porque era um absurdo uma mulher que não conseguia gerar uma criança *boa* – ela diz, sua voz firme. – Nós crescemos ouvindo que somos uma punição para o mundo pelos pecados dos nossos antepassados, e aqui pode ser ruim o quanto for, mas não é pior do que a humilhação e a vergonha de viver no Império.
Fico em silêncio, sem palavras para confortá-la, e encosto a mão em seu braço. Ela esconde a cicatriz, com um suspiro.
– Idris nos acolheu como somos, e encontramos nosso lugar aqui, por isso ajudamos. – Noto que ela fala no plural, apesar de estar sozinha.
– Onde está seu irmão?
Reika desvia o olhar para os adolescentes, dispersando-os com um comando para que voltem ao treinamento. Percebo que foi uma pergunta errada quando ela volta a me dar instruções do que fazer agora, e fico constrangida pela indelicadeza. Mas, depois de um tempo, ela finalmente responde:
– Ele não está mais entre nós. Mas não importa, ele partiu em nome de algo que acreditamos. Tenho certeza de que teremos uma chance de ajudar os anômalos do Império quando tudo isso acabar.
– Espero poder ajudá-los quando essa hora chegar – respondo sinceramente e ela sorri, balançando a cabeça.
– Vamos, você tem que aprender logo a secar madeira para esfregar na cara de Cléo como é capaz – diz com um gesto para que eu prossiga o treinamento, e fico com a sensação de que talvez tenha feito uma nova amiga.

Capítulo 14

A comoção que encontramos no corredor quando finalmente saímos para almoçar me espanta. Pessoas andam de um lado para o outro apressadas, parecendo perdidas e nervosas. Gritos ecoam pelo túnel e fico apreensiva. Será que descobriram esse lugar? Será que estamos sendo atacados? Reika se precipita e para um garoto que está caminhando apressado, igualmente preocupada.

– O que está acontecendo? – exige.

– Eu... alguém chegou, uns refugiados? – Sua expressão é assustada, como se tivesse visto um fantasma. – Não sei, parece que vão declarar quarentena... mandaram todos virem para o refeitório e aguardarem mais informação.

Quarentena? Reika fica ainda mais apreensiva e se joga no fluxo de pessoas, caminhando na direção oposta até encontrar uma das mesas em que a equipe de Abena monitora os rádios e subir em cima dela. Fico parada, confusa demais para agir.

– Pessoal! – ela grita e sua voz reverbera no túnel. – Não há motivo para pânico. Por favor, todos se dirijam ordenadamente ao refeitório. Chefes de unidade, ajudem a coordená-los. Tenho certeza de que é apenas o procedimento padrão.

Sua mensagem não parece surtir efeito, mas pelo menos faz com que comecem a caminhar de forma mais ordenada. Não sei se devo ir para o refeitório ou procurar Idris, então decido seguir Reika, que caminha com determinação e parece saber onde está indo. A alcanço depois de apressar o passo e percebo que caminhamos para a ala médica, seguindo o contrafluxo.

Descemos as escadas do fim do túnel e nos deparamos com cinco guardas, todos parados em frente à saída para a garagem, que está lacrada. Tenho medo de que não seja exatamente o que contaram para o garoto, mas algo pior. A imagem dos integrantes da

Aurora vasculhando os túneis volta à minha mente, e num momento de ansiedade, tenho certeza de que Fenrir sabe onde estamos e vai nos explodir, e nada que possamos fazer vai adiantar. Nenhum dos guardas nem sequer questiona a presença de Reika ali e o tratamento se estende a mim.

Se o caminho para o refeitório estava cheio, a ala médica está caótica. As macas ocupam a recepção e os primeiros consultórios, e a pequena equipe médica está obviamente concentrada em mover os pacientes. Avisto Ziba entre eles e, quando ela me vê, faz um sinal para que eu pare.

– Vocês, deem meia-volta. Não sabemos se os anômalos vão estar seguros com os novos pacientes – ela diz e se aproxima, olhando para meu braço. – Você também, Reika. Idris pediu para que todos vocês mantenham o controle e a ordem enquanto eles resolvem o problema.

– O que aconteceu? – questiono, olhando por cima de seu ombro. – Um garoto falou de quarentena...

– Um casal de fugitivos do Império... eu não sei mais nada além de que Clarisse mandou que eles ficassem sem nenhum anômalo por perto. Estou apenas obedecendo. – Ela deve ter visto a intenção em meu rosto, porque levanta um braço para me impedir de avançar. – Não, garotinha. Você não vai passar por cima das ordens. Espere mais informações como todos os outros.

– Ela deveria ajudar Idris hoje – Reika diz, num tom persuasivo. – Posso levá-la até lá para descobrir se ainda precisa de ajuda ou não.

– Vocês podem encontrar Idris quando tudo isso aqui terminar. As ordens são claras: ninguém entra lá sem a autorização de Clarisse ou de Idris. Se precisarem de atendimento médico, aguardem no refeitório que alguém irá encontrá-los assim que terminarmos aqui – ela insiste e cruzo os braços, insatisfeita com a situação.

– Pelo menos deixe-me ajudá-la com os pacientes. Vai ser complicado subir as escadas com as macas – Reika afirma, mas Ziba é irredutível e nos expulsa da ala médica sem mais satisfação.

O refeitório está tão lotado quanto no dia da assembleia, e fico impressionada com a capacidade de mobilização dos rebeldes. Hannah acena para nós e as pessoas abrem espaço para sentarmos nos lugares que guardaram. O grupo de sempre está aqui: Leon e Hassam lado a lado, em silêncio, ambos igualmente tensos; Gunnar com os cotovelos apoiados na mesa, com a expressão frustrada; Abena debruçada em um pedaço de papel no qual risca furiosamente com um lápis, e Andrei ao seu lado, observando-a com a testa franzida; Sofia está apreensiva, e Hannah, com seus olhos atentos, observa tudo. Várias pessoas vêm até nós perguntar o que está acontecendo, e Reika tenta apaziguá-los, sem dar muitos detalhes.

– Como vocês estão? – pergunto quando me acomodo ao lado de Andrei, particularmente preocupada com Leon. O garoto parece um pouco pálido e bem assustado.

Recebo respostas fracas e ficamos em silêncio. A comida é servida um pouco depois, como se fosse um almoço normal, e quase ninguém vai se servir. Sofia me conta, com sussurros, sobre como eles estavam ocupados no laboratório quando Idris apareceu para levar Clarisse e os mandou esperar aqui. Eu a abraço quando vejo que está tremendo, esfregando suas mãos nas minhas.

Andrei traz comida para nós três e observo Leon, sentado na minha frente e sem falar uma palavra desde que cheguei. Hassam tenta convencê-lo a comer pelo menos um pedaço de pão, mas o garoto recusa. Depois, é a vez de Andrei, que recebe a mesma resposta. Parece que cada minuto que ele passa aqui o deixa mais nervoso, mais irrequieto, mexendo a cabeça a cada barulhinho diferente, a cada movimento. Tenho certeza de que algo aconteceu, mas não faço ideia do quê. Fico ansiosa e entediada depois de algum tempo. Abena continua trabalhando no bloco de papel, agora fazendo uma lista com a ajuda de Reika. Leon continua sem responder às tentativas de conversa de Hassam, e Hannah está deitada na mesa, parecendo cansada. Só Gunnar parece impassível, sem nenhum sinal de cansaço, e Andrei observa-o com atenção.

– Então você é o gigante caladão do grupo. – Andrei se vira para Gunnar, apoiando os cotovelos na mesa. Consigo ver que ele está nervoso, mas seu comentário consegue quebrar a tensão das últimas horas. Abena e Reika riem e Sofia esconde o riso. Hannah parece se divertir com o comentário.

– Se eu sou o gigante caladão, você é o baixinho metido a

engraçado. Tentando compensar alguma coisa? – Gunnar pergunta com um meio-sorriso.
– Nem todo mundo consegue ser dois metros de puro terror – Andrei retruca. – A gente improvisa com o que tem.
– Dois metros de puro terror! – Hannah exclama e Abena gargalha, atraindo olhares de repreensão. Reika tenta fazê-la se calar, mas isso só faz a garota rir mais ainda.
– Você tem que ser muito bom com improvisação então, porque não tem muito pra te ajudar – Gunnar responde, com o mesmo tom de Andrei.
– Ohhhhh – eu digo, escondendo o riso. Andrei parece surpreso com a resposta e vejo que estava tentando medir o outro garoto. Mas ele ri logo depois, parecendo se divertir.
– Minha nossa, essa doeu – diz, levando a mão ao peito.
– Só porque eu não falo muito não significa que não tenha muito a dizer – Gunnar responde e acho que não é algo direcionado à Andrei especificamente. – Só escolho bem o que devo ou não falar.
– Mas às vezes você precisa usar suas palavras e expressar o que está pensando – Hannah fala e quando Gunnar fecha a cara, noto que aquela é uma discussão antiga.
– Não acho que Gunnar fale pouco – interrompo, com medo de que a tentativa de Andrei de tornar o clima mais leve dê muito errado.
– Você não serve de parâmetro – diz Sofia, para minha surpresa.
Antes que eu possa me defender, o barulho das portas se abrindo ecoa pelo refeitório e muitas pessoas ficam em pé para tentar ver quem chega. Ziba e um grupo de médicos são rodeados por pessoas querendo saber o que está acontecendo, mas eles parecem exaustos e não respondem nada diretamente. Abena ainda está rindo, e Reika a acotovela, mandando que respire fundo. Logo depois, Idris passa pela porta e, quando tentam se aproximar, ela só levanta a mão e todos voltam a se sentar. Caminha até o altar e vejo como parece cansada; as últimas horas pesarem muito mais em seus ombros do que nos nossos. Ela espera até que os médicos estejam sentados para começar:

– Sei que muitas dúvidas e incertezas devem ter surgido nessas últimas horas, mas tudo está sob controle. Muitos de vocês viram o estado grave em que um dos fugitivos chegou aqui, e queríamos garantir que não fosse nada contagioso, por questões de segurança. – Suspira, passando a mão pelo rosto. – Agora nossos novos convidados estão bem e estáveis, mas as precauções permanecem: anômalos não podem se aproximar da ala em que eles estão hospedados sem as orientações de Clarisse. As rondas de segurança devem ser dobradas, todas as operações que envolvem sair daqui estão suspensas até segunda ordem. Vocês podem retornar aos seus afazeres.

A multidão se levanta como uma onda, suas vozes aumentam de volume e fazem conjecturas sobre a identidade das pessoas que chegaram. Várias pessoas se aproximam de Idris, que desce do altar e dá informações pacientemente para quem pergunta. A única coisa que não deixa escapulir são nomes ou mais detalhes dos pacientes além do que já informou. Hassam pede que esperemos e vai até ela, que o recebe com um sorriso tenso e faz um sinal para se afastarem do fluxo de pessoas. Leon parece ainda mais nervoso quando vê os dois conversando, e sei que o assunto da conversa é o que preocupa meu amigo. Idris parece pensativa quando Hassam termina e levanta o rosto, me chamando para que eu me junte a eles.

– Sybil, volte para a ala médica e veja se Clarisse precisa de algo. Também diga para Maritza me encontrar na minha sala o mais rápido possível – Idris pede, falando com cuidado como se estivesse calculando se esse é o melhor passo. – Leve Andrei com você e deixe-o lá com Clarisse, acho que ela vai precisar de ajuda. Depois peça para Leon me encontrar em minha sala em vinte minutos. Você também precisa vir.

– Certo – digo, confusa.

Faço como pede, avisando para Leon do encontro com Idris e levando Andrei comigo. Sofia insiste em ir também, porém Hannah pede sua ajuda com algo, e a menina concorda, mas consigo ver a curiosidade em seus olhos. Caminhamos pelos corredores em um ritmo cada vez mais rápido e, quando chegamos na recepção da ala médica, Andrei me para, segurando minha mão.

– Se Idris nos mandou até aqui, é porque não há perigo real de contágio, não é? – ele questiona, nervoso.

– Sim. Não sei. Acho que sim – respondo, incerta. – Se estava aqui e está bem, então não tem perigo, tem?

Olhamos para a recepção da ala médica, que está vazia; há alguns lençóis e travesseiros jogados no chão por causa da pressa em mover os pacientes. Seja lá o que os recém-chegados têm, é algo que assustou muito vovó Clarisse, a ponto de mandar que removessem todos em um espaço curtíssimo de tempo. Me pergunto o quanto disso foi ocasionado pela enfermidade de quem chegou e quanto é para preservar sua identidade.

Dou o primeiro passo e Andrei logo me segue, segurando minha mão. Passamos por uma sala, e uma mulher nos para, mas não nos impede quando dizemos que estamos aqui a mando de Idris. Todas as enfermarias estão vazias, com exceção da última, cuja porta está aberta. Eu e Andrei paramos na entrada do quarto, e eu bato na porta suavemente para chamar atenção.

A cena é estranha: vovó Clarisse se debruça na cama, usando um pano para limpar o rosto da mulher que está deitada ali, vestida com um jaleco, luvas, óculos de proteção e uma máscara. Maritza está vestida da mesma forma, consolando um homem maltrapilho, com uma barba grande e olheiras profundas. Apesar da aparência de cansado, não parece ser muito velho, talvez no máximo 30 anos. Eles olham para mim, e Maritza me chama para entrar, atraindo a atenção de Clarisse quase imediatamente.

Ela se afasta da cama e vejo que a mulher está grávida, e sua barriga pesada indica que está nas últimas semanas. Há sangue escorrendo das suas narinas e vovó se inclina para limpá-lo. Sua respiração parece pesada, difícil, e uma de suas mãos está na barriga, como se tentasse proteger a criança. Vovó parece arrasada, e não consigo deixar de pensar em como essa cena deve ser parecida com as que ela já viveu inúmeras vezes, inclusive com minha mãe. Meu coração aperta ao pensar no desespero que a mulher deve estar sentindo, e a única coisa que consigo falar é:

– O que ela tem?

– O que estão fazendo aqui? – vovó Clarisse questiona,

com o mesmo tom que usava quando eu tinha 10 anos e fazia algo errado.
— Idris pediu que eu trouxesse Andrei para ajudar você, e para chamar Maritza — respondo. Andrei não desvia os olhos da mulher, assombrado. Aperto sua mão e ele olha para baixo, visivelmente abalado pela cena.
— Vai ser assim? — vovó Clarisse fala para si mesma, antes de olhar para Andrei e dizer com um tom assertivo: — Vá se vestir, menino. Tem máscaras e luvas na sala ao lado, se certifique de não deixar nada descoberto. Ainda não temos certeza se os fluídos são contagiosos ou não, e precisamos descobrir. Pelo ar não passa, disso tenho certeza, então não se aproxime, Sybil, e ficará bem.
— Certo — ele responde, mas não se move. Eu e vovó Clarisse trocamos olhares.
— E preciso de você para ajudar o homem também — ela fala mais uma vez.
— Andrei? — sussurro. — Se você não quiser, não precisa...
— Eu tô bem — diz, desviando o olhar da mulher. — Vou me arrumar e já volto.
Observamos ele sair da sala, e vovó Clarisse pousa os olhos em mim, com uma expressão de desagrado.
— Só estou obedecendo ordens — Explico, e ela suspira, parecendo cansada. — Idris pediu para você ir encontrá-la, Maritza. Em vinte minutos, eu e Leon estaremos lá para uma reunião ou algo assim.
— O que foi dessa vez? — a mulher pergunta, sua voz fraca. — Clarisse, eu posso...?
— Sim, vá. Andrei e os outros vão me ajudar.
— Vou tirar essa roupa e vamos juntas, tudo bem, Sybil? — Maritza pergunta. Espero que saia de vista antes de perguntar para vovó Clarisse:
— Você precisa de algo...? Idris pediu para perguntar.
— É óbvio que Idris pediu para você. — Fico um pouco chocada com o tom amargo com que ela diz as palavras. — Idris sabe do que eu preciso, e quanto mais rápido conseguirem, mais rápido posso ajudar essa pobre coitada.
— Sim, senhora — respondo num tom bem menos humilde

do que deveria. Vovó olha para mim e não sei se vai brigar ou me abraçar. Me viro para o homem no cômodo e pergunto: – E você? Posso trazer algo? Comida, água?

– Não, obrigado – ele responde, sua voz com o sotaque da região do Império mais próxima a Kali. – Estou bem, obrigado.

– Sybil, apenas vá. Maritza deve estar quase pronta. – Ela faz um gesto na direção da porta. – Depois conversamos.

– Tudo bem. Boa sorte – desejo antes de sair do cômodo.

Encontro Maritza e Andrei no corredor, conversando em voz baixa. Escuto partes da conversa, mas Maritza parece estar explicando o estado médico da mulher grávida ou algo assim. Andrei apenas assente, suas mãos enluvadas enfiadas dentro do jaleco, e acho esquisito como ele parece *adulto* com essa roupa. Me aproximo e ele se despede de forma desajeitada.

Eu e Maritza voltamos pelo corredor, onde o fluxo de pessoas ainda é intenso, e ela parece preocupada.

– Você sabe o que Idris quer comigo? – pergunta, torcendo as mãos de forma ansiosa. – Não recebemos nenhuma notícia de Pandora, recebemos?

Dou de ombros enquanto abrimos a porta da sala de Idris, que está em sua mesa, com a cabeça nas mãos. Sinto vontade de sair quando vejo como está vulnerável, mas Maritza fecha a porta atrás de mim e se acomoda na cadeira em frente à mesa, jogando seu peso na cadeira. As duas mulheres parecem exaustas e não falam nada por um longo tempo.

– Conte para ela – Maritza diz, por fim. – Seja honesta com Sybil e conte quem são aquelas pessoas.

Idris levanta o rosto e encara Maritza longamente. Me afundo na cadeira mais perto de mim, tentando desaparecer. Não sei o que aconteceu, mas a hostilidade de Maritza e de vovó Clarisse com Idris me dão certeza de que tiveram uma briga feia. Por fim, a líder se vira na cadeira.

– Aquela mulher que você viu é Lisandra, uma das nossas informantes do Império – explica, cruzando os braços. – Ela estava casada com um homem, Yohan, que você viu lá embaixo, para espioná-lo. Ela... nós... faz algum tempo que tivemos a última notícia dela e...

– Calma. Calma – eu digo, tentando processar as informações.
– Ela estava no Império espionando um cara que está lá embaixo e...
– Não sabemos exatamente o que ocorreu, mas suspeitamos que foi pega pelas autoridades do Império e eles conseguiram fugir de alguma forma. Ela é anômala, então... – Idris deixa a informação no ar e eu prendo a respiração.

A chegada de uma anômala doente fugida do Império e a preocupação explícita de evitar o contato com anômalos... O aviso de vovó Clarisse à Andrei volta para minha mente, o pedido de que ele se cobrisse direito porque não sabiam se os fluidos corporais podem ser contagiosos. É óbvio para mim que ela foi mais uma das cobaias da cura, como Sofia, mais uma a fazer parte dos experimentos contra sua vontade. Como se não bastasse usarem crianças, agora também usam mulheres grávidas. Quando penso que podemos fazer a mesma coisa aqui, tenho vontade de vomitar.

– Nós não deixaremos que isso aconteça aqui – Idris fala, percebendo que segui a linha de raciocínio que queria. – Não se preocupe.

– Espero que você esteja certa – sussurro, tentando controlar a ansiedade que ameaça me dominar.

Capítulo 15

Hassam bate na porta enquanto ainda estou digerindo a informação sobre Lisandra e a cura. Leon o acompanha, ainda cabisbaixo. O soldado guia Leon até uma cadeira, mesmo que o garoto consiga fazer isso sozinho, e insiste para que se acomode, mas fica em pé em uma postura protetora atrás.

– Olá, Sybil – Hassam me cumprimenta. – É bom que esteja aqui, assim acabamos com isso de uma vez.

Fico confusa, então percebo o que Leon carrega. Meus arquivos. Os que roubei do Império durante a missão em que perdemos Ava, os que peguei escondido e tentei decifrar durante quase todo o verão. Leon havia me dito que Hassam o estava ajudando a traduzir as páginas do idioma do Império para o nosso, e pensar que aqui, agora, irei descobrir o que tem escrito neles me deixa nervosa. É isso que está gerando o mal-estar em Leon? Ele descobriu o que tem escrito e ficou apreensivo? Enxugo o suor da mão na minha calça, olhando para Idris, que percebe meu desconforto.

– Hassam, sente-se. – Faz um gesto para a outra cadeira, enquanto caminha até a frente da mesa, encostando-se nela. Hassam se recusa, balançando a cabeça em sua melhor posição de soldado, e Idris suspira. – Certo, o que vocês tem aí para mim?

Hassam olha para Leon, que segura os arquivos com mais força nas suas mãos, como se tivesse dúvidas de que queria entregá-lo. Me aproximo, curiosa.

– Sybil? – ele fala, baixo. – Eu... eu não queria que você soubesse assim.

– Não tem problema, entregue para Idris – eu digo, dando permissão. – Vocês decifraram?

– Sim – Hassam confirma, com a expressão rígida e o maxilar travado.

— Esses são os papéis de que me falou? Da onde vieram? Parecem coisa do Império — Idris afirma, com uma ruga de dúvida se formando em sua testa.

Eu tomo a dianteira e explico. Apesar dos poucos dias em que estou em sua companhia, me sinto segura o suficiente para compartilhar a trajetória da pasta, desde quando eu a encontrei até nossa luta para descobrir o que estava escrito. Idris escuta com atenção, e sua expressão muda conforme desenvolvo a história. No fim, olha para a pasta nas mãos de Leon, com curiosidade.

— Você não só roubou uma pasta dos dissidentes, mas também salvou uma das cobaias deles? Sofia, a filha adotiva de Charles? Eu não sabia desse detalhe — revela, olhando para mim com uma expressão de orgulho.

— Andrei e Leon estavam comigo. E... Ava.

— A garota que eles curaram — ela completa, olhando para o outro lado, parecendo culpada. Não consigo acreditar que ela não sabia disso, que não havia conectado os pontos. Eu a encaro, um tanto preocupada, e ela percebe, fazendo um sinal para conversarmos depois. — E vocês finalmente decifraram o arquivo e descobriram algo grande pelo que Hassam me adiantou do assunto.

— Não passa de especulação, mas... — Leon diz, entregando o arquivo para Idris. — Se conseguirmos provas, não há quem fique a favor do governo da União quando descobrirem.

Idris olha para o arquivo em suas mãos como se fosse uma granada sem pino, e depois para mim, e é visível como sua admiração cresce. Abre a pasta, tirando um conjunto de papéis grampeados e os entrega para mim. Quando os pego, vejo que está escrito numa caligrafia bonita, organizada, no nosso idioma. Idris está lendo o arquivo original e, quando passo os olhos pelo papel, abro e fecho a boca. Volto e leio do início, de novo e de novo, sem parar, e depois o largo, como se estivesse pegando fogo.

Eu não sabia o que era raiva até esse momento. Nunca soube. Porque é um sentimento que queima nas veias e consome, e dá vontade de gritar e destruir e matar. Sinto meu corpo inteiro tremer; mordo meus lábios, fecho os punhos e minha mão imobilizada dói com o movimento. Essa é a gota d'água e, se depender de mim, coloco o Senado abaixo em três segundos. Dane-se ir com calma, dane-se precisar do apoio dos humanos, nós temos que fazer algo agora, imediatamente.

– Isso é... – Idris fica sem palavras, repousando o arquivo na mesa. – Minha nossa!

– Sybil, se acalme. – Leon se levanta e se aproxima de mim, mas me esquivo, respirando fundo para não explodir. – Sybil... eu sinto muito.

– Leon, deixe-a em paz. – Hassam encosta no ombro do garoto. – É muito para processar.

– Nós precisamos fazer alguma coisa! – exijo de Idris. – Agora. Como o cônsul ousa ainda estar lá, dando ordens, como se fosse um deus? Como ousa brincar com a vida das pessoas assim, como se elas fossem descartáveis?

– O tempo dele está chegando ao fim, Sybil. As coisas vão ser diferentes – Idris rebate, tentando me acalmar.

– Isso é tão absurdo que eu... eu... – Sinto meu corpo tremer de ódio. – Me deixe ir na missão que vai investigar isso, a dos refugiados, e não ir com Cléo para os centros de pesquisa. Por favor, preciso fazer algo ou vou enlouquecer.

– Hassam, você irá com ela. Sairão amanhã, avise aos responsáveis para iniciarem os preparativos – Idris instrui, séria. – Vocês precisam arrumar pistas, porque uma acusação desse tamanho vinda do Império não será levada a sério, a menos que tenham indícios fortes de ser verdade.

– Nós temos a melhor marinha do mundo, mas ainda assim escolhem os piores navios para transportar os refugiados. Eles vêm para cá sem nenhuma escolta, pelas rotas que todo mundo sabe que são as mais perigosas, segundo esse documento. Para mim é argumento o suficiente – respondo, ríspida e, logo depois, fico com vergonha.

– O Senado não pensará dessa forma – Idris fala e admiro sua capacidade de manter a cabeça fria, porque consigo ver uma veia pulsando em sua garganta. – Se você realmente quer que o cônsul pague por isso, consiga mais provas. Nós faremos o resto da mágica.

– Considere feito, então – respondo e, sem pedir licença, deixo o cômodo. Eu não conseguiria fazer mais nada mesmo com toda a raiva que estou sentindo.

***

Leon me encontra no lugar mais isolado possível, na superfície, onde arrisco ser vista por alguém, mesmo que esteja escuro. Estava me sentindo confinada nas paredes da fortaleza, num lugar pequeno demais para conter minha fúria, e praticamente coagi Abena a me mostrar como ir para o lado de fora. Quando saio, a lua cheia ilumina o suficiente para que eu veja que estamos num penhasco, na beira do oceano. O mar bate violentamente nas pedras, num estrondo que é completamente isolado pelas paredes dos túneis.

Me ocupo jogando pedras no mar. É uma tarefa frustrante porque com o vento intenso do penhasco, a maior parte volta para a terra ou bate contra a parede de pedra. Ainda estou fulminando de raiva, mas esse esforço inútil me acalma um pouco.

Leon se senta na grama, em silêncio. Quero gritar com ele e perguntar por que não me procurou assim que traduziu tudo, por que levou as coisas para Idris antes de mostrar para mim. Ele não era meu amigo? Não estávamos nessa juntos? Pego outra pedra e jogo com mais força, dessa vez fazendo-a chegar longe.

– Me desculpe – Leon fala tão baixo que é quase inaudível. Jogo mais uma pedra. – Eu queria falar com você, mas assim que terminamos Hassam disse que era melhor levar para Idris e...

– Custava me puxar um minuto para me dizer que tinha decifrado tudo? Que ia contar para mim e para Idris ao mesmo tempo? – Eu me viro para ele. – Você teve horas para isso lá no refeitório!

– Achei que você não ia reagir bem. Não queria te deixar ainda mais tensa, a situação já estava difícil – Leon fala, escondendo o rosto num gesto de vergonha. – Sinto muito, você tem razão. Quando acho que estou fazendo tudo direito, faço uma bobagem dessas. Não sou bom nessa história de ter amigos.

Me aproximo, sentando em uma pedra grande, provavelmente um bloco do que foi o castelo um dia. Leon se encolhe, parecendo tão vulnerável que sinto vontade de me aproximar, mas ainda estou furiosa, e me contenho.

— Era para ser uma surpresa, para seu aniversário. Não tivemos tempo de terminar e achei que te deixaria animada... só não imaginava que o conteúdo seria tão horrível — continua. — Não pensei direito o que isso significaria para você. Até hoje.
 — É só pensar em como você ficou quando descobriu sobre as missões — digo, me exaltando conforme falo. — Não aguento mais, sou tudo o que eles querem destruir, Leon. Tudo: anômala e refugiada, a garota que trouxe a peça que faltava para a cura, a única que conseguiu sobreviver às tragédias programadas para exterminar os refugiados. É como se a minha existência fosse uma ofensa mortal, sei lá.
 Leon se levanta e senta ao meu lado, sem encostar em mim, e entendo o gesto como uma deixa para continuar. Minha raiva muda de forma e se torna algo mais modelável, algo que consigo direcionar.
 — E aí... — Fecho os olhos, levando dois dedos às têmporas. Imagem de corpos afundando e se debatendo dominam a minha mente. — Fico pensando em todas aquelas pessoas do navio... Já tem um tempo que não me lembro delas; mas, agora, é como se eu tivesse o dever de vingá-las, sabe? Elas morreram porque um imbecil não queria lotar as fazendas. Só por isso. Eram pessoas demais no plano completamente perfeito do país desse homem ridículo e... ugh. O que mais dói é pensar que somos descartáveis.
 — Você pode fazer algo — sugere. — Incomode-o. Impeça-o de continuar. Use as ferramentas do cônsul contra ele mesmo. Aproveite a oportunidade que tem para agir.
 É minha vez de ficar em silêncio, olhando para o céu acima de nós. A lua está cada vez mais alta, abrindo caminho entre as estrelas. Até que ponto derrubar o cônsul pode mudar as coisas? Por mais fácil que seja culpá-lo por tudo, ele não governa sozinho. Tem que haver outras pessoas que saibam do que ocorre, que concordem e achem aceitáveis suas ações. Como Idris planeja contornar isso?
 — O que mais admiro em você é como continua caminhando, continua viva, não importa o que aconteça — Leon interrompe meus pensamentos com sua voz trêmula. — O passado não é uma âncora para você, é o combustível. Queria ser corajoso assim.

Encosto a cabeça em seu ombro e ele me abraça, apoiando o queixo no topo da minha cabeça, com as mãos trêmulas. Pela fragilidade do seu tom de voz, tenho certeza de que não estamos mais falando sobre os arquivos, o cônsul ou ideias revolucionárias.

– Penso em Seeley o tempo todo – ele fala, por fim. – Penso em como preciso impedir que outras pessoas acabem como ele. Penso que talvez Idris o tenha salvo, penso em como ele deve ter virado cobaia e morrido, e sobre como tudo isso é minha culpa. Olho para Hassam e penso em Seeley, fico com vergonha e me sinto uma farsa.

– Leon... – Seguro uma das suas mãos na minha. – Você não sabia. Não imaginava que era para isso que o estava escolhendo, não é como se fosse de propósito. Você não deveria se sentir culpado por isso.

– Eu não sabia? – pergunta ele, soando autodepreciativo. – Eu e ele sabíamos que algo terrível acontecia e que sempre tinha alguém que não voltava. Eu poderia ter me voluntariado. Seeley teria se sacrificado se fosse sua escolha. Eu sou egoísta e idiota, Sybil.

– Todo mundo é egoísta e idiota às vezes, Leon. Todo mundo. – Eu aperto sua mão. – E tem coisas, como isso, que estão fora do seu controle. Não tenho ideia de como... de como eu reagiria se tivesse que escolher entre Andrei e você, ou alguém que mal conheço.

– Tenho medo de tê-lo escolhido inconscientemente porque... eu estava nervoso – ele fala, constrangido. – Eu nunca havia me sentido atraído por ninguém até que ele entrou na minha vida. Um *cara*. Meus irmãos todos casaram com pessoas do sexo oposto, minha mãe repetia o tempo inteiro que eu tinha que arrumar uma *esposa* e dar netinhos maravilhosos para ela, e eu fiquei com medo de desapontá-la.

– Isso nem faz sentido, Leon. Você está me dizendo que tem medo de descobrir que seu subconsciente quis matar o garoto de que você gostava porque você tinha medo de decepcionar sua família? – falo e ele abaixa a cabeça, mais envergonhado ainda. – Não, é sério. Você é uma pessoa racional o suficiente para perceber a falha na lógica. As pessoas que deveriam te proteger coagiram você a fazer uma escolha e é isso, apenas isso. Sim, foi horrível, mas se essas missões não existissem, você nunca precisaria viver com essa culpa.

— É uma forma de encarar as coisas — ele diz com a voz embargada, coçando o olho com uma das mãos. — O mais engraçado é que nem minha mãe nem meu pai se importam com isso. Com o negócio de gostar de meninos, sabe?
— Você contou para eles? — pergunto, surpresa.
— Aparentemente, não sou tão discreto quanto achei que era, e um dia, quando fui encontrar Hassam na biblioteca, minha mãe disse: "Você pode trazer seus namorados aqui pra casa, sabia? Não precisa ficar se encontrando na biblioteca como se fosse um criminoso".
— Não acredito — digo, segurando uma risada. — E o que você respondeu?
— Fiquei tenso, e depois paranoico, e depois contei tudo pra minha mãe. E meu pai é *médico* e decidiu me dar uma aula sobre anatomia e *outras coisas...* — ele cobre o rosto. — Nunca passei tanta vergonha na minha vida.
— Olhe pelo lado bom, agora você sabe tudo o que precisa saber sobre o assunto.
— Eu sei mais do que queria saber sobre o assunto, você quis dizer. — Leon parece um pouco mais animado. — Venha, se você realmente quer destruir o cônsul com suas próprias mãos, vai precisar estar descansada para amanhã. Mais uma vez, me desculpe por não ter te falado sobre o arquivo antes.
— Tudo bem — digo, com um suspiro. — Só não faça novamente.
Ele assente e beija minha testa.
— Você não tem noção do quanto estou grato por você ainda estar viva — ele sussurra e eu o abraço com força, toda a minha raiva transformada em determinação.

Capítulo 16

Cléo me busca logo cedo, antes de todos acordarem. Vamos direto para a grande garagem por onde cheguei, e ela me leva até uma sala no fundo, que eu não tinha visto antes. É uma bem pequena, com três cadeiras, um mapa da União e vários papéis; de listas de inventários a relatórios como os que se acumulam na sala de Idris. Cléo pede para eu me sentar com um gesto e se acomoda na cadeira do outro lado, a mesa entre a gente, como uma representação óbvia da distância entre nós duas. Apesar disso, ela trouxe um mingau espesso de aveia e um pedaço de torrada para meu café da manhã, e como tudo com calma. E isso acontece sem que uma palavra seja trocada entre nós.

– Esperava que você fosse diferente – ela quebra o silêncio, por fim, quando termino meu café da manhã. – Mais como seu pai.

Eu a encaro, exigindo todo o meu autocontrole para não jogar a colher no meio de sua testa. Talvez enfiá-la em seu nariz surtisse um efeito melhor. Não estou com disposição para ouvir besteira, e a encaro com uma fúria tão grande que ela se encolhe.

– Eu sempre idolatrei meu irmão. Sempre foi um herói para mim, sem falha alguma. Onde sou explosiva, ele era paciente. Onde sou teimosa, ele era maleável. Nossa avó sempre dizia que para usar nosso poder direito é preciso ser como a água, e era exatamente como ele era. E achei que você seria exatamente como ele. – Seu tom é melancólico e dá para perceber a dor em sua voz enquanto fala, como se eu a tivesse magoado de alguma forma.

– Não sei de onde tirou essa ideia – respondo, tentando ser o mais fria possível. – Passei mais tempo com você do que com o Almirante durante minha vida inteira.

– Você também é como a água, mas de forma diferente – ela continua, se virando para mim como se eu nunca tivesse falado.

– Alexander era como um lago, sereno e preciso, ciente das suas limitações. Você é como uma tempestade, às vezes gentil, às vezes volátil, sempre se adaptando aos lugares em que cai, impossível de ser aprisionada. Você não tem uma vontade tão rígida como a minha. E isso me frustra. Por que você não pode ser como ele? Por que você tem que ser uma criatura completamente diferente e absurda, que não se encaixa direito em lugar algum?
– Achei que você estava me elogiando, e aí você vem e me insulta.
– Não é um insulto. Estou pedindo desculpas. – Ela se inclina sobre a mesa, me observando. – Joguei em você minhas próprias frustrações, mesmo sem você ter culpa de nada. Isso atrapalhou nosso relacionamento, e eu gostaria que me desse uma segunda chance para nos conhecermos melhor quando você voltar da missão. Você viria comigo, mas Idris foi categórica em colocá-la na equipe de Juan.

– Talvez possamos conversar quando eu voltar – respondo, sem olhar para ela, incerta sobre como proceder. Ela não sabe que pedi para não ir com ela? E se acha que vai ser fácil mudar minha primeira impressão, está redondamente enganada.

Hassam entra na sala, quebrando o silêncio desconfortável entre nós duas, satisfeito por me encontrar. Ele repassa alguns detalhes da missão com Cléo, sobre horários de guardas e como agir. Aparentemente, iremos em caminhões roubados do exército, e um grupo de pessoas se passará por refugiados transferidos de campos, e o outro, por soldados responsáveis pela transferência. Somos dois grupos distintos que irão atacar e conquistar simultaneamente as duas fazendas, impedindo que uma alerte a outra. No segundo grupo, há mais um caminhão, comandando por Cléo, que irá para um centro de pesquisa próximo à fazenda, para dominá-lo também. Nós temos que ser precisos e cronometrar bem nosso tempo, porque se houver alguma discrepância nas ações, poderemos comprometer todo o andamento da missão.

As outras pessoas chegam aos poucos e, quando vejo o chefe do nosso grupo, o encaro longamente. Eu o havia visto no dia da assembleia, e quanto mais olho, mais tenho certeza de que já o vi antes. Juan nos orienta com uma enorme precisão, adicionando detalhes da missão, dos quais Hassam e Cléo tomam nota. Quando ele pede para nós, que vamos nos passar por refugiados, vestirmos os uniformes cinzentos e puídos dos campos, percebo que sei onde o vi antes. Ele é um dos homens que invadiram nosso trem quando íamos para a missão na ilha, o que parece ter acontecido milênios atrás, para roubar rações. Ele não demonstra me reconhecer, e fico em dúvida, porque tenho quase certeza de que me viu naquele dia.

De repente, fico nervosa e puxo Hassam para um lado, trazendo Hannah, que também está na missão conosco, de brinde.

– Eu vou atrapalhar tudo. Não deveria ter pedido para vir – falo baixo e Hannah franze a testa. Hassam olha para o grupo e para mim, abaixando mais ainda seu tom de voz.

– Nosso roteiro é diferente do resto. Eu, você e Hannah estamos juntos e você não vai nos atrapalhar.

– Mas a minha mão... – insisto, apontando com o queixo para a tipoia. – Se acontecer algum imprevisto serei inútil.

– Na pior das hipóteses a gente te usa como escudo humano – Hannah fala num tom tão sério que eu e Hassam olhamos para ela, chocados. Então ela dá um sorriso. – Pessoal, por favor. Sybil teve praticamente o mesmo treinamento que a gente em Kali, é óbvio que consegue manter o nosso pique.

– Se acalme – Hassam aconselha, colocando a mão em meu ombro. – Tudo vai dar certo.

Eu concordo, mas não fico mais calma. Quando vejo vovó Clarisse na entrada do túnel, com Andrei ao seu lado, todo de preto, acho que vou explodir de nervosismo. Caminho até eles, observando com o canto do olho a movimentação dos outros que tentam esconder facas e utensílios no próprio corpo. Vovó tem uma expressão dura, observando-os com um interesse quase científico. Andrei não tira os olhos de mim, seus lábios fechados de forma intensa, e sinto minha pulsação acelerar.

– Eu vim para te desejar um bom trabalho – ele diz e eu paro à sua frente, me sentindo um pouco intimidada. Acho que nunca o vi dessa forma. – Porque se eu te desejar sorte, quer dizer que não acredito que você tenha chances.

– Eu estarei de volta antes que você possa sentir minha falta – respondo tentando aparentar uma confiança que não sinto, e junto minha mão com a dele. Ele a leva aos lábios.

– Não faça nada impulsivo – ele murmura, me puxando mais

para perto. — Mas faça o que puder para garantir que o cônsul se arrependa do que fez.

— Obrigada. — Sinto uma gratidão imensa por suas palavras e encosto a cabeça em seu ombro, abraçando-o. Ele levanta meu rosto com a mão e me beija suavemente, me apertando contra si.

— Prometa que vai voltar sã e salva — ele sussurra no meu ouvido, colocando meu cabelo atrás da orelha.

— Eu prometo — sussurro de volta, beijando-o na bochecha. Ele vira o rosto no último momento e me beija novamente, dessa vez de forma mais intensa. Vovó Clarisse limpa a garganta em algum lugar atrás de nós e nos soltamos, minhas bochechas vermelhas. — Como está a paciente?

— Do mesmo jeito — ele sussurra, apertando minha mão. — Estamos fazendo o possível para que melhore.

— Tome cuidado — digo. — Lembre vovó Clarisse de beber água e de comer, ela tende a se esquecer dessas coisas quando está cuidando dos doentes.

— Sim, senhora — diz e se inclina na minha direção, dando um beijo na minha bochecha. — Esse foi Leon que mandou. Sofia disse que não precisa vir se despedir porque você vai voltar daqui a pouco.

Estou sorrindo quando vovó Clarisse nos apressa, fazendo um gesto para que me aproxime. Olho mais uma vez para Andrei e ele aperta minha mão, antes de fazer um sinal para que eu a siga.

Me despeço de vovó Clarisse com um abraço apertado antes de me juntar aos outros. Hannah me puxa para caminhar ao seu lado, junto ao nosso grupo de refugiados falsos, todos mais ou menos da nossa idade, vestidos de cinza e com as feições típicas dos filhos da guerra, de Kali. Com o número de refugiados que Idris abrigava, que vinham das fazendas ou de Kali, era fácil forjar dois caminhões cheios de pessoas que pareciam ter vindo de lá.

Na frente, pessoas com uniformes do exército nos guiam, sem nenhuma marca de suas anomalias nas fardas. Além de Juan vejo que Gunnar está conosco. Há mais três mulheres com o uniforme nos esperando na garagem, reunidas na porta de um dos caminhões e, com surpresa, vejo que uma delas é Reika. Ela acena para mim quando me vê, e Abena coloca a cabeça para fora do caminhão, fazendo um sinal de que está tudo pronto. Todas as pessoas de quem fiquei próxima nos últimos dias estão envolvidas nessa movimentação e sinto um frio no estômago.

– Os que vão se passar por anômalos, com Cléo e Reika nesse caminhão – Juan diz, enquanto ajeita luvas de couro nas mãos. – Os que vão para o campo ao norte, com Abena, Daniel e Yuuna, naquele caminhão. E os outros, do campo ao leste, comigo e com Gunnar, por aqui.

Sigo Gunnar, um pouco satisfeita de ter escapado do grupo de Cléo na última hora. Não sei como seria se tivesse que enfrentá-la em uma situação de estresse. A fazenda para onde vamos é a maior de Arkai, onde fica o centro administrativo de todo o sistema, e as provas para incriminar o cônsul de vez devem estar lá. Hannah me ajuda a subir no caminhão, me empurrando até o final para que caiba todo mundo. Somos vinte e cinco e, quando Hassam entra, por último, mal existe ar para respirar. Gunnar fecha a traseira do caminhão e ficamos na penumbra, a única luz vindo de pequenas frestas na lataria do veículo, provavelmente desenvolvidas para que a carga – no caso, pessoas vivas – não morresse asfixiada. Pelo menos estamos todos sentados.

Ficamos horas assim, um grudado no outro. Apesar do clima de tensão, um garoto puxa conversa e, quando vejo, estamos todos trocando experiências. A maioria do grupo é de sobreviventes de Kali, desertores do exército – como eu descobri, era o caso de Hassam agora – ou fugitivos das fazendas de refugiados, insatisfeitos com as condições precárias do trabalho no campo. Percebo que Idris não espalhou a notícia dos arquivos, porque ninguém parece tão irritado quanto eu. Hassam é o mais inquieto, e me pergunto se contou para sua irmã o motivo de estarmos aqui.

Depois de algumas horas, o calor fica insuportável. Infelizmente, há poucos anômalos no caminhão e nenhum com habilidade parecida com a de Idris, o que poderia ajudar a esfriar o ar e aliviar a temperatura ambiente. Uma garota próxima a mim fica com a respiração mais acelerada e seguro sua mão, identificando os sinais de um ataque de pânico. Sussurro palavras para tentar acalmá-la e ela afunda a cabeça nos joelhos, buscando se controlar. Faço perguntas sobre a vida dela, o que a deixa mais calma, e descubro que se chama Nara.

O fedor de suor e de medo é dominante quando o caminhão finalmente para. É quase noite e andamos por muito, muito tempo. Me levanto com a ajuda de Hannah e me encosto contra a parede quente de metal, tentando enxergar algo do lado de fora através de uma fresta. Há uma cerca de arame farpado com uma placa e levo um susto quando alguém bate contra a lateral onde estou, o barulho ressoando dentro da caçamba.

Ouço uma risada e me sento, nervosa, ao ouvir a voz de Gunnar e a de um desconhecido do outro lado, junto com os sons da porta abrindo. Hassam olha para nós com uma expressão determinada e posso sentir a tensão no ar. A luz do lado de fora nos cega e escondo meu rosto. É agora. Se não conseguirmos passar daqui, nada dará certo.

– São esses, os 25 – Gunnar fala num tom entediado. – Como um dos campos de trigo morreu, eles ficaram sem serventia.

– Não sei de quem foi a ideia de trazê-los para cá, estamos cheios – o desconhecido responde e meu coração acelera. – Que fedor. Não era de se esperar menos desses porcos.

Se ele tivesse dado um chute em cada um de nós teria doído menos do que suas palavras. *Porcos?* Nós passamos o dia inteiro aqui dentro, ninguém poderia cheirar a rosas e perfumes na mesma condição.

– Ordens são ordens. – A voz de Gunnar parece mais tensa e eu levanto o rosto, vendo que o soldado subiu no para-choque do caminhão e está olhando para cá.

– Eles estão ficando cada vez mais malucos com essa história dos anômalos, não estão? – o homem diz, chutando uma das pessoas mais próximas para poder ficar em pé do lado de dentro do caminhão. Ele pega a arma do coldre e consigo sentir todos prendendo a respiração, apreensivos. – Se eu fosse o governo, resolvia isso em dois minutos.

Ele coloca a arma na cabeça de um dos rapazes, que o encara seriamente. Seu dedo vai para o gatilho e Hannah aperta minha canela, enfiando as unhas na minha perna.

– Pou! – O homem aperta o gatilho e sinto Gunnar se mover antes de vê-lo, só que nada acontece. O soldado dá uma gargalhada alta, como se aquilo fosse a coisa mais divertida do mundo, antes de chutar o garoto. – Você quase se cagou de medo, devia ter visto a sua cara de porco quando achou que ia morrer.

– Por favor, nós precisamos removê-los rapidamente. – Gunnar tem uma voz de aço e, mesmo sem conhecê-lo muito bem, sei que está se controlando o máximo possível para não atacar o homem. Sei que eu estou.

– Oliveira! – Um outro soldado humano aparece na porta do caminhão e vejo os sinais que o marcam como um capitão. Sua expressão é quase assassina e direcionada ao homem que está dentro do caminhão. – Quem o autorizou a inspecionar os novos integrantes da nossa fazenda? Desça até aqui e volte para suas funções.

– A orientação é ver se a carga está correta, senhor. – Oliveira salta do caminhão, parando na frente de seu superior com uma continência.

– E não aterrorizá-los. Volte ao seu posto, tudo está certo com esse caminhão.

– Sim, senhor. Com licença, senhor.

O capitão o acompanha com os olhos e, depois, quando encara Gunnar e Hassam, percebo que sabe. Será que ele é um dos nossos agentes infiltrados? Pede desculpas pelo comportamento do seu subordinado e ajuda Gunnar a fechar a porta, prendendo-nos aqui dentro novamente. O caminhão volta a andar e algumas pessoas se movimentam para ver como está o garoto que foi alvo de Oliveira.

Quando paramos novamente, somos obrigados a descer do caminhão e formar uma fila num pátio imenso. Estamos rodeados por três prédios baixos, de três andares, cinzentos e com a tinta descascando. Há um galpão com equipamentos de fazenda e, no horizonte, por onde posso ver, existem campos de plantações cujos nomes não tenho ideia. As meninas vão para um lado e os meninos, para o outro, enquanto uma tenente nos inspeciona. Estamos todos apreensivos, porque muitos de nós têm armas brancas escondidas em vários lugares do corpo. Uma revista simples nos entregaria, mas ninguém se incomoda com isso. É como se não acreditassem que poderíamos ser ousados a ponto de chegarmos ali armados, já que somos *porcos* sem valor algum. Em vez disso, a análise é outra: para qual tipo de trabalho somos bons.

– Esse aqui tem braços muito magros, vai para as sementes – a mulher ordena, passando pela fila. – Bom para dirigir tratores. Esse aqui deve capinar muito bem, mande-o para o terceiro andar. Esse aqui... hum, mande-o para o centro administrativo. Ele será de bom uso lá.

É como se fôssemos produtos e ela estivesse escolhendo o melhor, olhando na vitrine. Ela separa quatro de nós para o centro administrativo: eu, Hassam, Hannah e Nara, a garota que estava ao meu lado no caminhão. Não sei como souberam que precisávamos ficar juntos, porque a mulher parece alheia ao que somos e ao nosso plano, que se baseia em nos misturarmos aos outros e aguardar o sinal do outro campo para tomar e controlar o lugar. Estamos contando com o fato dos refugiados residentes nos ajudarem, já que a quantidade de guardas é bem menor que a de refugiados. É estranho como uma figura de poder faz com que você esqueça sua força.

Gunnar desaparece junto com o chefe da nossa missão, passando para o prédio no centro, rindo e conversando com outros soldados. A tenente pede que alguém nos leve até o centro administrativo, a quase dez minutos de caminhada dali. Conforme andamos, o sol começa a baixar no horizonte. Somos quatro para um e poderíamos derrubar o soldado guia facilmente. Fico surpresa com a confiança que eles têm em nós.

O centro administrativo é um prédio redondo, de apenas um andar, ao lado de um grande armazém. Consigo sentir o cheiro de grama recém-cortada e de grãos quando entramos no edifício. Observamos todos os detalhes: cada curva, cada caminho, cada desvio. Nosso alojamento é no subsolo, e não é muito diferente de uma cela: homens ficam de um dos lados da barra de metal, mulheres do outro. Os beliches são em menor quantidade do que o número de pessoas, e há apenas um vaso sanitário e uma pia, em um canto, sem privacidade alguma. A cela em que fiquei quando voltei da missão na ilha dos dissidentes era infinitamente melhor do que isso e sinto nojo. Essas pessoas vêm para cá em busca de condições melhores, com o coração cheio de esperança, trabalham de graça plantando comida para abastecer a população da União e são tratadas como se não valessem nada. Como se fossem escravos sem sentimentos. Minhas pernas tremem quando penso que esse poderia ter sido o meu destino.

Somos trancados no lugar e Hannah me segura contra ela, observando enquanto o soldado sobe e desaparece pela escada. Também tem a mão no ombro de Nara, de forma possessiva, como se estivesse nos protegendo. Consigo ver as meninas da cela nos medindo com desconfiança, considerando se devem se mover de seus lugares ou não, como gatas selvagens. Por fim, uma delas salta da cama de cima de um dos beliches e se aproxima, fazendo com que todas as outras cheguem perto.

– De onde vocês vieram? – uma delas pergunta, passando a mão na blusa de Hannah. – Estão tão sujas, vão precisar de um banho antes que venham buscar vocês.

– Oh, coitadinha, já chegou estragada – outra diz, puxando suavemente minha tipoia. – Se já vem estragada, não tem problema quebrar.

– Eu já te vi antes – a primeira comenta, se aproximando de Nara. – Não te vi? Você parece muito com alguém que eu conheço.

O que aconteceu com essas pessoas? Nenhuma delas parece ser muito mais velha do que Hassam, com pouco mais de 20 anos, mas todas têm a mesma expressão vidrada, os mesmos gestos estranhos. Não aparentam muita coisa em comum, a não ser o tom de pele. Algumas têm os olhos claros, como Hannah, outras tem os lábios cheios de Nara, outras têm os meus quadris largos, mas não há um padrão. O que, só de nos ver, fez com que a tenente quisesse nos colocar aqui?

Da cela ao lado, escuto um assobio e as garotas caminham até lá, nos arrastando com elas. Nara se agarra à Hannah, não sei se assustada ou ansiosa, e eu seguro as barras. Do outro lado, os garotos empurram Hassam na nossa direção. Não consigo entender por que estão fazendo isso, até que a porta se abre novamente e quatro soldados entram. Então percebo que eles estão nos escondendo. É como se fossem um cordão protetor à nossa volta, impedindo que nos encontrem no meio de todos. Eu me encolho contra as barras e Hassam segura minha mão, como se eu precisasse de conforto.

E aí entendo: os soldados abrem as duas celas e ninguém se

move. Dois deles caminham até os meninos, dois até as meninas, e abrem um sorriso tão assustador que me encolho, tentando me esconder mais. Eles puxam uma garota e ela olha para baixo enquanto é apalpada, as mãos de um soldado passam pelas curvas do seu corpo, pelos seus seios, pelos seus quadris. Sinto nojo, e desvio os olhos. Isso é tão, tão doente. Tão doente que Hassam precisa me segurar para que eu não faça nada impulsivo.

— Shh, estamos muito perto agora — ele sussurra para mim e mordo os lábios, segurando lágrimas de raiva.

Eu poderia ter sido uma dessas garotas. Se meu navio não tivesse afundado, se meu caminho não tivesse sido desviado. Eles vendem esses lugares como uma segunda chance, uma oportunidade para uma vida melhor, com trabalho digno e a possibilidade de viver de forma decente, mas é apenas mais uma mentira. Só mais uma propaganda bonitinha para esconder a verdade, para nos induzir a vir até aqui satisfazer todas as necessidades deles. Não consigo decidir o que é pior na visão da União: os anômalos ou os refugiados. Dos anômalos ainda há medo, porque possuímos poderes que ninguém compreende bem. Mas e quem vem de Kali para cá, sem nada a não ser esperança? Eles não são ninguém, só mais uma peça na engrenagem da União.

Olho para Hassam e fico irritada quando percebo sua expressão neutra. Tenho certeza de que sabia disso, de que sabe sobre todo o abuso que os refugiados passam em lugares como esse. Por isso não pareceu muito surpreso ou revoltado quando leu os documentos. O que mais ele sabe? O pânico de Nara durante o caminho me parece mais do que justificado, e ela ter decidido estar aqui demonstra uma coragem imensa. Procuro por ela na multidão e vejo que está com o rosto escondido nos ombros de Hannah, provavelmente nervosa demais para encarar essa situação. Será que fugiu porque era uma dessas garotas, porque já passou por isso?

O suplício acaba quando escolhem cinco de nós: três garotas e dois garotos. O cordão apertado de meninas nos empurrando contra as grades se afrouxa e uma delas me senta em uma das camas, ficando ao meu lado, massageando a marcas brancas que as barras deixaram em meus dedos. Hannah e Nara estão na cama ao lado, e uma das garotas passa a mão no cabelo de Nara, acalmando-a.

– Vocês vieram nos salvar, não foi? – a menina ao meu lado sussurra, e fico surpresa. Olho para Hannah e Nara, mas as duas não parecem ter ouvido. – Shhh, eu não conto pra ninguém.
– Como você...?
– A garota ali. O nome dela é Nara, não é? – ela se aproxima mais, ficando muito perto de mim. Suprimo a vontade de me afastar, porque acho que ela vai se ofender. – Ela estava aqui quando eu cheguei, mas depois sumiu. E agora voltou. Vocês vieram nos tirar daqui.
Levo um dedo aos lábios, pedindo que mantenha silêncio, e ela concorda com a cabeça, animadamente. Uma das garotas vai até o centro do quarto e explica como funciona a rotação de camas. Quem é escolhida sempre fica com uma cama, e não no chão, e todas precisam zelar pela limpeza do lugar se não quiserem ser punidas. Além disso, elas saem para passear ao sol uma vez por dia, por vinte minutos, e se alguém se comportar mal, ficamos presas aqui embaixo por tempo indeterminado como punição para todas. A comida é controlada e vem duas vezes por dia, de manhã e à tarde, e a garota ressalta como é importante comer. Suponho que haja algum tipo de punição para isso também.

Hannah faz mais perguntas sobre a rotina, sobre quais guardas lidam com o grupo, sobre quanta vigilância temos, sobre a existência ou não de câmeras de segurança ou similares. Aparentemente, as garotas são bem livres, desde que sigam as regras fora da cela. Não há vigilância constante e o centro não possui nenhum monitoramento remoto. Embora seja uma boa notícia para nós, não consigo parar de pensar nas atrocidades que podem acontecer sem que ninguém saiba.

– Não se preocupe, o novo capitão não deixa mais essas coisas acontecerem – a garota diz, reconhecendo a preocupação em meu olhar.

Aos poucos, a novidade da nossa presença vai se dissipando e elas voltam às suas atividades normais, que variam de jogar baralho, a conversar com os garotos pelas barras que separam os dois cômodos. Eu e Hannah nos sentamos na mesma cama, observando-as em silêncio. Essa é a pior parte: esperar a hora certa. Se nos movermos rápido demais, podemos colocar tudo a perder. Se demorarmos muito, perdemos a chance de agir. Mas, por enquanto, temos tempo.

Capítulo 17

A manhã traz mais uma dupla de soldados para o subsolo, dessa vez, carregando um carrinho com vários pratos de comida. Me lembro da primeira vez em que vi Hassam, quando estávamos assustados após a missão, sem saber o que fazer, com medo pelo nosso destino. Eles distribuem um prato com um mingau ralo, cinzento e sem gosto, primeiro para as meninas, depois para os meninos. Nós fazemos uma fila e eles esperam até que todos terminem para ter certeza de que ninguém ficou com algum talher no quarto. Não há dúvidas: é uma prisão.

Demoram algumas horas até que outra pessoa apareça, dessa vez uma mulher nos meados de seus 30 anos, que caminha pelas barras do cômodo, olhando para nós como se fossemos criaturas em um zoológico. As garotas sussurram, incomodadas com a mudança na rotina. A mulher abre a porta da nossa jaula, e seus olhos nos encontram.

– O capitão solicita a presença das novatas – ela ordena, fazendo um gesto em nossa direção. – Não demorem, vocês precisam tomar banho antes de ir encontrá-lo.

Nos levantamos, ansiosas. Eu deduzi que o homem está do nosso lado, mas e se for apenas impressão? E se ele pediu para irmos até lá para... Prefiro não pensar. Nara aperta meu braço enquanto caminhamos. Seguimos a mulher até o outro extremo do cômodo, onde a maior parte dos garotos está reunida, e a mulher convoca apenas Hassam.

Ela nos leva até um banheiro onde só existem chuveiros, sem nenhuma divisória entre eles e nenhuma separação entre homens e mulheres. Com gestos rígidos, diz que temos dez minutos para nos limparmos e vestirmos as roupas que estão empilhadas em uma mesa ao lado da porta. Olho para meus companheiros e Hassam vira de costas, tirando sua blusa. Me recuso a tomar banho aqui, neste lugar. Eu posso ficar um dia ou dois sem passar por essa humilhação. Para minha felicidade, a mulher volta em menos de um minuto, com as bochechas vermelhas e parecendo apressada. Ela manda Hassam se vestir novamente e avisa que não há tempo para o banho, nos guiando apressadamente para uma sala no fundo do prédio. Nos deixa lá dentro e fecha a porta atrás de nós.

É um almoxarifado, com arquivos e armários que vão até o teto, com gavetas largas e fundas. São fileiras e fileiras deles, até perder de vista. A sala deve ser do comprimento do prédio, e ouço o barulho de botas pisando no chão antes de ver seu dono se aproximar. Em vez do capitão, encontramos Juan, o líder da nossa operação.

— Venham comigo — comanda, impaciente, caminhando pelos corredores formados pelo metal dos compartimentos em um ziguezague, num ritmo que é um pouco complicado de acompanhar.

No fundo da sala, há um homem amarrado numa cadeira, com uma mordaça. Quando nos vê, começa a se debater, como se estivesse com medo. Juan para à sua frente e lhe tira a mordaça só para levar uma cuspida na cara pelo homem. Em resposta, com a mesma mão que desamarrou o pano de sua boca, bate em seu rosto, deixando uma marca vermelha na bochecha branca do homem.

— Eu nunca, nunca, nunca vou falar nada para você — o prisioneiro diz, com uma raiva latente na voz. — Nunca.

— Você não precisa nos dizer nada — Hassam declara, cruzando os braços. — Já sabemos de tudo o que precisamos.

Troco olhares com as outras meninas e todas elas parecem tão confusas quanto eu. Hassam sabe quem é esse prisioneiro? O outro homem faz um gesto para nós o seguirmos, mas quando vou em sua direção, manda que eu volte para onde Hassam está. Obedeço, parando ao lado de Hassam, com uma postura parecida com a dele.

— Conte para ele. O que nós sabemos? — Hassam se vira para mim, com um sinal para que eu fale. Não sei o que quer que eu diga, mas tento mesmo assim.

— Nós sabemos o que você faz com os refugiados. Como os usa, como os maltrata. Quantos morreram por sua culpa, e não por

doença, como você clama. – É um blefe e tanto, mas observo na expressão do homem que pareço ter acertado algo.
– I-isso é mentira – o homem gagueja.
– Hum, se o marechal descobre – Hassam provoca, coçando o queixo.
– Se o marechal descobre vocês, impostores, aqui... – devolve –, vocês vão desejar nunca terem nascido.
– E se ele nos mandou até aqui? – digo, entrando no jogo e gostando. – E se ele ouviu os rumores e... bem, nós estamos numa situação difícil, não estamos? Uma história dessa desmoralizaria demais o cônsul.
– Ele não faria isso. – O homem fica pálido, nos encarando.
– Vocês são... Não, isso não é possível.
– Não é possível? Tem certeza? – Hassam pergunta, cruzando os braços com um sorriso divertido. – Você acha que ele chegou ao topo da hierarquia militar mandando flores e docinhos para quem o atrapalha?

O homem arregala os olhos e percebo que está mexendo suas mãos furtivamente, tentando se desamarrar, então coloco a mão na cintura, encarando-o. Não consigo assustá-lo porque minha outra mão está numa tipoia, mas espero que ache que é algum tipo de disfarce, que temos alguma arma escondida ali.

– Mesmo que você se solte, não vai conseguir chegar muito longe – declaro, pragmática. – Nós somos mais rápidos que você.

Ele para e olha para os próprios joelhos. Entendi o suficiente para saber que esse homem era o capitão anterior, e que o atual provavelmente é só um dos nossos agentes infiltrados. Mas como esse idiota conseguiu ser pego para início de conversa?

– Nós precisamos de todas as ordens do general Rhys – Hassam pede, abaixando-se na frente do homem. – Essa é a condição do marechal para que você não sofra o pior da punição.

Consigo ver o momento em que o interrogado entende o que está acontecendo, e franze a testa, olhando para cima.

– Deixa ver se eu entendi: o marechal, líder de todo o exército da União, enviou vocês, que mal saíram das fraldas, para pegar todas as ordens que seu braço direito me mandou ao longo dos anos; e

para me punir – ele repete, com tom de desdém. – Vocês acham que sou burro ou o quê?
   Me junto a Hassam e dou um chute bem dado em uma das pernas da cadeira, assustando os dois, e me inclino na direção do homem, apoiando a mão no espaldar.
   – Você quer um doce pela descoberta? – pergunto. – Você tem duas alternativas: ou nos ajuda de bom grado ou nos ajuda à força. Qual você prefere?
   – Não tenho medo de vocês. – Ele praticamente cospe na minha cara e eu me afasto, olhando para Hassam.
   – Nós podemos te oferecer proteção, se precisar – ele diz de forma razoável. – Tenho certeza de que não fala por estar assustado com as consequências.
   – Não falo porque não colaboro com desordeiros – responde, olhando para mim. – E como vocês vão me obrigar? Se eu começar a gritar...
   – Ninguém vai desconfiar de nada – digo, inclinando a cabeça um pouquinho, mal fazendo esforço para esconder a raiva que sinto. – Ninguém sabe que você está aqui... por outro lado, suponho que seja normal ouvir gritos de reuniões privativas entre refugiados e soldados.
   – É minha última oferta – Hassam fala, se juntando a mim. – Você não quer ver o que ela pode fazer.
   Os olhos do prisioneiro passam de mim para Hassam, nos medindo. Depois, olha na direção em que o líder e as meninas seguiram mais cedo. Espero que eles estejam procurando as pistas que precisamos para denunciar publicamente o cônsul, e que tenham mais sucesso do que nós. Por fim, o homem nos observa com os olhos semicerrados.
   – Vocês são anômalos – deduz. – Ou estão blefando.
   – Você quer descobrir qual é a verdade? – pergunto, cruzando os braços.
   – Eu acho que é um blefe.
   Olho para Hassam e ele parece preocupado. Quando encosto a mão no braço do homem, me pergunto se eu deveria ter algum receio sobre o que vou fazer, mas não sinto nada. Mesmo sem ter

muito controle da minha anomalia, não é como se eu fosse matá-lo. E, pelo que esse homem fez enquanto estava no comando, merece uma punição muito maior.

Me lembro da aula com Cléo e Reika e encaro o homem, sentindo a textura da sua pele embaixo da minha, seus pelos ásperos contra a palma da minha mão. Ele tem um sorriso de desdém que desaparece rapidamente quando olha para onde o toco e percebe o craquelado em sua pele. Ele me encara, assustado, e dou meu sorriso mais doce. Depois, tenta se esquivar, mas eu o seguro com firmeza enquanto vejo o medo aumentar em seu rosto.

– Você entendeu? – Largo-o, limpando a mão na roupa que estou vestindo. – Isso é só um pouco do que posso fazer se você não nos ajudar.

Ele assente e Hassam o coloca em pé. Sinto seu olhar sobre mim e não sei se está me julgando ou se há algum tipo de orgulho em sua expressão. Eu o ignoro e começo a perguntar coisas que podem nos ajudar. O homem balbucia algumas localizações, espalhadas pelo prédio. Ele tenta mentir no início, mas Hassam o confronta imediatamente. Resignado, ele explica que a maior parte das ordens do general Rhys está na sala de comando, em um compartimento escondido embaixo da mesa de madeira que utilizava.

Nós levamos o homem até onde Juan e as outras estão, no fundo da sala. Descubro que Hannah derreteu uma porta de metal de um lugar que parece uma caverna de tesouro, como as que os piratas têm em livros. Várias caixas cheias de coisas estão espalhadas, com itens que vão de amuletos e broches a pilhas de roupas. Fica óbvio que são os pertences dos refugiados que chegam aqui, e me controlo para não descontar a raiva no nosso prisioneiro. Eles vasculham as caixas atrás de algo, mas o homem ri e diz que não vão encontrar nada ali.

Nosso comandante caminha até ele e levanta seu rosto com força, a marca dos seus dedos fica gravada nas bochechas do homem. Eu encosto em seu braço para que pare, mas ele me ignora.

– Não sei o que eles fizeram para te convencer, mas se você mentir ou nos enganar, o que eu farei vai ser três vezes pior – ele vocifera e o prisioneiro se encolhe. – O que você fez com essas pessoas vai parecer brincadeira de criança quando eu terminar.

– Nós precisamos nos mover rápido. Não vão acreditar por muito tempo que realmente estamos... com o outro capitão – lembra Hannah, engolindo em seco. Ela finalmente me vê e fica alguns segundos olhando para a mancha no braço do prisioneiro e para mim, surpresa. – O que aconteceu?
– Nada – falo, dando de ombros. – Persuasão.
– Ela é uma aberração, foi isso que aconteceu – o prisioneiro fala com nojo e, como resposta, Juan lhe dá outro tapa na cara. Me encolho, sem saber se pela violência das palavras ou do golpe.
– A dela é a mais branda entre as nossas aberrações, então cuidado com a língua – o homem fala, empurrando-o para caminhar. – Vá na frente.

Hassam verifica se o corredor está vazio para podermos seguir com segurança. É o meio da manhã, então a maior parte dos funcionários está ocupado supervisionando os refugiados em seus trabalhos. O centro administrativo parece um prédio abandonado, com corredores desocupados e um silêncio sepulcral. É exatamente como na fortaleza dos dissidentes que invadimos: todos estão tão seguros de que não haverá nenhum imprevisto, de que ninguém é louco o suficiente para invadir e tomar seus segredos, que mal há vigilância.

Penso nisso um pouco cedo demais, porque quando nos aproximamos da sala de comando, ouvimos passos vindos em nossa direção. Hassam puxa o prisioneiro e o coloca entre ele e Hannah, obrigando-o a abaixar a cabeça. Juan faz com que nós caminhemos na frente, eu e Nara, escondendo melhor o antigo capitão. Viramos no corredor e vemos uma mulher e um homem conversando descontraídos, como se fosse um domingo no parque. Fico tensa e desvio o olhar, torcendo para não repararem em nada diferente.

– Para onde você está os levando? – a mulher pergunta, mas continuamos andando.
– Para o capitão. Pediu que eu lhe mostrasse os melhores dos que eu trouxe, então aqui estamos.
– O novo capitão? – o outro soldado diz, trocando olhares com a mulher. – Eu achei que ele não gostasse desse tipo de comportamento.

– Provavelmente ele viu algo que o atraiu – é a resposta que Juan dá, fazendo um gesto para continuarmos.

– Vocês não vão parar? Estão achando que são donos do lugar para ficar andando assim? – a mulher diz para nós, com um tom de desdém.

Nós paramos mais à frente e nos juntamos num grupinho, o nervosismo óbvio. Nosso prisioneiro começa a se mexer entre Hannah e Hassam e, quando olho para trás, vejo que está prestes a abrir a boca. Os dois irmãos o seguram com tanta força que é possível ver as marcas vermelhas em seus braços e no exato momento em que Hannah começa a usar seu poder de aquecimento, o prisioneiro olha para ela, o ódio em seus olhos quase palpável.

– Você abre a boca e fica pior. – Escuto ela rosnar baixinho para ele, que parece se resignar com o fato de ser um prisioneiro.

– Bem curioso – o soldado continua a conversa, alheio ao nosso drama. – Mas, ah, se o capitão quer ter seu prazer agora, não somos nós que vamos incomodar.

Juan se despede com um gesto de cabeça, fazendo um sinal para caminharmos mais rápido. Chegamos ao fim do corredor e ele abre a porta, surpreendendo o capitão, que está em sua sala. O entendimento da situação vem rápido, fazendo-o trancar a porta atrás de nós.

– Façam o que tem que fazer – fala, com um tom amargo.

Hannah empurra o prisioneiro para frente e faz com que ele aponte os lugares onde estão escondidos o que precisamos. Na mesa, a última gaveta só pode ser aberta com uma combinação de abertura das outras gavetas, em distâncias milimetricamente calculadas para dar a impressão de que a sala está bagunçada. Hassam segue as orientações e encontra um caderno grosso.

Depois, atrás de uma das estantes que preenchem uma parede, há um livro grosso, oco, preenchido com tiras finas de papel, com vários tipos de furos, em frequências diferentes. Com certeza são mensagens codificadas, ordens de superiores ou registros da comunicação entre os campos. Depois, há um cofre escondido no chão, embaixo de um tapete, e Hannah derrete aos poucos sua tampa, até conseguir abri-la sem precisar do código. Existem inúmeros papéis, alguns documentos com a foto do velho capitão sob diferentes nomes, e alguns rolos de dinheiro. Tenho a impressão de que descobrimos algo além do que estávamos esperando quando colocamos tudo em cima da mesa, encarando aquilo com descrença.

– O que significa isso, Capitão Oswald!? – o atual capitão exclama, olhando para nosso prisioneiro. – Eu sabia que você estava fazendo algo errado, mas isso...

– Eu achei que vocês soubessem – Oswald desdenha, fazendo gozação com o que Hassam lhe disse antes.

– Não isso – Juan fala, passando pelas diversas identidades falsas em cima da mesa, em choque.

Abro o livro preto, passando os olhos por listas e listas de nomes e datas, acompanhadas de valores. Algumas páginas têm lugares e datas, relatando claramente viagens que Oswald fez. Da metade em diante, é um compilado de correspondências e memorandos que o homem enviou para o general Rhys, seja quem for, em Prometeu, relatando a superpopulação do campo. Elas datam de mais ou menos dez anos atrás, e junto a elas está um balanço de quantas pessoas fazem o quê em qual lugar. Isso pode nos ajudar, mas estou confusa quanto a todo o resto.

– Isso é um registro contábil – Juan diz, vendo o livro preto por cima do meu ombro. Depois, fulmina Oswald com os olhos.

– Não acredito.

– O quê? – pergunto, confusa, olhando para cima.

– Você vendia pessoas – ele continua, sem olhar para mim. – Você *vendia pessoas.*

Oswald olha para baixo parecendo nada culpado, apesar de toda a raiva direcionada a ele. Em um minuto estamos estupefatos, sem saber como agir e, no outro, Juan está em cima do prisioneiro, pressionando-o contra a parede até que sua respiração fique curta e ofegante. Ele o bate contra a parede uma vez, a cabeça de Oswald quica como uma bola de basquete. Um fio de sangue escorre da boca do ex-capitão e ele solta uma risada fria, como se toda aquela situação fosse engraçada. Leva um soco no rosto, que é acompanhado de um som alto de osso quebrando, e tenho certeza de que seu nariz já era. Os golpes seguintes são acompanhados do barulho oco da cabeça batendo contra a parede e só depois do quinto soco alguém consegue se mover para impedi-lo. Hannah dá um grito e Hassam segura Juan pela gola da camisa, separando-o do prisioneiro, que cai sentado no chão como um boneco de pano.

— Hassam, me solte — ele vocifera, empurrando o garoto. — Eu vou matá-lo.

— Não. — Apesar de todo o esforço do líder, Hassam é mais alto e mais forte que ele e o empurra contra a parede, um braço contra seu peito. — Acalme-se, Juan. Respire fundo, conte até dez, controle sua raiva.

Juan está escarlate, e tem uma veia saltada em sua testa, pequenos indícios da fúria que deve estar sentindo. Eu não sei como ele consegue processar a informação tão rápido, porque ainda estou anestesiada. Como assim vendia pessoas? Para onde? Para o quê? Para mim parece mais plausível os navios servirem de isca para os dissidentes exterminarem os refugiados do que isso. Eu entendo a dinâmica de matar e morrer muito melhor do que a de exercer controle e poder.

— Obrigado por salvar a minha vida — Oswald agradece com uma voz anasalada, cuspindo uma grande quantidade de sangue no chão.

— Não foi por você, foi por ele — Nara, a outra garota, explica, se aproximando. — Você merece mil vezes mais do que isso.

— Você... — O prisioneiro levanta o rosto, com uma expressão de surpresa apesar de todo o estrago em seu rosto.

— Ah, você se lembra. — Ela se agacha à frente dele e o homem estica a mão para tocá-la, o que ela desvia com um tapa. — Não ouse encostar um dedo em mim.

— Eu achei que você estava morta.

— Eu também — diz, com um sorriso assustador. — Aparentemente *o senhor* não consegue fazer nenhum trabalho direito.

Hannah se aproxima de mim, fazendo um gesto para que eu a ajude a guardar as evidências em uma caixa. Apesar de estarmos concentrados, e de Hassam ainda segurar um Juan irado contra a parede, a conversa entre Nara e o outro homem domina o cômodo.

— Isso é vingança? Por isso você os trouxe até mim? — O tom

injustiçado que usa me embrulha o estômago, e Nara se levanta, cruzando os braços. – Eu fui tão bom para você...
– Bom? – Ela ri, de forma quase maníaca. – Não quero nem imaginar o que teria feito se tivesse sido mal.
– Eu só estava seguindo ordens.
– Suas ordens envolviam nos estragar até o ponto de não haver reparo e depois nos jogar no meio do mato para os corvos nos devorarem? – pergunta, com ódio na voz e sinto que ela está se controlando para não machucá-lo fisicamente.
– Elas não eram tão específicas assim. – Oswald pressiona o nariz com a palma das mãos, que ainda estão amarradas. – Mas nós fomos bons para vocês. Os outros faziam pior.
– Pior? – digo, sem me conter levantando a cabeça, encarando-o com raiva.
Quando o homem abre a boca para me responder, a porta da sala se abre e uma garota não muito mais velha do que eu, vestida com o uniforme dos soldados, entra esbaforida na sala, com as bochechas vermelhas e um papel na mão. Ela começa a falar e para de uma vez ao ver a cena, extremamente confusa. Sua reação é sair correndo, mas eu e Hannah somos mais rápidas, segurando-a e fechando a porta. Ela se debate e o capitão se aproxima, mandando que a soltemos.
– O que foi, Júlia? – ele pergunta e ela olha para nós, desconfiada. – Pode falar, eles estão do nosso lado.
– O general Rhys, senhor! – ela exclama, entregando o papel para ele. – Ele veio inspecionar a estrutura e quer se encontrar com o senhor, está vindo para cá exatamente nesse momento. Pedi para a tenente Kira acompanhá-lo e ela o está enchendo com dados e informações sobre nossa produtividade, mas não temos muito tempo.
– Como!? – O capitão parece confuso e olha para nós. Hassam solta Juan da parede, tomando o controle da situação quase imediatamente.
– Essa é uma ótima oportunidade para pegá-lo também e usá-lo como testemunha. Traga-o para cá, nós vamos prendê-lo junto com o esse nojento do Oswald. Mas precisamos que a rebelião comece antes do combinado.

— Nós precisamos fazer tudo sincronizado, Hassam — Juan fala, com certo esforço para sua voz não sair num rosnado. — Não podemos atacar antes.

— Podemos sim, se garantirmos que ninguém vai acionar as outras fazendas — Hassam explica e me pego concordando. — Sybil, você vai com essa garota até a plantação para dar o sinal. Enquanto isso, nós ficamos de tocaia e aprisionamos o general aqui. Quando tudo estiver bem, venha nos buscar para prosseguirmos com a missão.

Fico tensa com a súbita responsabilidade, mas aceito a tarefa. Júlia olha para mim, apreensiva, e faz um sinal para que eu saia da sala. Caminhamos com passos largos e ninguém questiona nossa presença. Quando saímos do centro administrativo, as silhuetas de um casal fardado estão se aproximando pelo mesmo caminho que pegamos. A mulher é a tenente que fez a triagem assim que chegamos e caminha com uma postura de deferência em relação ao outro homem. Eu o reconheço quase imediatamente: é o mesmo que recebeu os arquivos solicitados na missão na ilha dos dissidentes, quando Fenrir nos libertou do Centro de Apoio. O mesmo que tinha nos libertado em troca de um favor de Fenrir. Sinto seu olhar sobre mim enquanto nos aproximamos, minha mão suando com a possibilidade dele me reconhecer. Quando passamos por eles, ele para, seu olhar ainda me seguindo.

— É a segunda que vejo suja — reprova, e eu suspiro, em alívio.

— Ela está indo para o banho depois de um dia de trabalho pesado — minha acompanhante justifica, mas o general Rhys não parece comprar a ideia.

— Vocês já a enviaram para mim? — questiona. — O rosto dela me parece conhecido.

Meu passo fica mais lento e a garota me segura pelo braço, me forçando a continuar caminhando. Como é que Hassam não pensou nisso? Com certeza ele sabia quem era o tal general Rhys, que ele estava presente durante as complicações após minha missão e deveria ter considerado isso ao me escolher para dar o sinal. Hannah era uma candidata melhor para esse papel. Minha ansiedade fica cada vez maior e quando ele manda que eu pare e espere, tenho certeza de que é agora que tudo está perdido. Imagino Andrei recebendo a

notícia de que morri, ficando devastado, e fecho a boca, travando a mandíbula em frustração.
– Eu te conheço. – Ele invade meu espaço pessoal e encosta em meu rosto, levantando-o para vê-lo melhor. Seu olhar é distante, tentando recuperar a memória. – Você é uma das meninas...? A pergunta fica no ar e vejo as duas outras mulheres se empertigarem, nervosas. A tenente com certeza também está no nosso esquema, pelos olhares que troca com a menina mais jovem, e procuro uma justificativa que ele possa considerar plausível.
– Não, senhor – falo com meu tom mais humilde, olhando para os botões de sua camisa e me controlando para não cuspir em sua cara. – Eu não o conheço, senhor. Talvez tenha sido minha irmã...? Nós éramos muito parecidas.
Ele considera minhas palavras, me forçando a encará-lo. É esse o momento, se ele não acreditar... não sei o que fazer. Ele tem tamanho e força o suficiente para me quebrar em duas, se for necessário, e se as duas mulheres o atacarem, com certeza outros guardas se aproximarão e seremos descobertas. Mas estamos com sorte: depois de alguns segundos de inspeção, ele me larga, satisfeito com minha explicação.
Assim que retoma seu caminho, esfrego minha bochecha onde ele tocou, tentando me livrar da sensação. A forma como me olhou, com uma mistura de nojo e desejo, e o seu toque, tão possessivo, como se eu fosse mais um objeto para ser utilizado a seu bel-prazer fazem com que me sinta suja, errada. Quanto mais cedo libertarmos todos, melhor.
O caminho se abre depois de alguns metros, ficando cada vez mais largo até se bifurcar. Passamos pelo pátio onde aconteceu a triagem e continuamos andando. À esquerda há um imenso campo de trigo, e enormes colheitadeiras silenciosas trabalham com diligência. À direita, ficam campos verdes que, a essa hora do dia, estão cheios de ovelhas se alimentando, alheias ao que está prestes a acontecer. Seguimos para a direita, na direção de um estábulo, e um cheiro ruim preenche o ar.
– Esterco, dos animais. A gente usa como adubo – a garota explica ao ver minha careta e, logo depois, passamos por um galpão

onde o cheiro é quase insuportável. Dez ou mais pessoas trabalham, acumulando mais camadas de fezes à pilha.

É ali que ela me deixa, apontando na direção dos silos que ficam mais à frente, onde os grãos colhidos ficam armazenados à espera dos caminhões que os levam embora. São estruturas redondas enormes, iluminadas durante a noite por holofotes que as fazem parecer gigantes guardando as fronteiras da fazenda. A ideia é usá-los para dar o sinal às pessoas já cientes do levante, que estão no campo e que darão o sinal para quem está nos outros lugares, até todos se unirem e imobilizarem os soldados.

Capítulo 18

Respiro fundo e começo a caminhada em direção aos prédios, que estão mais distantes do que aparentam. Quanto mais ando, mais parecem se afastar, e é quando percebo que estão em uma colina, alguns quilômetros à frente. Minha adrenalina está a mil e olho para trás várias vezes, para ver se não estou sendo seguida. Alguns soldados supervisionam o trabalho, mas como o sol está bem perto do seu ápice, devem deduzir que estou tirando uma folga e nem sequer prestam atenção em mim.

Quando começo a subir a encosta íngreme para chegar aos silos, um garoto se junta a mim e observo, surpresa, que é Gunnar, com suas roupas de guarda. O suor em suas têmporas e a respiração acelerada indicam que ele veio correndo até aqui, e quando apoia a mão nas minhas costas, fico tensa. Olho para trás, mas ninguém parece estar nos observando enquanto ele me guia pela colina, caminhando pela sombra que os silos fazem na grama.

– O que você está fazendo aqui? – ele pergunta, falando baixo apesar de estarmos sozinhos.

– Tivemos um imprevisto, precisamos dar o sinal – explico.

– Que tipo de imprevisto? – pergunta, franzindo a testa.

– Do tipo que não espera você terminar seu interrogatório para dar errado – respondo, exasperada.

– Hannah está bem?

– Sim.

Ele leva a mão ao peito sem perceber e respira fundo, aliviado. Sua tensão é palpável enquanto caminhamos até o terceiro silo, e ele faz um sinal para que eu espere abaixada na parte de trás enquanto verifica se está tudo bem. Enquanto espero, entendo que Hassam tinha certeza de que Gunnar me encontraria e me ajudaria, porque quanto mais penso, mais percebo que não conseguiria fazer isso sozinha. Primeiro, eu não sabia exatamente onde estava cada um dos nossos agentes infiltrados, depois, com a mão enfaixada, seria muito complicado acionar e direcionar os holofotes sem atrair atenção.

Gunnar volta para meu campo de visão e caminho até ele, nós dois nos movendo furtivamente até o lugar onde os holofotes estão. São três, um maior do que os outros, e percebo que não podem ser movidos. Paro com a mão na cintura, considerando o que fazer.

– E agora? – Gunnar pergunta com urgência. – Nós tínhamos de usar a luz para iluminar um dos tratores, que iriam usar os espelhos para propagar o sinal.

– Você acha que conseguimos fazer sombras nos silos? Não é possível que não vejam – comento e ele para um pouco, pensativo.

– Talvez. Nós podemos tentar. O problema é o horário...

– Nós podemos explodir tudo também – sugiro, olhando para o tamanho dos silos. Provavelmente necessitamos de explosivos muito fortes se quisermos destruí-los, mas precisamos só fazer barulho. E, provavelmente, os guardas vão sair de seus postos e vir até aqui verificar o que aconteceu, tornando mais fácil encurralá-los.

– Explodir? Você está louca? Não podemos destruir a comida, Idris deu as ordens expressas contra isso.

– Nós não vamos destruir nada, só fazer barulho. O que você tem que pode nos ajudar?

– Uma pistola e uma faca, só isso. É o equipamento básico de quem faz patrulha aqui.

– Hum – murmuro, pensativa. Não precisaríamos desviar muito do plano inicial, porque poderíamos usar os holofotes para fazer barulho, se causarmos um curto-circuito.

– Você está me assustando com essa cara...

– Procure onde ligar os holofotes e me dê a faca. Em alguns minutos vai estar resolvido.

O garoto parece relutante enquanto me passa a ferramenta, e começa a dar voltas nos silos, atrás de um interruptor ou alguma chave para controlar a energia. Eu espero que haja alguma forma de acioná-los manualmente, ou vamos perder ainda mais tempo. Enquanto isso, me abaixo perto de um dos holofotes e começo a puxar a fiação, desenterrando-a com um pouco de dificuldade por só ter uma das mãos disponível. Faço isso nos três e corto, com dificuldade, os fios que os ligam. Gunnar retorna quando termino de cortar o último, com a expressão um pouco sombria.

– Eu encontrei, fica no silo mais à esquerda.
– Então agora você vai lá e liga.
– Você está louca se vou deixar você fazer isso sem nenhuma proteção! Você pode morrer.
– É só juntar os fios, são dois segundos.
– Não – ele insiste determinado. – Eu faço isso, você vai ligar. Se sair do controle, desligue a chave imediatamente.
– Gunnar, não tem problema algum, a potência aqui é baixa e não é letal – tento convencê-lo, mas ele cruza os braços.
– Se é assim, então não tem problema eu fazer. Me explique como funciona.

Ficar discutindo não vai nos levar a nada, então explico, rapidamente, como fazer. Provavelmente só um deles será o suficiente para causar curto no sistema, e oriento que faça com o do meio, que consome mais energia. Ele escuta atentamente e o deixo, um pouco apreensiva, com medo de que não funcione e em vez de dar um sinal, eu faça fritado de Gunnar.

A chave está escondida em uma escotilha no chão, próxima ao silo. Gunnar deixou a portinhola aberta para que eu a encontrasse com facilidade e, lá dentro, nenhum dos disjuntores tem nome. Eu os viro devagar, aguardando por algum grito ou sinal de Gunnar. O primeiro acende os holofotes do silo mais distante, sua luz mal passando de um reflexo na superfície metálica da estrutura. O segundo acende o mais próximo de mim, o zumbido da lâmpada preenchendo o silêncio da colina. O terceiro não parece surtir nenhum efeito e acho que Gunnar não juntou os fios até que aciono o quarto e me abaixo quando escuto os barulhos de tiros seguidos.

Demoro preciosos segundos para entender que não, eles não nos descobriram, e que os barulhos foram os holofotes explodindo. Meu coração se acelera e eu desligo as chaves antes de correr para onde Gunnar estava. Eu esperava barulho, mas não tão forte. Se o garoto foi pego no meio dessa descarga elétrica, com certeza...

– Gunnar!? – eu grito, meus pés batendo contra a grama da colina. – Gunnar? Mas conforme me aproximo, não consigo ver sua figura alta contra o azul do céu e fico mais nervosa ainda. Será que meu plano maluco e impulsivo o tinha matado? Se fosse o caso, seria a morte em missão mais estúpida de todas, e inteiramente minha culpa. Eu deveria estar lá, correndo o risco, e não ele. Eu havia tido a ideia.

Finalmente o vejo, jogado na grama a alguns metros de distância de onde os fios desmanchados se encontram e acelero, me jogando ao seu lado e levando a mão diretamente ao seu pescoço, tentando achar alguma pulsação. Minha mão treme e fico frustrada de não poder usar a que está enfaixada.

– Gunnar? – pergunto com a voz firme, sacudindo-o, mas não obtenho resposta. – Gunnar!

Deito a cabeça em seu peito e não consigo ouvir seu coração. Meu rosto se torna uma careta de horror. Me lembro das aulas de primeiros socorros e levanto um pouco a cabeça do garoto, garantindo que não há nada impedindo-o de voltar a respirar, sopro um pouco do meu ar em sua boca e começo as massagens em seu peito, mesmo com uma só mão, murmurando baixinho para que dê certo.

– Vamos, Gunnar, vamos! Você é forte, volte a funcionar direito! – eu murmuro, contando até dez antes de repetir tudo novamente.

– Acorda, Gunnar! Vamos, acorda!

Fico mais nervosa ainda quando percebo que o plano deu certo: os soldados começam a caminhar na direção dos silos, e os tratores a se reunir, devagar. Vejo, ao longe, uma fila de refugiados com as ferramentas de fazenda, arrastando três soldados para a nossa direção e eu fecho os olhos, colocando toda a força que consigo na minha massagem.

– Deu certo, Gunnar, acorde para ver o que fizemos – continuo, tentando manter o mesmo vigor, mas meu braço começa a cansar. Nem sei se estou conseguindo abaixar seu peito o suficiente para atingir seu coração com a massagem, e quanto mais penso em como esse é um esforço em vão, mais meus olhos ficam marejados.

– Droga, garoto, a última coisa que preciso é de alguém morrendo no meu lugar.

Vejo que os soldados estão subindo a colina e bato a cabeça contra o peito de Gunnar, frustrada. Como as pessoas são frágeis e a vida é estúpida! Basta um segundo, um momento de idiotice para deixar de estar vivo. Eu tento mais uma vez, agora com o punho fechado, dando murros descompassados com as lágrimas que insistem em cair dos meus olhos. Idiota, idiota. Nós poderíamos ter feito de outra forma e ninguém precisaria voltar para o castelo num caixão.

Me assusto quando sinto alguém segurar meu pulso, me impedindo de continuar, e pisco os olhos algumas vezes para ver se não estou ficando louca. A respiração de Gunnar está arfante, mas ele tem os olhos abertos e seu coração voltou a bater, e eu me abaixo, encostando a testa em seu peito e respirando fundo para controlar meus sentimentos.

– Você está vivo – murmuro fracamente, aliviada.

– Por sua culpa. Obrigado por me salvar – ele diz, sua voz entrecortada.

Eu não respondo e sinto a mão do garoto no meu cabelo, em um gesto que é mais para o meu conforto do que uma ação natural. Os passos dos soldados se aproximam e eu levanto a cabeça, assustada. Gunnar tenta se levantar, mas não consegue, praticamente desabando em cima de mim com um pedido de desculpas. Ele é grande demais para que eu consiga arrastá-lo para nos escondermos.

– Ei, vocês! Parados aí! – um dos soldados grita, ao nos avistar, e sinto um calafrio.

Gunnar me entrega sua pistola com pressa e eu me preparo para utilizá-la se precisar, tirando o bloqueio do gatilho e colocando o dedo nele. Fecho os olhos, tomando coragem, me convencendo de que não preciso atirar para matar, só para impedir que cheguem até nós.

Mas antes que possam nos alcançar, ouço gritos vindos do outro lado da colina e arregalo os olhos, vendo a multidão de refugiados subindo por elas na direção dos soldados.

A rebelião começou.

Capítulo 19

Espalhar nosso plano de revolta para os refugiados parece ter dado certo até demais: o número de pessoas que se reuniu ao sinal que demos é muito maior do que eu esperava, e eles invadem a colina como uma onda, arrastando o que aparece pela frente. Ajudo Gunnar a engatinhar até a lateral de um dos silos com medo de que sejamos pisoteados, porque há uma sede de sangue muito grande em todos eles. A maior parte não tem nada além dos ancinhos, das pás e dos facões usados no trabalho diário, mas a determinação compensa a falta de armamentos. São uma multidão assustadora, gritando de forma desconjuntada enquanto vão de encontro aos seus cárceres.

O medo fica estampado nos rostos dos soldados, e em qualquer outro momento eu sentiria pena e tentaria impedir, mas não agora. Eles atiram cegamente, o que não impede a fúria dos refugiados, e eles são obrigados a bater em retirada. Mesmo que não sejam todos culpados pelo o que acontece aqui, eles ficaram calados e não fizeram nada para impedir os maus tratos. Com certeza acham que somos inferiores e que não há problema sermos vendidos ou tratados como animais. Acho que vovó Clarisse não concordaria comigo, mas não importa. Nunca me senti tão humilhada em toda minha vida como nas últimas horas, nem quando estava em Pandora durante o bloqueio. Nem quando fui atacada pelo policial na rua sem motivo algum.

O que fazem é encurralar os guardas e pastoreá-los até os estábulos, depois de tomarem suas armas. Vejo que estão reunindo todos lá, vindos de diferentes lugares da fazenda. O bom de estar em cima da colina é ter uma visão privilegiada dos grupos se juntando, adicionando mais e mais números aos soldados presos. Um grupo de garotas começa a amarrá-los uns aos outros, abaixados e com as mãos cruzadas entre as pernas, da forma como fazem com prisioneiros do Império que são capturados. Tenho certeza de que vão receber orientações sobre como proceder depois, mas por enquanto acho que todos nós queremos sentir um gostinho de vingança, fazê-los sentir pelo menos um terço da humilhação que nós vivenciamos. A raiva nos transforma em pessoas terríveis.

– Você consegue se levantar? – pergunto para Gunnar depois de alguns minutos, ciente de que tenho que voltar para onde os outros estão para prosseguirmos com o plano.

– Talvez – ele responde, e usa a parede da estrutura de um silo como apoio. Fico apreensiva quando percebo como está pálido e tento ajudá-lo, mas ele levanta a mão para me impedir. – Não, fique aí. Você vai acabar se machucando novamente.

– Mas você não parece bem.

– Eu consigo caminhar com você, se formos devagar.

Concordo e devolvo a pistola para ele, sabendo que, se precisarmos usá-la, não serei de muita ajuda.

Vejo que pelo menos um a cada cinco guardas está ajudando os refugiados a prenderem os outros, e a facilidade com a qual os soldados foram presos agora faz mais sentido para mim. Precisamos parar no meio do caminho para que Gunnar recupere o fôlego, e uma garota passa por mim, dando um sorriso enorme quando nos vê. Eu retribuo o sorriso por reflexo, porque ainda estou preocupada. As coisas estão sendo fáceis demais para o meu gosto.

Estamos quase no centro quando ouço a primeira explosão, seguida de mais duas. Me encolho e Gunnar se vira na direção do som, que é seguido por uma saraivada de tiros de verdade. Fumaça sobe de um dos prédios de habitação e nos apressamos para ir até lá. Gunnar tem sua pistola entre os dedos, pronto para atacar se necessário. Estar fraco não parece ser um empecilho para ele.

Entendo a situação assim que o pátio entra no nosso campo de visão: um grupo de soldados fez uma trincheira no galpão, mas não sem antes jogar granadas em cada um dos prédios. Eu e Gunnar nos escondemos na parede de uma das edificações para não sermos alvo das balas errantes que eles trocam com refugiados que conseguiram armas de fogo. Se fossem pessoas de qualquer outro lugar, diria que o que fazem é loucura, mas sendo de Kali com certeza sabem o básico sobre atirar, se proteger e atingir alvos.

– Nós deveríamos ajudar – Gunnar sussurra para mim, sua arma em punho.

– Não, eles conseguem se virar. Em breve alguém vai aparecer por aqui – sussurro de volta e, quando estico o pescoço para ver direito, uma bala zune bem próxima a nós. Levo um susto e me encosto contra a parede, levando a mão ao peito. – Minha nossa!

– Se você quer chegar ao centro administrativo, precisamos passar por aqui. E para passar por aqui, temos que desviar das balas – insiste. – O que é impossível, então é melhor ajudar.

Estico um pouco mais a cabeça para enxergar, vendo que algumas das colheitadeiras e tratores estão do lado de fora, num ziguezague que forma uma boa proteção. Os refugiados estão escondidos atrás de um trator e, se formos com atenção e abaixados, tenho certeza de que conseguiremos atravessar.

– Você está com aquela cara. – Gunnar parece contrariado.

– Que cara? – Volto a me encostar na parede.

– A de que está planejando algo que vai me matar de novo.

Eu olho para baixo, culpada. O garoto estica o pescoço e parece calcular a distância que temos de percorrer para cruzar a área crítica, antes de assentir.

– Posso criar uma ilusão para não nos verem enquanto caminhamos, mas teremos que tomar cuidado com as balas.

Ele insiste em ir na frente e quase falo que ele se esforça para se colocar em perigo, mas fico quieta porque ainda me sinto culpada por quase matá-lo. Nós vamos abaixados, correndo entre um obstáculo e outro. Quando estamos no meio do caminho, Gunnar se levanta e se abaixa quase imediatamente, e meu reflexo é imitá-lo, usando minha mão boa para proteger a cabeça do estrondo subsequente. Sinto o chão e o carrinho de mão virado em que estamos escondidos tremerem, o cheiro de pólvora e o calor da explosão nos envolvem, e antes que possa entender o que está acontecendo, Gunnar me puxa para atravessarmos o pátio no meio da fumaça. Contenho a vontade de olhar para trás e continuo caminhando, segurando o pulso do garoto com força para que ele não perca o pique.

Começamos a ouvir o barulho insistente do alarme do centro administrativo quando estamos a alguns metros de distância e nos apressamos. A porta principal está fechada e, quando tentamos abrir, parece emperrada. Tenho um mau pressentimento e minha boca fica seca. Me afasto para que Gunnar chute a porta. Não percebo nenhuma movimentação, nem de refugiados, nem de soldados.

Por maior e mais forte que Gunnar seja, ele não consegue mover a porta nem um centímetro, e olha para mim, como quem espera que eu tenha mais uma ideia mirabolante e potencialmente perigosa para nos colocar lá dentro. Olho ao redor, nervosa, e percebo, pelo canto do olho, que um dos tratores das fazendas está estacionado a alguns metros de distância. Gunnar segue meu olhar e suspira, resignado.

– Você espera ali enquanto abro a porta – ele aponta para um canto, caminhando na direção do trator.

– Se você acha que vou ficar esperando, está enganado – digo, acompanhando-o.

Ele dá de ombros e penso que, se fosse Andrei, nem teria cogitado a possibilidade de me deixar de fora. Chego primeiro no trator, porque Gunnar ainda não está completamente bem, e ajudo-o a subir, apesar de ter apenas uma mão disponível. O trator é todo aberto, com uma cobertura em cima para evitar o sol e um milhão de botões, manivelas e coisas estranhas. Gunnar olha para a cabine aberta, um pouco apreensivo, e se senta na cadeira, tão confuso quanto eu. A sorte de ser pequena é que me encaixo perfeitamente no vão de trás, entre a cadeira e a lataria, agachada com os pés firmes na parte de baixo do banco e me segurando com força contra a cadeira.

– Você sabe ligar isso? – ele pergunta, confuso.

– Deve ser como qualquer outro veículo, não? – Acho que sei menos do que ele sobre dirigir.

– Isso parece mais um avião de guerra, sei lá. – Franze a testa e começa a apertar botões, que não surtem efeito algum.

– Não tem alguma coisa embaixo do console? Uma alavanca ou algo assim?

Gunnar passa a mão por onde falei, levantando as duas sobrancelhas quando encontra algo. Ele puxa uma pequena alavanca duas vezes e o veículo abaixo de nós começa a tremer, seu motor fazendo um ruído constante. Depois, o garoto aperta delicadamente um dos pedais e o trator dá um salto, me fazendo dar um grito e me agarrar ao encosto da cadeira.

– Se segura! – diz, empolgado, antes de afundar o pé no acelerador.

Nós vamos ganhando velocidade enquanto percorremos o caminho, e quando estamos chegando bem perto do centro, ouço Gunnar gritar:

– Você tem certeza disso?
– Tenho!
– Ainda dá para parar!
– Pisa mais fundo no acelerador, que está devagar! – grito de volta e ele obedece, com um sorriso enigmático no rosto.

Me escondo atrás da cadeira, segurando com força para não ser jogada longe com o impacto. O vento bate no meu rosto e escuto Gunnar gritar um palavrão antes de sentir a pressão do trator contra a parede, de ouvir o barulho do metal se contorcendo. O encosto da cadeira se curva para a frente com meu peso e machuco meu pé tentando me firmar para não esmagar Gunnar. O prédio inteiro treme, e se não fosse pelo cinto de segurança, tenho certeza de que o garoto estaria desacordado com a porrada que levou. Só o escuto xingar mais ainda, ir para frente outra vez, dessa vez uma carícia comparada ao impacto anterior, antes de dar ré. Não só a porta caiu: pelo menos metade da parede externa desabou e demoro para entender que a fumaça que sai de lá não é do motor do trator e sim de dentro do prédio.

– Me ajude a sair daqui – Gunnar pede, com urgência, suas mãos tentando se livrar do cinto de segurança. – Sybil!

Me levanto, passando de forma esquisita por cima dele e parando no espaço pequeno entre a cadeira e o console, ajudando-o a puxar a fita do cinto do lugar onde ela está presa. Com a parede desabada, começo a ouvir os pedidos de socorro de dentro do centro e fico mais nervosa ainda. Nossos puxões ficam mais desesperados e Gunnar tira as mãos rapidamente quando começo a usar o pé para destruir a fivela do cinto de segurança, amassando a estrutura de plástico que a prende o suficiente para que liberte o garoto. Ele puxa as faixas do cinto com um pouco mais de força e elas se soltam. Ele não perde tempo e salta do trator, me levando junto enquanto pulamos pelos destroços, o meu pé machucado esquecido com a adrenalina do momento.

    O calor denuncia que as chamas estão à direita, na direção de onde fica o arquivo e a escada que leva para o subsolo onde os outros refugiados estão presos. Também é de onde vem a maior parte dos gritos de socorro. Para a esquerda, fica a sala de comando, onde Hassam e os outros estavam.

    – Gunnar, vá atrás de Hassam e os outros por ali. Vou ver se os refugiados estão bem – digo, olhando para a direita, determinada.

    – Ah, de novo não – ele murmura. – Sybil, eu não vou deixar você ir para o lado das chamas sozinha. Hassam e os outros podem se virar para encontrar a saída, acho que ficou bem óbvio que nós a liberamos.

    – Se nos dividirmos as coisas vão mais rápido – persisto, frustrada. – Você fica insistindo em me acompanhar como se eu fosse uma inútil que não sabe fazer nada, mas eu sou completamente capaz.

    – Eu não duvido da sua capacidade, mas você só tem uma só mão e um décimo do treinamento necessário. Seria irresponsável deixá-la sozinha – explica. – E quanto mais você discutir comigo, mais tempo demoramos.

    Ajo contrariada, seguindo o mapa mental que fiz do lugar quando nos trouxeram. Gunnar segue ao meu lado, a mão na lateral de seu tórax o tempo todo, como se estivesse sentindo dor. O calor fica cada vez mais intenso e mal processo o que isso significa quando viramos no corredor que leva às portas e somos recebidos por uma parede de chamas. Elas sobem quase até o teto, seu crepitar abafando os gritos desesperados que saem da porta que bloqueiam. É impossível abri-la sem passar pelas chamas e me encolho, cobrindo os olhos e dando alguns passos para trás. O fogo avança, obrigando-nos a recuar.

    – Merda, merda, merda – eu repito e Gunnar olha ao redor, eficiente, procurando uma outra saída, alguma forma de tirar os refugiados dali.

– Você pode explodir os canos – ele sugere. Mais uma ideia extravagante que tem tudo para dar errado.
– Como eu faria isso? Não temos tempo para procurar o registro de água ou para tentar aumentar a pressão.

Ele olha para mim como se eu estivesse louca e encosta a mão em uma das paredes, mas recua rapidamente com uma careta de dor.

– Você é sobrinha de Cléo, não é? Eu já a vi explodir caixas de água e outros recipientes que contém água várias vezes, se ela consegue, você consegue – diz como se fosse óbvio, e eu olho para o fogo e para ele, abrindo e fechando a boca algumas vezes. Como assim, *explodir* caixas de água? Ela consegue explodir tubulações de água?

– Eu mal consigo secar uma fruta sem que ela reclame que está errado, nunca vou conseguir fazer isso – digo, olhando para o corredor. – Deve ter um extintor de incêndio em algum lugar por aqui e...

– Não temos tempo. Ou você faz isso ou as pessoas lá dentro vão morrer queimadas.

Sinto meu coração disparado e olho para minhas próprias mãos, assustada. Cléo nem sequer havia mencionado que isso era possível, e eu podia não conseguir. Mas o que custa tentar?

– Vá procurar alguma forma alternativa de apagar esse fogo – peço, determinada. – Pode não dar certo.

Gunnar assente, correndo na direção oposta à do fogo enquanto me abaixo, encostando a mão no chão apesar do calor que emana dele. Fecho os olhos, imaginando como devem ser as tubulações que passam aqui, mentalizando a água dentro delas, da forma como aprendi a fazer. Apesar do nervosismo, minha respiração vai se acalmando e sinto o movimento da água sob minhas mãos, fluindo como um rio, e penso em como ela deveria estar fora dos canos, rompendo as paredes com toda a força, se libertando da prisão. Minha mente vaga para as pessoas presas na sala abaixo e o pânico que devem estar sentindo, o desespero de pensar que vão morrer de uma das piores formas possíveis. Eu já vi pessoas demais morrendo para deixar que isso aconteça de novo, e quando imagino que a única explicação para esse incêndio é ele ser proposital, para que os refugiados não se libertem, sinto a raiva subir do estômago para o meu pescoço, borbulhando, queimando por dentro.

Duas coisas acontecem de uma vez: um grito, quase um rugido, escapa dos meus lábios e o chão à minha frente racha ao meio, com jatos de água se misturando a pedaços de argamassa e tinta, domando o fogo com uma força extraordinária. Me levanto, sem me preocupar em estar molhada ou em me machucar com a força da água, e caminho na direção da porta, ao longo da parede de água que se forma. Meu cabelo gruda no rosto e empurro a porta, sem sucesso. Alguém, do outro lado, grita algo e eu mando que se afastem, enfiando minha mão nos jatos de água e direcionando-os para a porta até que ela se abra.

Sinto como se estivesse observando tudo de cima, como se a pessoa que direciona os refugiados pelo corredor cada vez mais alagado seja outra, alguém em um sonho. Ela age com tanta precisão, como se soubesse o que está fazendo, que não me reconheço. E não sinto nada além de propósito: preciso tirar todos daqui o mais rápido possível e impedir que o fogo nos alcance.

Gunnar volta, boquiaberto, e se aproxima com cuidado, como se eu fosse um animal selvagem. Faço um sinal de que vou entrar no cômodo, e a água me segue, descendo pelas escadas em uma pequena torrente e se aglomerando no chão. Não há mais ninguém aqui embaixo, ainda bem. O garoto me acompanha espantado, e minha vista fica cheia de pontos escuros quando vejo que Hannah está com ele.

– Oh, vocês estão bem.

É a última coisa que falo antes de desmaiar.

Capítulo 20

Hannah está ao meu lado quando acordo, dormindo curvada sobre a minha cama, apoiando-se em uma parte do colchão. A claridade do quarto me faz fechar os olhos novamente e sinto cada músculo do meu corpo dolorido, como se tivesse sido atropelada por um dos tratores da fazenda. Minha boca está amarga e, quando tento me sentar, percebo que minha pele está ressecada, acinzentada. Hannah se movimenta, virando a cabeça, e tento me lembrar de como vim parar aqui e onde estamos.

O quarto é largo e tem várias camas como a que estou, todas vazias a essa hora do dia. As paredes cinza e o burburinho de conversa do lado de fora me situam na fazenda. Sinto minha cabeça pesada e examino a mão enfaixada, percebendo que as bandagens estão com um cheiro horrível. Meu cabelo também está seco, então pelo menos algumas horas devem ter se passado desde que apaguei o incêndio.

O que foi aquilo?

Olho para minha própria mão, assustada, tentando retraçar o que fiz para conseguir aquela explosão, para controlar a água daquela forma. Tive uma dose grande de sorte, porque se não fosse por aquilo, provavelmente estaria carbonizada a essa hora. Sinto um calafrio, pensando nas implicações de tudo isso. Será que o Almirante também conseguia manipular a água dessa forma? Gunnar disse que Cléo conseguia. Eu precisaria conversar com ela quando voltássemos, para tentar entender, para aprender a controlar, mesmo com toda a antipatia que sinto. Não alimento ilusões de que conseguiria algo como aquilo sem a ajuda da raiva que estava sentindo, e explodir canos não é algo que quero fazer acidentalmente na minha vida.

— Sybil? — Hannah me tira dos devaneios, levantando-se e coçando um olho, sonolenta. — Como você está? Acordou faz tempo? Você quer água?

– Sim, por favor. – Fico surpresa ao perceber que estou rouca. Observo enquanto a garota pega uma moringa embaixo da cama e enche um copo para mim. Bebo devagar, sentindo a umidade preencher minha boca a cada gole, o frescor da água é um alívio para meus lábios rachados. Bebo a garrafa quase toda desse jeito, mas quanto mais bebo, mais sede tenho.
– Como está se sentindo? – Hannah pergunta novamente, enquanto vai até uma das paredes do cômodo encher a garrafa.
– Dolorida. Minha cabeça está pesada e acho que vou morrer de sede se você demorar mais um minuto – respondo, sentando na cama com as pernas para fora. Encosto no chão, analisando se consigo me levantar, mas decido que vou cair se tentar. – Como estão os outros? O que aconteceu? Tomamos tudo com sucesso? Todos se salvaram do incêndio?
– Beba devagar. – Ela me entrega logo a moringa inteira e bebo aos poucos direto do gargalo. Hannah se acomoda na cadeira onde estava e me observa. – Você é maluca, sabia?
– O quê? – Enxugo um fio de água que escorre da minha boca com as costas da mão e olho para ela, confusa.
– Você mal teve treinamento para controlar o básico da sua mutação, aí seguindo uma ideia de Gunnar, que é outro louco, diga-se de passagem, decide que "Oh, vou tentar fazer esse negócio superespecífico que quase mata minha tia toda vez que ela faz para salvar essas pessoas em vez de procurar uma forma prática de tirá-los de lá, como uma outra porta onde não tenha fogo" – ela dispara, imitando minha voz de forma quase perfeita na última parte. Eu abaixo os olhos, constrangida. – Não, é sério! Porque existia outra porta. Existia outra forma que não fosse se matar para salvar os outros.
– Desculpa – eu murmuro antes de beber outro gole de água.
– Você não tem que se desculpar, só precisa ser mais responsável com sua própria vida! – ela exclama, cruzando os braços. – Você apagou como uma chama, assim, do nada, e achei que tinha morrido. Estava tão pálida! E a gente não achava sua pulsação! Eu tive que te afundar na água até você voltar a respirar. Foi assim, ó, por pouco. Se não tivesse tanta água no corredor, você estaria morta agora.
Olho para a pele ressecada da minha mão, considerando o

que ela disse. Eu estou péssima, é claro, porém não como se eu tivesse quase morrido. Mas a expressão de dor em seu rosto parece ser verdadeira.

— Não faça mais isso — ela ordena, segurando meu braço. — Por favor.

Concordo, fechando os olhos e me sentindo burra. Penso imediatamente em Dimitri, Rubi e Tomás. Como eles saberiam da notícia, depois que tudo acabasse? Como Andrei ou Leon iriam dizer para eles que eu estava viva até ser imprudente e morrer por exaustão? E Andrei.... Meu peito aperta pensando em como ele se sentiria, perdendo a mãe e a namorada em tão pouco tempo. O toque de Hannah fica mais gentil. E ela tira a moringa da minha mão e me abraça. Encosto a cabeça em seu ombro e ela passa a mão no meu cabelo, gentilmente.

— Mas estamos bem — me consola. — Isso que importa, não é? E você acordou, então podemos voltar logo. Aquele fogo destruiu o arquivo, mas nós temos o general Rhys, o sargento Oswald e os papéis da sala de comando. No final, tudo deu certo.

— É — concordo, sem muita confiança. — Quanto tempo fiquei desacordada?

— Só três dias — ela responde casualmente e me afasto, espantada. — O que foi? Cléo falou que poderia demorar mais, até dez. Ela também orientou que eu passasse um pano molhado na sua pele quatro vezes ao dia.

— Ela está aqui?

— Não, mandamos mensagens para ela no centro de pesquisas. A missão dela também foi bem-sucedida.

— Isso é bom de ouvir. Tudo está caminhando conforme o planejado.

— Sim — Hannah diz, mas desvia os olhos de mim e sei que há algo de errado. — Vou buscar mais água para você e depois te ajudo a tomar banho, você precisa se manter hidratada. Não saia daqui.

Eu a observo, curiosa, tentando descobrir o que está escondendo. Ela se inclina na torneira e enche a garrafa, levantando a cabeça quando vê que a observo.

– Sybil? – ela me chama como se fosse uma pergunta.
– Sim?
– Gunnar me disse como você o trouxe de volta à vida – diz com um sorriso suave. – Muito obrigada.
Ela parece tão grata que sorrio de volta, deixando minhas perguntas para depois.

***

Alguns litros de água e um banho frio bem demorado depois, melhoro. Meus músculos ainda doem, mas minha pele parece mais saudável, e em vez da sede descontrolada, sinto fome. Hannah mostra onde estamos, em um dos dormitórios, e explica a nova dinâmica na fazenda. A maior parte das pessoas que vieram conosco vão ficar aqui para coordenar e defender o lugar, impedindo o abastecimento de Prometeu e as possíveis tentativas de recuperar o controle da fazenda. Aos refugiados, foi dada a escolha de nos acompanhar ou continuar aqui, mas com suas próprias regras e organização. A maior parte decidiu ficar, e no tempo em que fiquei desacordada, várias mudanças visíveis já ocorreram. Um dos três prédios de alojamento foi pintado de azul vibrante, e o outro está a meio caminho de ser um vermelho extravagante, numa das primeiras iniciativas para tornar o lugar mais dos refugiados e menos do governo.

– O que acontece agora? – pergunto para ela, observando um grupo de pessoas reforçar as cercas altas da fazenda.

– Nós levamos as provas para Prometeu e as apresentamos no Senado. O depoimento do general deve ser o suficiente para derrubar o cônsul legalmente – diz, pensativa. – Junto com a pressão social, as coisas devem se resolver com menos sangue do que eu previ.

– Mas ainda há Fenrir – lembro e ela concorda. – E a cura. Como vamos garantir que o próximo cônsul não use isso contra nós?

– Idris está puxando suas cordas para garantir que o novo cônsul seja como nós queremos. – Hannah fala sem muita convicção.

– E o cônsul atual, o que acontece com ele?

– Eu não sei, Sybil – ela responde, exasperada, enquanto abre uma porta para eu passar. – Eu realmente não sei nada além do que eu te disse.

Nós encontramos Hassam e Gunnar discutindo com uma mulher um pouco mais velha, vestida com uma mistura dos uniformes dos soldados e as roupas cinzas dos refugiados. Não vejo Juan ou Nara em parte alguma, mas suponho que estejam ocupados em outro lugar da fazenda. Nossos prisioneiros estão amarrados em um canto, sentados, e o capitão atual apenas observa a conversa com curiosidade. A mulher olha para nós quando nos aproximamos, e então volta a falar com os garotos.

– Olha, eu não estou pedindo nada de mais: vocês já têm o general, não precisam de Oswald também – a mulher diz, e Hassam balança a cabeça.

– Não vou deixá-lo com vocês, não importa o argumento.

– Você não entende! – Ela praticamente cospe as palavras nele, arrumando o cabelo liso e escuro atrás da orelha. Oswald, em seu canto, se encolhe, como se estivesse assustado. – Você não sabe o inferno que era estar aqui enquanto ele estava no comando.

– Eu imagino como foi, Saira – Hassam apazigua. – Mas não é esse o tipo de vingança que vocês querem.

– Como pode ter tanta certeza? – ela o desafia. – Imagine que eu sou sua irmã, Hassam. Imagine todas as coisas que ele fez conosco como se fossem com ela. Você não recusaria um pedido desses nessas condições.

– É exatamente por pensar assim que eu não autorizo seu pedido – ele responde, apoiando as mãos nas têmporas. – Eu não gostaria que minha irmã virasse uma assassina como ele.

Saira tem uma expressão de que não se importa com os grandes conceitos morais de Hassam, mas parece saber que não vai ganhar a discussão. Ela xinga e passa a mão pelo cabelo, bagunçando-o, frustrada.

– Sabe o que mais me irrita? – ela pergunta para o vento, movimentando as mãos de forma expressiva. – O fato de que eu *sei* que ele vai contar tudo o que fez, colocar a culpa nas ordens que recebeu, e sair ileso, para viver a vida dele normalmente. É uma chance que nenhum de nós teve quando ele estava no comando.

Ele pode fingir o quanto quiser, mas gostava do que fazia. E não vejo como é justo que ele não seja punido.
— Ele será punido — Gunnar dá um passo à frente, num tom incisivo. — Não tenha dúvidas.
— Vai? — Saira ri. — Por favor, me mandem um convite para a primeira fila se isso realmente acontecer.

A mulher sai com passos pesados e Hassam senta em um dos containers do galpão, enfiando a cabeça nas mãos, parecendo cansado. Gunnar é o primeiro a nos notar e se aproxima empolgado, parecendo feliz em me ver em pé.
— Você está bem? — pergunta, colocando a mão na minha testa para ver minha temperatura. Olho para Hannah com o canto dos olhos e ela parece se divertir. — Me desculpe por sugerir que você fizesse aquilo, eu não sabia...
— Hannah também te deu o sermão? — Não consigo conter um sorriso. — Eu acho que estamos quites, já que quase te matei com os holofotes.
— Sim, eu dei o sermão para ele — Hannah responde, revirando os olhos.
— Por três dias seguidos. — Ele tira a mão da minha testa. — Eu já estava me preparando para o quarto.
— Agora que Sybil está bem, nós podemos ir. — Hannah ignora o tom de Gunnar e fala para Hassam, que balança a cabeça.
— Não posso deixar esse lugar desse jeito, nessa bagunça. Vocês podem ir na frente e levar os prisioneiros, eu vou depois que organizar tudo.
— Hassam, você nunca vai organizar tudo aqui. Deixe que eles se organizem — Hannah insiste. — Você será mais útil conosco do que aqui.
— A menina tem razão — o capitão finalmente se pronuncia. — Vou deixar minha unidade aqui para ajudá-los com qualquer problema que tiverem, mas Saira foi eleita como líder e parece ser capaz de cuidar bem das coisas. Não subestime a capacidade que seus conterrâneos têm para a eficiência, Hassam.
— Mas e os soldados que foram presos? Sei que eles fizeram coisas horríveis, mas merecem uma punição dentro da lei.

– É por isso que vou levá-los comigo para Prometeu. As investigações devem demorar um pouco, mas assim que o cônsul sair do poder, todos terão a punição que merecem. – O homem se levanta e caminha até os prisioneiros enquanto fala. – Esses dois deveriam vir comigo também, se não fosse o acordo com Idris.

Eu franzo a testa, confusa. Achei que esse homem era um dos nossos, um dos membros do Sindicato, mas parece que não é o caso. Ele percebe minha confusão e oferece uma explicação:

– Eu sou o Agente Dalibor Zupan, do Serviço de Segurança e Inteligência da União, também conhecido como Polícia Nacional. Nós estamos investigando as fazendas de refugiados há algum tempo, mas sem nenhuma prova concreta até vocês nos ajudarem.

– Você é do governo? – pergunto, cética. – Como o cônsul autorizou isso?

– O cônsul não é o rei da União, existem outros poderes além dele – Dalibor explica, abaixando-se ao lado do general. – Mesmo que ele se esqueça disso constantemente.

O general tenta falar algo, mas está amordaçado, e Dalibor apenas sorri com a tentativa dele.

– Claro que o cônsul não sabe o que estamos fazendo para impedir que seus malfeitos continuem. Minha chefe tem conduzido investigações secretas há anos debaixo do nariz do cônsul e ele nem sequer percebe. – Ele parece satisfeito.

A conversa muda de foco rapidamente para o que precisamos fazer antes de partir, e Hannah pede a Gunnar que me leve para comer algo. Sigo o garoto com a impressão de que tem algo que não estou entendendo, algo que não percebo. Vamos para um refeitório e, enquanto como, a sensação não me abandona. Existem tantas forças em ação aqui, nessa movimentação para retirar o cônsul do poder, que todas as informações, por mais irrelevantes que sejam, importam. O que não faz sentido para mim é que um homem tão poderoso como ele não esteja ciente de que cada passo que dá é incerto, que cada deslize é um motivo para os interessados no poder tirarem-no dele. Ele tem que estar muito cego de vaidade para não ver que o passo que deu ao reduzir a liberdade dos anômalos foi destruir a base do castelo de cartas em que seu poder está construído.

Gunnar se acomoda ao meu lado com o olhar perdido e percebo que há alguma coisa errada, algo que não envolve o cônsul. Repouso a colher ao lado da tigela de sopa que estou tomando e o cutuco com o cotovelo gentilmente. Ele parece sair do seu devaneio e olha para mim.

— Tudo bem aí em cima?

— Só estava pensando... — Ele balança a cabeça, passando a mão no rosto. — Nem todo mundo tem a sorte que tivemos.

Suponho que fala das nossas experiências de quase morte e olho para a sopa à minha frente, sem saber o que dizer. O garoto suspira, como se estivesse em negação.

— Hannah te contou? De Nara? De Juan? — ele pergunta casualmente, mas consigo ouvir o peso em sua voz e antes que ele continue, já sei o que vai dizer. Toda minha fome vai embora e sinto um aperto no peito, principalmente quanto penso em Nara. No meu silêncio, Gunnar continua: — Eles... eles foram pegos no incêndio.

— Sabemos quem iniciou o incêndio? — pergunto, espantada com a raiva que sai na minha voz.

— Não, mas achamos que foi um dos soldados, um dos corpos que encontramos... Capitão Oswald explicou que o protocolo é destruir todas as informações e... — Gunnar esconde o rosto nas mãos. — Me desculpe, eu não deveria estar falando sobre isso com você depois do que aconteceu.

— Alguém tinha que me contar em algum momento — respondo, me levantando. — Vou lá para fora observar a nova organização da fazenda, me chamem quando precisarem de mim.

Isso, obviamente, é uma desculpa. Preciso de tempo para pensar. Por que as mortes aqui têm um impacto tão maior em mim do que as que vi em Kali? Por que me sinto responsável por não ter impedido o incêndio antes, mesmo que soubesse, agora, do preço que preciso pagar por usar minha anomalia daquela forma? Por que sinto vontade de gritar enquanto caminho, frustrada com o fato de que sempre parece haver a necessidade de um sacrifício para que as pessoas possam ser livres?

No campo, não encontro nenhuma das respostas de que preciso, observando o trabalho de formiguinha das pessoas na grande fazenda. Suspiro, fechando os olhos. Eu só quero que tudo isso acabe logo e que eu possa voltar para casa em paz, para Rubi, Dimitri e Tomás.

Capítulo 21

Saímos de madrugada e chegamos à fortaleza bem cedo. Nós a encontramos, para nossa surpresa, exatamente como a deixamos: em polvorosa. Somos recebidos por um grupo agitado de adolescentes mais jovens que eu, que observam com olhos arregalados enquanto Hassam e Gunnar tiram nossos prisioneiros da parte de trás do caminhão. E parecem três vezes mais ansiosos quando percebem que Cléo não está conosco. Hassam manda que eu vá primeiro, enquanto eles escoltam os prisioneiros, e obedeço sem reclamar.

O corredor principal está um caos, o dobro de pessoas penduradas nos rádios ouvindo e anotando as informações. Parece que eles ficaram ali a noite toda, pelas manchas de café seco espalhadas pelas mesas. Alguém sai correndo na direção da sala de Idris e esbarra em mim, quase me derrubando e não se importando em pedir desculpas. Parece que nos seis dias que passamos fora algo terrível aconteceu, e fico ansiosa. De uma das mesas, uma menina se levanta e percebo que é Sofia, com os olhos arregalados, surpresa por me ver aqui. Ela larga o fone de ouvido que está usando e acotovela as pessoas até chegar em mim e me abraçar com uma força que eu não sabia que ela tinha.

– Você está bem! – ela grita de um jeito quase histérico. – Não acredito que você voltou sã e salva.

– Estou bem sim. – Tento consolá-la, mas me lembro da expressão de Hannah e de como disse que quase morri, e engulo em seco. – O que está acontecendo? Por que estão acordados a essa hora?

– Um monte de coisas. – Ela me aperta mais contra si. – Algumas cidades especiais começaram a se declarar independentes e aliadas de Fenrir, e ele começou a ficar maluco! Parece que nos últimos dois dias ele prendeu umas duzentas pessoas que eram contra ele em Pandora.

— O quê?
— E a paciente da ala médica piorou, a que chegou antes de você ir. Tem quase três dias que não vejo Andrei nem as meninas. Nem Clarisse, porque eles mal saem de lá. — Ela afunda o rosto em meu ombro, nervosa. — E você não voltava nunca e não tínhamos nenhuma notícia, e foi horrível, ainda bem que você está aqui agora.

Passo a mão pela cabeça da garota, atordoada com a quantidade de informações em tão pouco tempo. Vejo Hassam, Hannah e Gunnar tentando entender o caos que está o corredor, e eles logo nos alcançam. Sofia me solta com uma expressão séria.

— Preciso voltar para minha posição, mas vocês devem ir encontrar Idris imediatamente — ela diz de forma tão adulta que tenho vontade de apertá-la novamente. — Procuro você daqui a pouco, quando meu turno acabar.

Ela volta ao seu posto, colocando os fones nos ouvidos e arrumando o cabelo cacheado com uma das mãos. Gunnar a observa com a expressão triste, e suspira pesadamente enquanto caminhamos na direção da sala de Idris.

— O que foi? — Hannah pergunta, encostando a mão em seu braço.

— É só que... ela é tão novinha. Não deveria estar preocupada em monitorar as frequências de rádio em busca de informações, ela devia estar, sei lá, se divertindo em algum lugar seguro. — Ele balança a cabeça. — Eu odeio o que somos forçados a fazer.

Nenhum de nós responde e Hassam se adianta, batendo na porta da sala de Idris. Nós entramos ao seu comando, e ela parece surpresa em nos ver. Ela e Maritza estão sentadas de frente para o grande mapa na parede e percebo que pinos em várias cidades foram trocados do azul para o vermelho. As duas parecem exaustas, como se não dormissem há alguns dias.

— Vocês não sabem como estou feliz por terem voltado — Idris fala, se levantando e fazendo um gesto para sentarmos. — Como foi a missão? O que aconteceu? Onde está Juan?

— Cléo... ela não te informou? — Hassam parece confuso e olha para as próprias mãos. — Juan... nós o perdemos. Estávamos em contato com Cléo desde que tomamos o campo, e ela disse que iria reportar tudo a você, além de ter nos orientado a deixá-los... Acho que houve algum problema no caminho.

– Espero que tenha sido isso – Idris fala, com um suspiro pesado. – Como foi tudo? Quem ficou lá para ajudar os refugiados? Gunnar e Hassam fazem um relatório dolorosamente minucioso, me deixando mais inquieta a cada minuto. Quero sair e ver como Leon está, quero invadir a ala médica e me certificar de que Andrei e vovó Clarisse estão bem. Preciso arrumar uma forma de entrar em contato com Pandora, para ter certeza de que Dimitri, Rubi e Tomás estão a salvo. Se Fenrir começou a prender pessoas que são contra ele, com certeza eles estariam entre os primeiros. Ao mesmo tempo, estou exausta e quero dormir por dois dias seguidos, ainda não recuperada da extravagância que fiz na fazenda.

– Vocês conseguiram o general Rhys? – O tom espantado de Maritza me tira de meus devaneios e, quando levanto o rosto, vejo um misto de admiração e confusão. – Como ele estava lá exatamente no dia em que decidimos invadir? Que coincidência conveniente.

– Duas hipóteses: ou o general não confiou em quem está vazando as informações do nosso plano, ou é do interesse de quem o informou que ele fosse pego. – Idris junta as duas mãos, numa postura reflexiva.

– Nós vamos ter que adiantar nosso plano, Mari. Chame o responsável da sua equipe de pesquisa, precisamos decidir em quem vamos apostar para ser o novo cônsul e levar as informações até a pessoa.

Espero que Idris nos dispense, mas ela apenas se volta para o mapa e franze a testa, extremamente preocupada. A situação parece estar fugindo do controle rápido demais.

– Todos os pinos vermelhos são as cidades especiais que se declararam independentes. Algumas se submeteram à Fenrir, outras estão por conta própria. Em todas elas há algum tipo de liderança, alguém que tomou a dianteira e tenta organizar as coisas – explica. Os pinos vermelhos são mais ou menos um terço das cidades, espalhadas por todo o mapa. Sinto um frio na barriga. – Estou conversando com alguns deles, mas o que mais nos espanta é o fato do cônsul não ter feito nada quanto a isso ainda. O exército não foi mobilizado, não houve mais nenhuma sanção. Em Pandora, eles invadiram uma parte de Prometeu e expulsaram os humanos, e não houve nenhuma reação.

— Você acha... que ele está escondido? — pergunto, curiosa. — Que está com medo e não sabe o que fazer?
— Eu não acho nada — Idris responde de forma enigmática, ao se virar para nós. — Nosso plano atualmente é esse: Maritza irá convencer alguém a se candidatar ao cargo de cônsul assim que Fornace for deposto. Não vai demorar muito para isso acontecer, do jeito que está. Quando assumir, essa pessoa declara o estado de Fenrir inconstitucional e negocia a paz com ele.
— Você acha que Fenrir vai *negociar?* — Hassam pergunta, insolente.
Idris não tem a oportunidade de responder porque Maritza volta, trazendo Leon à tiracolo. O garoto parece tão acordado quanto Sofia, e deduzo que ninguém na fortaleza deve estar dormindo. Quando percebe que estou na sala, caminha até mim e segura no meu ombro com firmeza, como se eu fosse fugir, e seguro sua mão.
— Sei que disse que tinham até o fim da semana, mas preciso de um nome hoje. — Idris se vira para Leon. — Precisamos adiantar o plano.
Leon engole em seco e Maritza sussurra um encorajamento para que ele se pronuncie.
— Conversei com Maritza sobre isso ontem... Acho que temos a candidata ideal: Petra Amani — explica, e Idris pede que continue. — Ela tem uma boa articulação política, principalmente com os senadores do sul, e é líder da pouca oposição que o cônsul encontra no que aprova. Não parece ter medo de peitá-lo, e é uma das maiores vozes de Bantu, sua província natal. Além disso, é amigável com Fenrir e tem todas as ferramentas para conseguir negociar com o homem.
— Petra Amani — Idris repete, pensativa. — Petra Amani. Hnmm, Sybil, por favor, traga aquele livro para nós.
Faço como pede, caminhando até sua mesa e levando para ela com dificuldade o livro que apontou. Idris pega o tomo das minhas mãos sem nenhum esforço e o abre no final. Consigo ver que é uma imagem parecida com a que Fenrir me mostrou quando o encontrei em sua casa, o mapa da União com as fotos de todos os senadores em cima. Me inclino e vejo que o livro é um daqueles de aros grossos, em que você pode incluir capítulos extras, e fala sobre a história do Senado. Provavelmente contém todas as composições do nosso corpo diretivo desde o início da União.

– Hum, sim. Ela parece boa. Segunda candidatura, não é ingênua, mas ainda não está cética. Vocês acham que ela irá colaborar?
– Eu não sei... acho que deveríamos perguntar para Victor – Leon sugere, inquieto.
– Podemos fazer isso, mas ainda não sabemos até que ponto a influência de Felícia o atinge – Maritza explica. – E o garoto clama que Petra não se lembra dele. Precisamos descobrir o que aconteceu se quisermos ter algum avanço nesse sentido.
– Ele melhorou? – pergunto, curiosa.
– "Melhorou" é um exagero, mas sim, ele consegue ficar em pé e a febre cedeu. – Maritza parece pensativa.
– Eu tenho uma pergunta... – Hassam fala, olhando para Gunnar, que faz um sinal de encorajamento para que continue. Por algum motivo, tenho certeza de que os dois já discutiram sobre isso antes. – Não é perigoso ter uma consulesa que é suscetível... a seja lá o que Felícia fizer? É uma abertura inadmissível.
– Nós vamos descobrir e reverter, não importa o que seja – Idris afirma, categórica. – Assim que Lisandra ficar boa, poderemos voltar nossa atenção para investigar o que Victor tem.
– Como ela está? – interrompo, ansiosa por qualquer notícia que seja. Meus motivos para perguntar são egoístas, porque estou mais preocupada com vovó Clarisse e com Andrei, e fito Leon com o canto do olho.
Idris afunda na cadeira, em uma postura de derrota, e Maritza desvia do meu olhar, como se estivesse envergonhada. Leon aperta meu ombro, para me confortar, e vejo que meus companheiros de missão estão tão confusos quanto eu. Por um momento, minha imaginação corre louca, criando cenários em que Andrei pegou a doença ou aconteceu algo com vovó Clarisse e ninguém quer me contar, e mordo meu lábio inferior com força para conter a ansiedade.
– Estamos esperando Cléo para tentar fazer algum avanço – Idris responde com uma voz pesada. – Lisandra está piorando a cada dia. Ela pediu para Clarisse tentar salvar o bebê, mas sua avó está esperando Cléo chegar nas próximas 24 horas.
Fico em silêncio, encarando intensamente o tecido da calça nos meus joelhos. Meu coração dói e me pergunto onde está Cléo

que não chegou ainda. Vejo a mesma pergunta estampada no rosto dos meus companheiros, e Hannah cruza os braços, séria.

— Você acha que aconteceu algo com Cléo? Será que ela foi pega? — A ansiedade em sua voz é evidente.

— Espero que não. — Idris passa a mão pelo rosto, num gesto de preocupação, e suspira pesadamente. — Tudo bem, você tem razão, Leon.

— Eu tenho razão? — Leon parece surpreso e aponta para si mesmo. — O que eu disse?

— Não teremos tempo para investigar Victor. E ainda precisamos descobrir mais sobre o que afeta Lisandra e como tratá-la. Podemos extrair o máximo de informação do garoto enquanto ele se recupera — Idris fala. — Sim, é a melhor coisa a se fazer. Vão descansar, vocês quatro. Leon, avise Victor que ele deve estar aqui logo depois do almoço.

Quando saímos da sala, a primeira coisa que Leon faz é me dar um abraço apertado. Sinto que está tremendo e o aperto contra mim, tentando acalmá-lo.

— Eu não disse aquilo — sussurra, defensivo. — Você ouviu, não ouviu?

— Sim, Leon. — Eu o acalmo, achando graça na sua ansiedade. — Você só a levou a pensar naquilo. A gente sabe que não foi você que sugeriu.

— Ficou parecendo que eu não me importo com Victor — fala, ansioso. — Mas eu me importo. Por isso acho que devemos perguntar a ele.

— Shh, não precisa ficar agitado — respondo falando baixo, de um jeito calmo.

— Eu... — ele começa e ouço-o soltar um suspiro pesado, como quem desiste. — E você? Como está? Como foi na missão?

— Foi... — eu começo, mas de repente sinto muita, muita, muita vergonha por ter me arriscado da forma que fiz. Ao mesmo tempo, sinto uma pontada de orgulho por não ter deixado que todas aquelas pessoas morressem. Mas não acho que Leon vá entender. — Bom. Eu não sei, foi estranho. Não tive tempo para pensar sobre isso ainda.

— Eu posso contar tudo para você se quiser, Leon — Hassam fala e me assusto, porque achei que ele havia ido embora com

Hannah e Gunnar. – Sybil precisa trocar a bandagem do braço dela e descansar um pouco, ela se desgastou muito.

Consigo ver o dilema no rosto de Leon: ele quer ficar comigo e me convencer a falar, mas sabe que é mais provável que Hassam lhe conte tudo. Consigo ver o raciocínio e a espiral de esperança e medo que passa pelo meu amigo em poucos segundos. Hassam está olhando tão intensamente para Leon que parece estar tentando convencê-lo mentalmente de que ir com ele é a melhor opção. Eu fico na ponta dos pés e sussurro:
– Vai. A gente se encontra mais tarde.
– Tem certeza? Eu posso ir com você e...
– Leon, só vai. Depois me conta o que aconteceu. – Eu o empurro gentilmente. Ele parece hesitante, mas faz um sinal com a cabeça para que Hassam o siga, e vejo o outro rapaz esconder um sorriso enquanto eles descem o corredor na direção dos dormitórios.

Me encosto na parede, exausta. Mas a umidade das minhas bandagens volta a incomodar e, quando levanto uma parte delas, o fedor é quase insuportável. Ao mesmo tempo em que estou morrendo de vontade de ir até a ala médica, não para trocar minha bandagem, mas para ver vovó e Andrei, tenho medo do que vou encontrar quando chegar lá. Inevitavelmente, me lembro de Ava, de como a garota pode estar em algum lugar do Império sofrendo os mesmos efeitos colaterais, morrendo aos poucos, rodeada por pessoas que não a conhecem e que não a veem como nada além de uma cobaia.

Penso na reação de Andrei quando soube que Ava havia sido curada com sucesso – a vontade de ir salvá-la, de fazer algo. Talvez ele esteja certo. Talvez evitar que o Império continue com os testes é o que devemos fazer, depois de impedi-los aqui.

Mas quando lembro como sou tão pequena, tão insignificante neste cenário enorme de guerra, me sinto impotente, confusa, frustrada. Eu queria tanto que as coisas pudessem se resolver do dia para a noite, como num passe de mágica. Será que existe alguém com uma anomalia como essa, em algum lugar? Alguém que possa mudar a realidade com um estalar de dedos? Isso me faz agir. Se eu tenho tempo para ficar sonhando acordada, ainda tenho disposição para ir até a ala médica e enfrentar seja lá o que estiver acontecendo.

Capítulo 22

Algumas macas voltaram para a ala médica, e Lisandra e a equipe de vovó Clarisse estão em uma enfermaria no fundo, em uma área isolada do resto. Procuro Ziba entre os médicos e pela primeira vez desde que cheguei aqui, começo a prestar atenção nos pacientes. Idris havia dito que a ala médica estava cheia de pessoas que salvaram dos Centros de Apoio em que faziam os testes aqui na União, e percebo que a maior parte delas são adolescentes, entre a minha idade e a de Sofia. O padrão é o mesmo em todos: pálidos, os lábios secos e uma tosse carregada, em acessos que os deixam trêmulos e fracos.

Ziba me encontra parada no meio da enfermaria principal, parecendo perdida, e faz um sinal para que eu a siga até um consultório como aquele em que me atendeu quando cheguei ali pela primeira vez. Quando a médica se acomoda ao meu lado e começa a desfazer as bandagens, aproveito para tentar entender melhor o que está acontecendo.

– Vocês voltaram para cá – digo, fazendo uma careta enquanto ela começa a tirar as faixas, e o fedor do algodão úmido e abafado sobe.

– Nossa, o que você fez com esse braço? – ela pergunta, surpresa, e seus dedos trabalham rapidamente. – E, sim, voltamos. Clarisse percebeu que o que Lisandra tem não é tão contagioso quanto a Morte Vermelha, então não tem problema. E estava muito difícil cuidar de todo mundo no refeitório.

– O que eles têm não é igual ao que Lisandra tem? – pergunto, observando os últimos pedaços de algodão sendo retirados da minha mão. Depois de tanto tempo enfaixada, está pálida e esverdeada, quase como se não pertencesse ao resto do meu corpo.

– Eles estão tentando descobrir, mas por enquanto achamos que não – Ziba responde, enquanto examina minha mão. – Hum, parece

que você está quase boa. Não esperava que depois desta semana sem que eu usasse meu poder tivéssemos um avanço tão grande.
— Então vou poder desenfaixar logo? — Meu tom é esperançoso e ela ri, colocando minha mão entre as suas.
— Provavelmente. Mas venha para eu te curar mais alguns dias, e veremos como agir, tudo bem?

Eu concordo e observo enquanto ela faz o ritual que já conheço tão bem: seu poder esquenta minha mão e, depois de um tempo, ela para e a enfaixa novamente. O fato de eu não sentir mais dor é um bom indício da minha melhora, ela me explica, e dessa vez marca um horário para que eu apareça no dia seguinte.

Só quando me levanto para ir embora, seguindo-a, é que percebo o garoto parado na soleira da porta, com os braços cruzados, nos observando. Por um instante, espero que seja Andrei, e tento esconder minha decepção quando percebo que é Victor. Ele parece bem melhor que antes, mas ainda tem bolsas escuras sob os olhos, e está visivelmente mais magro.

— Está melhor? — pergunto, parando ao seu lado na porta e encostando a mão em seu braço.

— A febre parou — ele responde, e dá de ombros, como se não tivesse passado os últimos dias à beira da morte. — E você? Como está sua mão?

— Melhorando. — Minha resposta sai desajeitada, e coloco a cabeça no corredor, olhando na direção onde vovó Clarisse e Andrei estão, mas não há nenhuma movimentação, nada. Me volto para Victor novamente. — Você finalmente aceitou vir para cá e sair da sua cela?

— Estou num dormitório com outras pessoas — ele fala, e faz um sinal para que eu avance pelo corredor. — Achei que você estaria com fome, então vim te chamar para tomar café da manhã.

Hesito por um minuto, mas minha curiosidade sobre Victor vence a vontade de caminhar até onde Lisandra está. Com certeza só vou atrapalhar, e é melhor esperar que Andrei e vovó Clarisse estejam livres e venham me procurar, então faço um sinal com a cabeça, concordando. Não consigo evitar lançar olhares furtivos para Victor enquanto caminhamos para o refeitório, considerando o quanto minhas dúvidas são apropriadas.

– Eu não esperava que fosse ficar tão mal – ele quebra o silêncio depois de um tempo, sem olhar para mim enquanto fala. – Sabe? Quando decidi seguir vocês, achei que iria ficar mal um dia ou dois, no máximo. E aí poderia ajudar vocês... mas... não.
– O que aconteceu? – pergunto enquanto ele abre a porta do refeitório para entrarmos.
– Eu não consigo falar sobre isso. – Ele passa a mão pelo rosto, frustrado. – Existem algumas perguntas que consigo responder diretamente, mas outras que me deixam... alterado.
– Como daquela vez em que você tentou me avisar que Felícia era filha do cônsul?
– Sim. – Ele se senta à minha frente em uma das mesas, olhando para um dos arcos do teto, pensativo. – Eu achei que poderia ajudá-los, mas não sou tão útil quanto esperava. Se não consigo falar, estar aqui não vale de nada.

Ele parece tão decepcionado, como se aquilo fosse sua culpa, e eu paro, sem saber exatamente o que fazer. O que Felícia fez para ele ficar tão mal todas as vezes em que tenta revelar algo importante? Provavelmente tem a ver com sua anomalia, mas que tipo de poder é tão forte assim, para controlar alguém de forma tão brutal? Quanto deve ser difícil para Victor carregar tudo o que sabe e que pode ser útil para nós sem conseguir compartilhar? Se eu estivesse em seu lugar, estaria enlouquecendo.

– Não é sua culpa – digo, por fim, apoiando a mão gentilmente em seu braço. – Pelo menos está tentando.
– Pelo menos estou longe dela – ele fala com determinação, mas logo uma expressão de dor aparece em seu rosto. – O que você quer comer? Eu trago pra você.
– Não precisa, eu posso pegar sozinha...
– Não se preocupe, você está cansada e com a mão assim. Eu não estou fazendo nada, me deixe fazer uma gentileza por você.

Fico irritada, mas deixo que faça o que quer, sentindo uma pontada de compaixão por ele. Deve estar se sentindo péssimo, pensando em como seus planos foram frustrados e em como Felícia conseguiu prendê-lo a ponto impedir sua vontade. Eu não sei o que faria se isso acontecesse comigo. O garoto volta com uma bandeja com pão, queijo e suco e a coloca na minha frente antes de começar a comer devagar seu mingau.

– A propósito, obrigada pelo dia do comício. Se você não tivesse me encontrado, provavelmente teria me perdido de Hassam na multidão – digo, arrancando um pedaço de pão para comer.

– Não foi nada. – Victor levanta os olhos verdes para mim, com um sorriso satisfeito e orgulhoso. Mesmo cansado e abatido como está, os ângulos da sua bochecha e o desenho do seu queixo me fazem entender porque Felícia parecia gostar tanto de tê-lo por perto. – Eu sabia... vi você e ele saindo do palanque e decidi segui-los.

Eu paro um segundo, observando-o com atenção. Ele sabia... o quê? O que iria acontecer? Que o palanque iria explodir e matar todos que estavam ali? Fenrir e Felícia se safaram, então ele também deveria estar com eles. Será que Felícia não percebeu que ele não estava por perto quando fugiu? Será que não é a raiva dela de ter sido abandonada que está fazendo com que Victor fique tão mal?

– Felícia... como vocês se conheceram? – pergunto, e ele suspira pesadamente, largando a colher. Fico ansiosa porque acho que irá passar mal a qualquer momento, mas Victor parece bem enquanto massageia as têmporas.

– Mais ou menos três anos atrás, minha mãe, Petra, finalmente foi convidada pelo cônsul para um dos eventos dele. Ela e Fornace não se dão nada bem, e, nos primeiros anos, ela chegava em casa todos os dias irritada e frustrada porque, por mais que tentasse, não conseguia vencer o cônsul nas votações – explica, com um tom cansado. – E ela me levou, porque Dulce nunca gostou desses eventos. Até hoje ela não gosta e prefere ficar em casa com Ida... Eu estou fugindo do assunto, não estou?

– Continue. – Eu apoio um cotovelo na mesa, curiosa. – Você foi com ela e aí conheceu Felícia?

– Eu tinha 15 anos na época, e ela era uma pirralha de 12 – ele fala com humor na voz. – Ela ficou me perseguindo pela festa inteira, logo a filha do cara que tornava a vida da minha mãe um inferno, e eu não quis ser chato e aí... uma coisa levou à outra... Quando eu vi, não conseguia mais sair.

Victor fica cabisbaixo, pensativo, mais preocupado em revirar a comida do seu prato do que em continuar a história. Seu incômodo é visível e percebo que ele está com vergonha pela forma como evita fazer contato visual com qualquer coisa que não seja as próprias mãos.

— O que Felícia fez com você é responsabilidade dela, e não sua. Não precisa ter vergonha — digo e estico a mão para encostar em seu braço, consolando-o

— Não, Sybil, você não entende. — Ele se desvencilha de mim e sinto uma chama de irritação subir em meu peito. Qual é a desses meninos que acham que só porque não estamos na mesma situação que eles não conseguimos entender o sentimento? — Eu gostava dela no início, sabe? Antes de Felícia começar... Se bem que nem sei mais o que é real ou o que é fantasia dela. Antes eu só não percebia.

— E por isso você acha que tem culpa? — Cruzo os braços, meu tom muito mais duro do que eu pretendia. — Você teve força o suficiente para tentar se afastar, seja mais gentil consigo mesmo.

Ele engole em seco e volta a encarar seu mingau, a expressão impassível. Não sei como toma as minhas palavras, mas espero que as considere. Ficamos em silêncio e termino o café da manhã sem saber mais o que dizer. Victor levanta os olhos, abre a boca para falar algo, mas o que diz é abafado pelo estrondo das portas do refeitório sendo abertas de uma vez. Eu me viro, sobressaltada, e sinto um frio na barriga quando vejo Cléo caminhando na minha direção com passos largos e decididos.

— Como você está? — ela coloca a mão na minha testa e me encolho quando sinto seus dedos gelados contra minha pele. Sua expressão muda de determinada a preocupada em instantes. — Você chegou faz quanto tempo? Bebeu quantos litros de água desde que acordou? Sentiu alguma tontura, algo diferente?

Fico atordoada com a quantidade de perguntas, e quando Cléo percebe a atenção que chamou, ela praticamente me arrasta para fora, me levando pelo corredor até a sala de treinamentos. Quando chegamos lá, ela me convence a sentar em um dos bancos e desaparece por algum tempo, voltando com um galão de cinco litros de água, que coloca na minha frente.

— Quando Hassam mandou a mensagem, dizendo o que tinha

acontecido, fiquei muito preocupada, e quase fui direto para onde você estava – Cléo explica, sentando-se ao meu lado. – Mas não podia abandonar a missão, que foi um pouco mais complicada do que eu imaginei que seria. Pegue um copo de água e me conte tudo o que aconteceu.

Seu tom torna impossível não obedecer e, quando vejo, estou no terceiro copo de água, explicando o que aconteceu com uma voz trêmula. A concentração com a qual me encara é desconcertante e me deixa assustada, porque torna mais real o fato de que fiz algo muito perigoso sem saber. Quando termino, ela segura meu braço com firmeza, em um gesto de conforto que não funciona bem vindo dela.

– Eu nunca imaginei... não esperava que você conseguisse fazer isso – ela diz, por fim. – Não é algo que todos nós podemos fazer, as pessoas da nossa família. Seu pai não conseguia, não importava o quanto tentasse.

– Quer dizer que eu podia ter morrido queimada também? – digo, me sentindo cansada. – Se não desse certo, era o que ia acontecer...

– Você tem muita sorte, Sybil – Cléo fala, juntando as mãos, pensativa. – Será que você tem todo o conjunto de poder da dona Miriam como eu?

– Dona Miriam?

– Sua bisavó, mãe do seu avô – explica, e levo minha mão à testa, sentindo uma leve dor de cabeça. Eu não queria ter essa conversa nesse momento, talvez nunca, mas parece que não há escapatória. – Você vai conhecê-la assim que tudo acabar. Ela é maravilhosa.

– Tenho certeza de que sim – digo, fraca, e ela começa a tagarelar sobre várias pessoas e linhas de poderes e coisas que mal consigo acompanhar. Eu entendo que nem todos os anômalos da família do Almirante têm as mesmas habilidades, e que pelo menos metade deles nasce com a habilidade de *controlar sombras*. Quase comento que parece muito mais legal do que quase morrer dominando a água, mas Cléo parece tão empolgada que fico quieta.

– Então, Farah e Jamila nasceram com a mesma anomalia que a mãe delas, a de controlar sombras. Sabah ainda é muito pequena, mas achamos que ela puxou o pai. Eu tinha certeza de que ia pular uma geração, até você aparecer – ela conclui, como se eu conhecesse alguma dessas pessoas. – Ah, elas são suas primas. Todas mais novas que você. Eu nem conheço Sabah ainda, vamos conhecê-la juntas!

Fico em silêncio, um turbilhão de sentimentos lutando ao mesmo tempo dentro de mim. É estranho pensar que há um ano eu nem sonhava que era anômala, e agora estou aqui, escondida em algum lugar embaixo da terra ao lado de alguém que é *minha parente* e que pode me ensinar exatamente como explorar minhas habilidades. Por mais que ela tenha se mostrado impaciente antes, sinto que não posso perder a oportunidade.

– Como eu faço para controlar? – pergunto, interrompendo sua verborragia. – Como faço para não ter os efeitos colaterais se precisar usar... aquilo? Se eu precisar de água e tiver que tirá-la de algum lugar, como funciona? Porque parece bem diferente do que você explicou quando começou a me ensinar.

– Você ainda funciona como uma esponja, só que é uma esponja superpotente que consegue direcionar e controlar o tanto que absorve – Cléo responde, apoiando o queixo nas mãos. – Se Alex conseguia fazer o sangue de alguém subir até aparecer na pele, você vai conseguir controlar a velocidade com que ele corre no corpo da pessoa. Em uma piscina cheia de água, ele jamais conseguiria fazê-la se mover um centímetro, mas você vai conseguir direcionar a correnteza se treinar. A base é a mesma, mas os níveis de controle são diferentes.

Minha mente fica a mil, pensando nas implicações do que Cléo me explica. Conseguir controlar a velocidade do sangue de alguém? Isso me parece perigoso demais, poderoso demais. Mas a alternativa é fazer isso acidentalmente e acabar machucando alguém, então a escolha é óbvia.

– Nós vamos retomar os treinos? Você vai me ensinar a fazer isso? – pergunto, e ela dá um meio-sorriso, como se eu tivesse dito algo que a agrada. Ela assente.

– Bem, não é ideal pular etapas, mas você precisa se preparar caso seu poder se descontrole nesse nível – explica. – É uma troca, sabe, entre você e a água. Se ela já está perto, você consegue controlá-la sem nenhuma dificuldade. Mas se você tem que fazê-la ter força, fazê-la sair de onde está confinada, há um preço a pagar. Por isso você apagou, por isso você precisa repor a água agora.

– Isso faz um pouco de sentido. É como se saísse água de mim para buscar a água onde ela está? – O quanto essa conversa é absurda não me escapa, mas Cléo concorda, como se fosse uma conversa casual.

– Sim. E, para isso, você precisa de duas coisas: controle e resistência física. Você precisa descansar, então hoje está liberada. Lembre-se de beber água constantemente. A partir de amanhã, retomamos os treinos. Vou pedir para Idris te liberar para podermos fazer intensivos. Como Reika está na ala médica...

No momento em que Cléo menciona a garota, sinto a culpa de não ter perguntado nada sobre o resultado de sua missão. Se ela está aqui, significa que tinha trazido o que vovó Clarisse precisava para salvar Lisandra, e que provavelmente tinham mais cobaias dos testes para serem tratadas. Eu nem sequer consigo imaginar a confusão que deve estar na ala médica.

– O que aconteceu com ela? – pergunto, preocupada. – Ela está bem? Está ajudando vovó Clarisse e os outros?

– Não. – Cléo desvia o olhar, parecendo culpada. – Nós tivemos... complicações no caminho. Encontramos dificuldade nos túneis quando estávamos voltando e ela acabou sendo atingida. Mas Reika está bem! Vai ficar bem! Ela conseguiu desviar e a bala ficou alojada em seu braço em vez de no peito.

– Dificuldade nos túneis – repito, a ansiedade subindo pelo meu peito. – Uma dificuldade composta por adolescentes anômalos vestidos de amarelo?

O seu silêncio é o suficiente para eu saber que nossos dias aqui, em paz, estão contados. Se estão explorando em lugares tão distantes de Pandora, inevitavelmente irão nos encontrar, seja esse o objetivo deles ou não. Não sei nada sobre a Aurora, mas tenho certeza de que eles e Fenrir andam de mãos dadas. Seja qual for o plano agora, Idris precisa agir rápido, antes que nos descubram.

– Amanhã nós começamos, Sybil. Não temos muito tempo.

Capítulo 23

No momento em que encosto a cabeça no travesseiro para ver se durmo um pouco, fico mais alerta do que nunca. É absurdo como nosso corpo tenta nos sabotar às vezes, e por mais cansados que estejamos, ele se recusa a se recuperar. Fico algum tempo deitada, olhando para o teto e contanto os segundos que passam, mas não consigo dormir. Bebo mais água, pego os diários de minha mãe para ler, mas os minutos não parecem passar.

É assim que Sofia me encontra algum tempo depois, quando vem me ver. Nos acomodamos na cama e ela divide um bolinho de cenoura comigo, cruzando as pernas em cima da cama. Parece mais velha, mais séria, e tenho a impressão de que está mais alta desde a última vez em que prestei atenção nisso.

– Estou me sentindo culpada – Sofia declara quando termina de comer, limpando as mãos na roupa.

– Por quê? – Eu a observo com o canto dos olhos e a garota desvia o olhar.

– Eu soube... me contaram da cura. – Ela bate os dedos nervosamente em seu joelho, apreensiva. – Se você não tivesse me salvado, eles não teriam conseguido isso aqui também.

– Nós nem sabemos se eles realmente conseguiram, Sofia.

– Eles conseguiram – afirma, e sinto um frio no estômago. – Cléo trouxe alguns dos que já foram curados para cá, e sua avó está fazendo os testes, e se eu não tivesse vindo para a União, isso nunca teria acontecido. Vocês não estariam numa situação tão ruim.

– Eu tenho tanta culpa quanto você, se for assim. Eu que te trouxe para cá. – Seguro a mão dela, apertando-a com força. – Mesmo se eu tivesse te deixado lá, eles conseguiriam chegar à cura de outra maneira.

– Eu só não sei o que fazer. – Sofia se encolhe em posição

fetal, se encostando contra mim e abraçando as próprias pernas. – Tentei ajudar sua avó, mas ela só precisou do meu sangue, e tem muito medo de que a doença de Lisandra possa passar para mim, porque estou mais vulnerável que vocês. Não pude fazer nada para ajudar quando ainda estava lá em cima, em Pandora. Zorya... – A voz dela falha. – Sinto que sou um grande peso atrapalhando tudo em que participo, e tenho medo de que minha presença aqui cause uma tragédia.

– Sofia, isso não é verdade. – Eu a abraço, apertando-a contra mim. – Nada disso é verdade. Todos nós tivemos momentos muito ruins nos últimos meses, mas você é uma sobrevivente, você conseguiu passar por tudo isso muito bem.

– Às vezes eu acho que estou pagando pelos pecados dos meus pais – ela sussurra bem baixinho. – Porque eles não quiseram seguir as regras do Criador. Porque eles se recusaram a seguir as leis e se recusaram a se cadastrar. E eu acabo sofrendo para pagar o preço por isso.

Eu a abraço com mais força, sentindo um vazio por dentro. Eu não entendo nada de pecado e leis do Império, nada da religião que eles têm ou de como funcionam, mas esse tipo de culpa não me parece certa. Quero dizer a ela que isso não é possível, que os pais dela nunca fariam nada se achassem que iria sofrer por causa disso, porém só a consolo, sussurrando bobagens para tentar acalmá-la. Penso em Reika, na ala hospitalar, e em como ela talvez possa conversar com Sofia sobre o assunto e tentar acalmá-la. Acho que Sofia precisa de alguém que consiga entender o que é ser do Império estando aqui, na União, e não sou a pessoa mais adequada para isso.

Dói meu coração ver Sofia chorar até ficar cansada demais e dormir, mas não saio do seu lado até que esteja descansando tranquilamente. Cubro-a com um lençol antes de sair do quarto, tirando o cabelo do seu rosto e beijando-a na testa. Me lembro de Kali e das meninas que estão em algum lugar aqui, meninas que cresceram comigo, mas que agora eu escolhi evitar. Com vovó Clarisse ocupada e toda a confusão, elas devem estar se sentindo tão desoladas quanto Sofia, principalmente Carine com um bebê pequeno num lugar estranho. Sou uma pessoa horrível, e sinto um bolo na garganta. Minhas emoções estão tão descontroladas que preciso parar do lado de fora do quarto para respirar fundo algumas vezes e tentar retomar a calma.

Leon me encontra ali, encostada contra a parede do corredor e tem trabalho para me convencer a segui-lo até a sala de Idris. Não faço ideia de como ele sabe que não estou bem, mas me guia com a mão nas minhas costas, tentando me consolar. Ainda estou me sentindo péssima quando abro a porta para que ele passe e, quando vejo Victor sentado em uma das cadeiras, sinto um peso no estômago e quero sair correndo. Mas Leon deve ler mentes também, porque torna praticamente impossível que eu não me sente à mesa que usei nos dias em que passei aqui ajudando Idris.

Victor está sentado, mas Cléo, Idris e Maritza estão em pé em torno da mesa da líder, todos os livros empilhados pelo cômodo para dar espaço para o mapa gigante que estão examinando.

– Bom, Sybil está aqui, podemos começar – Idris declara. – Me desculpe por tê-la tirado de seu descanso, mas achamos que é importante que esteja aqui. Leon, venha cá.

O garoto obedece e Idris começa a conduzir as mãos de Leon pelos desenhos do mapa, explicando enquanto o ajuda a traçar as figuras. Conhecendo-o como eu conheço, isso é o suficiente para que ele memorize tudo. Tento acompanhar as descrições de Idris para tentar descobrir que lugar é esse, mas só percebo que é Prometeu quando ela chega em República.

A única vez em que eu havia estado no Senado, no gabinete de Fenrir, para ser mais específica, foi na reunião em que descobri que Ava havia sido curada. Pensar no que passamos desde então causa um nó no estômago, e lembrar da insistência de Sofia de que eles conseguiram a cura aqui também me deixa mais nervosa ainda. Como Ava estava? Será que havia tido algum efeito colateral, como Lisandra? E se ela estivesse morta de verdade? Que vida horrível ela havia levado, se achando uma aberração por anos só para depois virar cobaia e morrer.

– É isso – Idris conclui, terminando o desenho da cidade com Leon. – Foi o suficiente?

– Acredito que sim – Leon concorda e ela o aperta no ombro contra si de forma carinhosa. – Muito obrigado, Idris.

– Eu que agradeço por você se disponibilizar a fazer isso, Leon – ela diz, e levanta os olhos para onde Victor está sentado.

Cléo me observa e deve perceber minha confusão, porque explica:

– Leon e Maritza vão para Prometeu amanhã, dar início ao plano de depor o cônsul.

– Mas, para isso, precisamos da sua ajuda, Victor – Idris complementa, encarando o garoto.

– Eu ainda não posso ajudar como vocês precisam – ele se desculpa, encolhendo os ombros, e Idris se aproxima, segurando no encosto da cadeira dele.

– Victor, se eu te chamei aqui, é porque eu sei que você vai poder me ajudar – ela explica e se abaixa, como se ele fosse uma criança. – Eu prometi respeitar seu tempo e eu farei isso, acredite em mim.

– Desculpa. – Ele olha para baixo e depois para mim, encabulado. – Do que vocês precisam?

Idris então pede que Leon explique o plano, incluindo as provas que conseguimos nos campos de refugiados, as quais certamente enquadrarão o cônsul por mau uso do poder. Cléo adiciona algumas informações novas que descobriu no centro de pesquisas que invadiu: as provas escritas de que os estudos utilizam verbas destinadas para outros usos, desviadas sem aprovação do Senado. Todos parecem bem confiantes de que o cônsul não durará muito tempo quando tudo isso for à tona.

– Nós consideramos Petra Amani como nossa aliada no Senado – Idris fala. – E queremos saber sua opinião. Ela irá nos ajudar? Você acha que... o que Felícia faz pode afetar Petra?

O garoto parece hesitante à menção de Felícia e pondera bastante antes de responder.

– Felícia não tem nenhum interesse no que diz respeito à minha mãe, além de mim. Ela não vai atrapalhar seu plano – ele fala, mordendo os lábios, e tenho quase certeza de que essas palavras foram difíceis de dizer. – E minha mãe vai ajudá-los. Inclusive antes. Ela pode juntar todas as provas e arrumar alguém para apresentá-las ao Senado. Se for ela mesma, vai parecer que está tentando dar golpe, e não será bom.

— Sinto que há um "porém" no seu tom — Idris indica.

— Fenrir não vai ser fácil de lidar, mesmo com o bom relacionamento entre os dois. "Inimigo do meu inimigo é meu amigo", é o que minha mãe falava sobre ele — Victor expõe e fico na ponta da cadeira para não perder uma palavra do que fala a seguir, mordendo os lábios apreensivamente. — E vocês precisam se lembrar de quem está com ele.

— Felícia? — Maritza pergunta de onde está, cruzando os braços.

Victor apenas assente e Idris franze a testa, tentando juntar as informações.

— Você acha que Fenrir usaria Felícia para tentar controlar sua mãe e as outras pessoas, como fez com você? — pergunto e Victor balança a cabeça, tenso e nervoso. Observo que uma veia do seu pescoço salta, pulsando rapidamente. Estamos em terreno perigoso.

— Você disse que sua mãe não estava no plano de Felícia. O que quis dizer com isso?

— Não precisa responder diretamente, Victor. — Idris o acalma.

— Se achar que não consegue prosseguir, paramos imediatamente.

— Não, eu estou bem. — Mas seu tom diz o contrário. — Não é nada disso.

— Os anômalos estão com ele? A patrulha dele, aquela tal de Aurora, está cada vez maior, com mais jovens e até algumas pessoas mais velhas fazendo parte. Pandora está quase em histeria coletiva e qualquer pessoa que se manifeste contra acaba sofrendo as consequências — Idris explica e eu olho para ela, piscando algumas vezes. É exatamente como eu suspeitava, mas ter certeza disso é completamente diferente. Me lembro de Brian e Naoki, no dia do funeral, e de como um grupo deles queimou dois humanos sem nem hesitar. Fenrir e Aurora juntos são como fogo e gasolina, e fico ansiosa por todos que permaneceram em Pandora. Eles saíram de uma situação ruim para outra igualmente péssima.

— Não é isso. É o contrário — ele fala com a voz fina e desvia o olhar para o chão, frustrado. — Nada vai funcionar contra ele.

– Ao contrário? Os anômalos estarem contra ele é algo bom – eu digo, tentando entender. – Não? Quer dizer que vão apoiar a intervenção de Petra, se ela se tornar a nova consulesa.

– Não, ele está falando que Felícia tem Fenrir. – Leon se move de onde está e Victor fica pálido, concordando. – O que diabos é essa garota para você ter tanto medo dela assim?

– Felícia é uma garota de 15 anos – Idris fala, descrente. – Fenrir é um homem de quase 50. Como *ela* tem o controle da situação? Isso não faz sentido algum, Victor. Você só está com medo pelo o que ela fez com você.

Cléo encosta o quadril no canto da mesa de Idris, encarando Victor com uma expressão estranha. Ela arruma o cabelo atrás da orelha e cruza os braços, sem mover os olhos.

– Você está transferindo a culpa para o elo mais fraco, a pessoa mais fácil de punir pelas transgressões de Fenrir. É uma acusação muito séria – Cléo diz. – Eu entendo que seu relacionamento com ela não tenha dado certo, mas culpá-la por tudo isso quando ela é claramente mais uma peça no quebra-cabeças de Fenrir é desonesto.

Fico um pouco surpresa por concordar com ela em partes, porque não consigo ver como Felícia pode estar controlando Fenrir, seja lá qual for a anomalia dela.

– Você não viu... – Ele balança a cabeça. – Vocês pediram minha opinião, aqui está ela. Se querem levá-la a sério ou não, fica a critério de vocês.

– Idris... – Maritza fala devagar, parecendo se lembrar de algo. – Idris, você se lembra de quando Zorya veio até nós? De quando procurou o Almirante e disse que sabia de tudo e que queria nos ajudar?

– Do que você está falando, Mari? – Idris franze a testa. – Sim, eu me lembro. Foi uma das adições mais peculiares ao nosso grupo.

– É difícil de aceitar – Cléo fala, olhando para Idris com o canto dos olhos.

– Ela disse que Fenrir estava se comportando de forma estranha ultimamente, que às vezes mal o reconhecia – Maritza continua, ignorando a hostilidade na voz de Cléo. Fica óbvio de quem foi a decisão de acolher Zorya. – Que ela não reconhecia mais os planos

que ele fazia, que estava com medo pela família dela. Porque ele sempre a ameaçou, mas ela nunca achou que ele agiria até...
— Até o quê? — pergunto, e engulo em seco. — O que Fenrir fez com Zorya?
— Você não deveria falar sobre isso aqui, na frente deles. — Idris entra no meio do caminho, encostando no ombro de Maritza como sinal para se afastarem.
— Não, eu quero saber agora — eu peço. — Por favor.
— Você não quer não. — Cléo troca olhares com as outras duas mulheres. — Só saiba que foi o suficiente para que eu concordasse com a ajuda dela. E é Fenrir, tenho certeza de que pode imaginar.

Mil cenários diferentes passam pela minha cabeça. Penso em como Zorya deve ter se sentido traída o suficiente para tentar impedi-lo. Fico nervosa e sinto um orgulho estranho da mãe de Andrei, por ela não ter se acuado com as ameaças de Fenrir. Isso era muito mais do que eu tinha conseguido fazer.

— O que eu quis dizer... — Maritza levanta a mão, chamando atenção para si. — É que Fenrir vem agindo de maneira esquisita de uns quatro meses para cá. Mais brutal do que o normal, mais ambicioso, se isso for possível. Ele sempre fez de tudo para conseguir o que quer, mas havia um limite. Ameaçar, tudo bem. Manipular os outros para fazerem o que quer? Também. Troca de favores é como respirar para ele. Mas sempre deixou claro que nunca assassinaria alguém, havia formas mais sofisticadas de lidar com os adversários.

— Você está insinuando que ele mandou assassinar Klaus, que ele implantou a bomba no comício porque está sendo manipulado por uma garota de 15 anos para fazer esses atos terroristas? Só porque assassinato em massa não está no *menu* de atrocidades de Fenrir? — Idris faz a pergunta como se Maritza estivesse louca.

— Alguém fez todas essas coisas e não foi o cônsul — Maritza explica e Cléo bufa, impaciente.

— Não pode ser Fenrir, que já estava a ponto de se tornar um assassino em série? Fenrir, que gerou provas falsas contra todos os candidatos que concorreram contra ele antes de Klaus? Fenrir, que está mais preocupado em ter o poder do que garantir que anômalos sejam tratados igualmente? Você, em todos os seus anos trabalhando com o Senado e acompanhando essas pessoas, não acha que Fenrir seria capaz disso sozinho? – A temperatura do escritório diminui em vários graus enquanto Idris fala, seu tom cada vez mais gélido e distante. – Ele realmente precisa ter a desculpa de que uma garota de 15 anos má intencionada o está manipulando?

– Ela não manipula – Victor interrompe, levantando o rosto. Parece estar controlando a dor e os sintomas que mostra todas as vezes que ultrapassa um território perigoso. – Ela só inibe ou liberta.

– De qualquer forma. – Idris encara Maritza. Sinto que há algo que não quer dizer, mas a mulher loira se levanta, cruzando os braços. – Você percebe o que está dizendo, Maritza?

– Fenrir tem total consciência de suas ações e deve ser julgado por tudo o que fez, Idris. Eu nunca disse o contrário. – Maritza fica vermelha, com uma veia saltando de seu pescoço. É óbvio como ela o odeia, principalmente porque perdeu sua esposa na explosão do comício. Por mais que o raciocínio pareça loucura, não acho que ela esteja arrumando desculpas para inocentá-lo. – Mas é como se a noção de limite do que vai ferrá-lo ou não estivesse desligada. Ele *nunca* faria algo para prejudicá-lo a longo prazo, nunca deixaria uma ponta solta como deixou. Não é a forma como age.

– *Inibe ou liberta* – Idris repete as palavras de Victor, pensativa.

– Você acha que Felícia tirou o pouco do bom senso que restava em Fenrir?

– Isso é ridículo! – Cléo exclama, e Maritza levanta uma sobrancelha.

– Ridículo? É o que Victor está falando. Nós vimos como ele ficou quando foi afastado dela, ela com certeza é bem forte – retruca, olhando para o garoto. – Não é?

Victor responde com gestos e percebo que suas unhas estão pressionando a palma das mãos até tirar sangue. Quais serão as consequências dessa conversa depois? Ele não parece tão mal quanto no dia em que o vi em sua cela, mas está consideravelmente pior comparado ao estado em que entrou aqui. Idris encosta na mesa, levando a mão ao rosto, refletindo. Cléo não tira os olhos de Victor, como se seu olhar fosse o suficiente para fazê-lo presumir que está mentindo. Maritza se aproxima da líder e pega da mesa o livro com as composições no Senado, abrindo-o em uma página mais para o final.

– Nós precisamos considerar todas as hipóteses se quisermos obter sucesso. Não custa nada ter um plano B para nos auxiliar caso o plano inicial dê errado.

– Como podemos ter certeza de que ela não o está controlando? Que Fenrir não está sussurrando mentiras para que Victor nos engane? – Cléo sugere e Maritza suspira, se jogando pesadamente em sua cadeira.

– As duas hipóteses são absurdas – Idris fala, olhando para o mapa em cima da mesa e massageando as têmporas. – Toda essa situação é absurda. Nós perdemos o controle há muito tempo e não tem mais como saber o que é certo ou errado.

– Não... não desista. – Cubro minha boca no momento em que falo, constrangida. Por que eu fui falar isso? Sinto todos os olhos do cômodo em mim e preciso continuar. – Nós precisamos fazer algo, qualquer coisa. Não podemos ficar parados. Por mais absurdo que pareça, acho que Maritza tem razão. Eu... acredito em Victor.

O garoto olha para mim, surpreso, e abraço minha tipoia contra o corpo. Idris, Maritza e Cléo têm uma conversa silenciosa antes da líder fechar o livro com um estrondo. Cléo suspira pesadamente, como se achasse que o que está por vir não a agradará. Acho que fiz algo errado e não sei como proceder, então preencho o silêncio com mais palavras.

– Fico mais segura quando tenho controle da situação, mas desde que tive de fazer a... a missão em que salvei Sofia... Percebi que tem coisas que não dá para controlar. E se você só agir quando souber exatamente o que vai acontecer, vão te jogar de um lado para o outro e você nunca vai fazer o que quer. É um tiro no escuro, mas é melhor do que ficar parada enquanto tudo desaba ao redor. – Me sinto boba por compartilhar meus sentimentos. Que uso pode ter isso para Idris, Maritza e Cléo, com preocupações muito maiores que as minhas? – O resultado de não fazer nada é bem pior do que o que pode dar errado se agirmos.

– Ela está certa – Leon interrompe meu fluxo, ainda bem, e

vira o rosto para as três mulheres. – Não sejam cautelosas demais se isso for impedi-las de agir.
– Há um preço por ser imprudente, Leon. – O tom de Idris poderia ser condescendente, mas é apenas cansado. Acho que estamos todos exaustos, principalmente ela.
– Um preço que todos nós conhecemos e estamos dispostos a pagar – Cléo adiciona rispidamente. – Olhe, até eles sabem que isso é o certo a fazer. É o que venho dizendo para você há meses. Se nós tivéssemos agido antes, não teríamos ficado encurralados como estamos hoje!
Idris se senta, sua expressão pesada. Me encolho para tentar manter o calor do corpo, porque a sala está cada vez mais fria. Os lábios de Cléo estão tremendo e entendo que o frio que Idris produz é seco, ou eu e minha tia não estaríamos reagindo a ele.
– Por mais que doa concordar com Cléo, eles estão certos, e você sabe disso – Maritza rebate. – Pense em Lupita. O que ela fez não pode ser em vão.
– Não ache que não penso nela em cada segundo em que estou em pé. – Idris leva a mão à barriga, sua voz pesada. – Você perdeu sua esposa e eu minha filha. E para quê? É nela que penso quando falo dos preços. Eu nem sequer pude enterrá-la, Mari. Você sabe o que é isso?
Ficamos em um silêncio pesado, e Cléo desvia o olhar quando Maritza consola sua sogra. Sinto que estou invadindo seu espaço, sua intimidade. Eu não sabia que Idris era mãe de Lupita, mas agora, com a informação, consigo perceber a semelhança de traços. Elas tinham o mesmo queixo, o mesmo desenho de sobrancelha. É assim que as pessoas me veem depois que descobrem que sou filha do Almirante? Como pedaços do que ele foi?
– Todos nós pagamos muito caro para chegarmos até aqui – Cléo murmura e vejo que também está trêmula. – Lupita. Meu irmão. Takumi, meu marido. Todas as crianças que mandamos para salvar outras crianças e nunca voltaram. Mas não podemos deixar que isso seja em vão, Idris. Pense nisso quando tomar sua decisão.
Idris esconde o rosto e demora algum tempo para se recompor antes de nos encarar:

– Me desculpem. Vocês podem ir fazer o que quiserem. Nós voltamos a esse assunto mais tarde, depois que eu pensar com calma. Assentimos e, quando deixamos as três mulheres, Leon me puxa até um dos cantos do corredor, atrás de um dos armários. Victor parece tão cansado que tenho certeza de que vai dormir, apesar do horário. Leon não larga minha mão nem por um minuto sequer.

– Você parece nervosa. Seu coração e respiração estão confusos – ele fala, apertando minha mão. – O que aconteceu?

– Só estou cansada – digo, encostando a testa em seu ombro. – Quero ver Andrei. Quero dormir e não consigo. Quero voltar para casa.

Ele me abraça e quando volta a falar, está hesitante.

– Queria conversar com você... Hassam me disse o que aconteceu nas fazendas. – Ele para, escolhendo as palavras que virão a seguir. – Fiquei preocupado, mas também... surpreso.

– Surpreso? – pergunto, nervosa.

– Por você poder fazer algo tão extraordinário! – diz, com um entusiasmo incomum. – Explodir coisas! Com água! Isso é muito mais do que eu imaginei que um anômalo fosse capaz de fazer.

– Cléo me disse que posso controlar o sangue correndo nas veias – respondo, num quase sussurro, soando mais calma do que deveria.

– Hassam me explicou que a maior parte dos anômalos daqui tem algum tipo de treinamento para ampliar suas capacidades. Na escola, a gente só aprende a controlar, mas tem como ser cada vez melhor, descobrir cada vez mais nuances. Parece que é algo comum no Império ou em famílias rebeldes – Leon fala, pensativo. – Não é fantástico? Não seria incrível se todos pudessem fazer isso?

– Eu entendo o lado dos humanos em não querer pessoas que podem explodir coisas com água perto delas. Ou que possam controlá-las – falo, cansada. – Mas é melhor aprender a lidar com anomalias do que causar acidentes, não é?

– Não, mas, olhe, há sempre um efeito colateral. Você quase morreu quando tentou fazer isso; Hassam fica exausto quando obriga alguém a falar só a verdade. E pelo que conversei com Gunnar, as ilusões dele podem ser bem mais fortes, mas ele tem uma dor de cabeça tremenda. Não é como se não tivéssemos limite. – Conforme conta, vejo que é algo que ele pesquisou e pensou durante os últimos dias. – Mas eles conseguem se conter. Eles não deixam que emoções afetem seus poderes, que saiam do controle como acontece comigo. Eu tenho uma quantidade moderada de controle sobre minha anomalia porque nasci desse jeito, sem enxergar, então consigo focar, mas se eu estiver muito agitado, tudo fica uma bagunça. Imagina conseguir me conter e não deixar que as emoções me impeçam? Imagina descobrir que, não sei, assim como eu consigo ouvir barulhos muito baixos eu também consigo me mover sem fazer nenhum barulho?

– Ia ser fantástico, Leon. – Meu sorriso é desperdiçado, mas meu tom é carinhoso. – Você devia pedir para que alguém te ajude, talvez Reika. Ela me ajudou no início, quando cheguei.

– Mas eu só conseguiria trabalhar isso porque conheço essas pessoas, imagina isso para todos os anômalos da União? Todo mundo conhecendo cada detalhe e cada empecilho da sua anomalia. Seria fantástico.

– Parece que você tem um plano.

– Quando tudo voltar ao normal, nós vamos estar no último ano de escola e aí, o quê? Você já pensou sobre isso? Sobre o que vai fazer? Eu quero fazer o máximo possível para melhorar a vida dos anômalos e acho que esse é um bom projeto.

– Você está me dizendo que quer fazer leis? – eu pergunto. A ideia me diverte imensamente. – Você quer ser senador, como Fenrir?

– Não como Fenrir. Eu nunca seria como ele. – Leon tem uma expressão de nojo enquanto fala. – Mas se ser senador é o que preciso para fazer alguma diferença, não vejo por que não. Ou um assessor, como Zorya e Maritza foram. Parece uma boa carreira.

Eu apenas aperto sua mão, sem saber o que dizer. É tão estranho pensar no futuro quando nem consigo decidir o que estou sentindo agora. Leon parece *saber* que tudo vai acabar bem, e embora eu goste muito da ideia, não consigo compartilhar da sua convicção. Meus únicos planos no momento são voltar para casa e comer o bolo de chocolate que Dimitri faz, e só.

– Eu sei que soa maluco, mas quero me sentir útil – ele se justifica. – Quero ser menos egoísta.

– Não é maluco, Leon, é incrível que você consiga ser tão otimista assim. – Encosto a cabeça em seu ombro novamente e ele me faz cafuné.

– Eu aprendi com a melhor. – Sua voz é quase inaudível e eu dou uma risada amarga.

– Eu queria ter metade da coragem que você acha que tenho, Leon. Ia ser muito mais fácil.

Capítulo 24

Tenho a impressão de que esse dia é interminável quando volto para meu quarto. Sofia não está mais lá, e eu me deito, torcendo para que eu pegue no sono rápido. Mas a ansiedade é maior e tenho a impressão de que estou confinada; o quarto é pequeno demais para conter todos os meus medos e frustrações. Pego os diários que pertenceram à Cassandra na tentativa de buscar algum conforto na vida dos meus pais, mas me sinto sozinha como nunca. Quero voltar para minha família adotiva, e percebo que se tem um lugar que eu considero como minha casa, é onde morei pelo último ano. Sinto saudades das vozes dos meus pais adotivos conversando enquanto tento dormir, de Tomás como um furacão pela casa, sempre com alguma coisa para fazer. Sinto falta da comida de Dimitri e do humor de Rubi. Se vovó Clarisse puder ficar conosco, acho que seria perfeito. Todas as pessoas que mais amo no mesmo lugar.

Acabo adormecendo agarrada aos diários, mas acordo de supetão no que parecem minutos depois, com o movimento da porta fechando, incerta se houve algum barulho ou não. Me levanto, desorientada, sem nem saber quanto tempo se passou desde que adormeci e abro uma frestinha da porta, vendo a cabeça loira no corredor. Está um silêncio sepulcral quando eu o chamo baixinho para não acordar os outros.

– Andrei?

Ele se vira e vem até mim, com um desenho de sorriso no rosto. Apesar disso, as bolsas embaixo dos seus olhos estão escuras e ele parece tão exausto quanto eu. Meu coração dá um salto. Eu o abraço, aninhando minha cabeça contra seu queixo, ouvindo seu coração bater no meu rosto. Sinto uma urgência de tocá-lo, de beijá-lo, de garantir que está realmente bem. Ele me empurra para dentro do quarto, fechando a porta atrás de si e fico nas pontas dos pés para beijá-lo, pressionando-o contra a parede. Meus dentes roçam contra os seus lábios, e ele retribui com a mesma intensidade, invertendo nossas posições e pressionando os quadris nos meus. Solto um gemido abafado, frustrada por estar com uma das mãos enfaixadas e não poder tocá-lo melhor, e, só para me provocar, Andrei sobe a mão de onde me abraça na cintura, acariciando minhas costelas até chegar dolorosamente perto dos meus seios. Eu mordo seu lábio inferior, e ele dá uma risada rouca, do fundo da garganta.

– Minha nossa, como senti saudades – sussurra, se desvencilhando dos meus lábios e beijando meu queixo, suas mãos descendo para os meus quadris. – Como foi a missão?

– Não quero falar sobre isso agora – respondo, desviando os olhos para sua blusa preta. – Como você está?

– Então somos dois, porque a última coisa que quero no momento é me lembrar... – Ele fecha os olhos e se afasta de mim, sentando na cama e levando a mão às têmporas. Não sei se é efeito da luz do quarto, mas ele parece mais velho, como se os poucos dias em que ficamos separados tivessem adicionado anos em suas costas. Me acomodo ao seu lado, envolvendo sua mão na minha.

– Shh, não precisamos nos lembrar de nada. – Tento acalmá-lo e ele passa um braço pelos meus ombros, me pressionando contra a lateral do seu corpo. O toque da sua pele contra meu braço me traz ideias, nenhuma delas relacionadas ao estado emocional de Andrei no momento.

– Me desculpa – ele sussurra no meu cabelo e não tenho certeza do motivo pelo qual precisa do meu perdão. – Eu deveria voltar para o meu quarto, preciso estar bem para amanhã. Só queria te ver hoje.

– Não vá – eu peço, segurando-o antes que se levante. – Estou me sentindo... esquisita. Não quero ficar sozinha.

– Quer que eu fique aqui até você dormir? – pergunta, arrumando uma mecha de cabelo atrás da minha orelha, e eu seguro sua mão, me inclinando em sua direção até ficar milímetros de distância dos seus lábios.

– Por favor – eu sussurro, encostando a testa na dele. – Como está vovó Clarisse? Eu quis ir vê-los, mas achei que iria atrapalhar.

– Ela está bem. Cansada. – Ele suspira e volta a sentar ao meu lado, me aninhando em seus braços. – Não tem como não falar disso, não é? Nós não sabemos se Lisandra vai reagir à medicação que estamos dando. Nada do que descobrimos faz sentido, e Clarisse acha que talvez os outros, os que Cléo trouxe, evoluam para o mesmo quadro de Lisandra depois de um tempo.

– Vocês acham... – Hesito ao ver a expressão de desânimo de Andrei, mas com um meneio ele pede que eu continue. – Vocês acham que ela vai ficar boa?

– Espero que ela fique bem. Ela, o bebê e Yohan. Você sabe qual é a história deles? – pergunta, arrumando meu cabelo atrás da orelha. – Ela foi resgatada do Império por Idris, quase como Sofia, e depois decidiu voltar como informante, se passando por outra pessoa e casando com um homem que tinha acesso às pesquisas. No Império, é bem comum uma mulher anômala se casar com um homem humano, porque eles acham que limpa a linhagem, e ela conseguiu se aproveitar disso. Mas aí... o que era arranjado acabou virando real.

– Soa como um dos livros de que Ava gostava. – Eu me arrependo praticamente no momento em que falo, escondendo o rosto na blusa de Andrei. – Desculpa.

– Ela foi denunciada por algum vizinho e isso foi o suficiente para que fosse presa e transformada em cobaia. Não é o final feliz que essas histórias normalmente têm – ele completa, com um suspiro. – Eles até conseguiram fugir, mas até chegarem aqui...

– Final feliz é um luxo que a maior parte de nós não tem, Andrei. – Abro uma das suas mãos, traçando as linhas com os dedos. – Eu quase morri na missão.

Sinto-o prender a respiração e ficar tenso por alguns instantes, antes de soltá-la devagar e segurar meu pulso com uma das mãos.

– Você realmente sabe dar notícias com impacto. O combo "final feliz é difícil e eu quase morri" foi muito bom, parabéns. – Sinto uma das suas mãos me apertar nos quadris e ele levanta meu rosto. – Você está bem? Como isso aconteceu?

– Fiz algo sem pensar – digo, desviando o olhar. – Mas salvei pessoas!

– Isso porque eu pedi para você não ser impulsiva. – Ele parece chateado, mas consigo ver o sorriso se formando em seu rosto.
– Sim, você pediu. – Reviro os olhos. – Achei que estava sendo engraçadinho, porque o impulsivo da história é você.
– Eu me divirto tanto com essas ideias que você tem de mim. – O sorriso é óbvio em sua voz. – Não sou impulsivo, só tomo decisões erradas. É bem diferente.
– Baseadas no seu impulso, olha...
– Não, não é assim. – Andrei balança a cabeça e levanta meu rosto, dando um beijo na ponta do meu nariz. – Eu sei exatamente o que estou fazendo quando tomo uma decisão. Eu já ponderei todos os detalhes e todas as possibilidades, mas sou um pessimista. Se algo tiver que dar errado, vai dar. E aí tomo uma decisão que na maior parte das vezes é a que não deveria ter tomado.
– Eu nunca pensei por esse lado – digo. – Mas acho que faz sentido.
– Sobre isso, tem... tem algo que queria te contar. – Sua voz fica nervosa, e eu toco seu rosto.
– O que foi?
– Você lembra da festa de Fenrir, que aconteceu dois séculos atrás? – Concordo e ele continua. – Lembra da menina que eu encontrei?
– Tatiana?
– Você é péssima para nomes, mas viu a menina uma vez e lembra dela. – É adorável como ele parece nervoso enquanto fala isso e me contenho para não beijá-lo. – Óbvio.
– Áquila disse que ela é sua ex-namorada – eu revelo e tenho certeza de que nunca vi Andrei ficar tão vermelho tão rápido.
– Ele devia cuidar da vida dele e me deixar em paz – bufa. – Mas... é. Mais ou menos. Você sabe que eu mudei para a escola no início do ensino médio? Claro que sabe, Naoki com certeza te contou.
– Foi por causa dela? – Me afasto para vê-lo melhor e ele se ajeita na cama, passando a mão pelo cabelo.
– Em partes. Na escola que eu estudava antes, as pessoas eram horríveis. – A dor que ele sente ao lembrar disso é visível. –

Mas começou pequeno: alguém ouviu minha risada e começou a imitar. Depois, descobriram quem era minha mãe e começaram a insinuar *coisas*. Depois, começaram a fazer chacota com meu pai. Não havia nada que eu fizesse que a escola toda não ficasse sabendo, e chegou em um ponto que eu só queria desaparecer. Aí Tatiana surgiu.

Sinto uma pontada de ciúmes e não tenho certeza se quero ouvir o resto da história. Mas o que Andrei diz explica muito sobre seu comportamento quando o conheci, e quando lembro de como a turma se comportava com ele quando cheguei a Pandora, fico irritada. As pessoas não davam nem uma chance para que Andrei mostrasse a pessoa leal, inteligente e divertida que é.

– Ela era do time de natação da escola e, sim, era um lugar que tinha mais do que duas pessoas com anomalias associadas à água – ele continua. – Ela era a única amiga que eu tinha. E aí as coisas ficaram estranhas. Nós começamos a nos ver com frequência e... Bem, um dia ela me chamou para encontrá-la na piscina da escola num fim de semana e eu não achei nada estranho porque tinha 14 anos e era idiota.

Sua pausa me faz perceber que a pior parte da história está por vir e estendo a mão que ele segura com força, como se eu fosse uma âncora.

– Um dos garotos, o que mais pegava no meu pé, a convenceu de fazer o convite para eles pregarem uma peça em mim. Eu ainda não entendo o *porquê*. Não entendo o que fiz de tão mortalmente errado para que ele e seus amigos me odiassem tanto. – Ele balança a cabeça, olhando para baixo. Sua próxima frase é depreciativa, em um tom bem-humorado. – Mas pelo menos serviu para eu ter certeza de que afogado eu não morro.

– Andrei... Isso é terrível.

– Não tão ruim quanto o que você deve ter passado. Ou Sofia. Ou Leon – Andrei declara, soltando minha mão. – Só acho que tinha que te contar isso.

– Não tem nem como comparar. Cada um de nós teve uma experiência diferente, Andrei, mas nenhuma é mais relevante que a outra. Se doeu, se você se sente mal com isso, é importante. – Ele

deixa que eu me aproxime, e me inclino, beijando-o suavemente nos lábios. – Mas obrigada por compartilhar isso comigo.
– Só queria que você soubesse que tudo está bem melhor agora. – Andrei passa um dedo pelos meus lábios. – Mesmo com... tudo isso. Mesmo com o que aconteceu com a minha mãe. Ando exercitando mais o meu otimismo.

Beijo seus dedos e suas mãos, seu queixo, o canto da sua boca, e a pele branca do seu pescoço. Sinto sua pulsação acelerar sob meus lábios enquanto cubro a maior quantidade de pele que consigo e fico extremamente contente quando ele me puxa para seu colo, suas mãos tão ousadas quanto meus beijos. Mas ele se afasta, ofegante, e suas bochechas estão vermelhas quando me encara.

– Eu deveria ir embora, você está cansada – diz, mas não se move um centímetro.

– Não! – exclamo e abaixo os olhos, falando com uma intensidade inesperada. – Quero que você me lembre que ainda estou viva.

Andrei fica tão sério que não consigo não rir, escondendo o rosto na curva do seu pescoço.

– Agora você só está me zoando – ele diz, escondendo o riso.
– Você quer ver algo realmente engraçado?

E não tenho oportunidade para responder, porque as mãos dele estão na minha barriga, fazendo cócegas, e eu estou gargalhando e me contorcendo, tentando me desvencilhar. É injusto porque só tenho uma das mãos livre e faço cócegas de volta, empurrando-o com os pés. Andrei lembra que estamos no meio da noite e vamos acordar todo mundo e tentamos prender o riso, mas ele não ajuda e continua me fazendo rir. Não tenho certeza se estou ofegante por causa das risadas ou por causa do seu toque, que fica cada vez mais gentil até que ele me beija. Eu o puxo contra mim, minha mão encontrando a pele das suas costas por debaixo da camisa, seu gemido reverberando contra minha garganta. Minha pele parece pegar fogo em todos os lugares que toca e eu odeio as camadas de tecido entre nós, odeio a tipoia no meu braço, que me impede de explorar o desenho das suas costas perfeitamente.

Andrei me ajuda a tirar sua camisa e salpico beijos em seu pescoço e na cicatriz do tiro que levou quando fugíamos da ilha dos dissidentes, seguindo o caminho de pelos da sua barriga com a mão. Sinto o calor das suas mãos contra a minha cintura, acariciando minha pele, seu desejo imitando o meu. Nos beijamos novamente e ele me puxa contra si, meus quadris roçando contra os seus deliberadamente. Minha camisa se junta à dele no chão depois de alguma dificuldade e várias risadas abafadas por beijos, mas Andrei para, me afastando um pouco. Meu coração está batendo na garganta e solto um ruído de protesto, com medo de que ele pare agora, que diga que tudo é um erro e que não deveríamos estar fazendo isso. Mas a forma como me olha me deixa mais ofegante ainda e ele dá um sorriso travesso, quase como um desafio.

– Você lembra o que eu te disse no dia em que começamos a namorar? – ele pergunta com a voz rouca, seu dedão acariciando distraidamente a lateral dos meus quadris.

– Que você gostava de mim? – pergunto, me inclinando em sua direção enquanto minha mão desce perigosamente perto do cós da sua calça.

– Não, não foi isso.

– Que você pensou em mil maneiras de me beijar? – tento novamente, um sorriso se formando no meu rosto.

Ele concorda com a cabeça, pressionando os lábios contra a curva do meu pescoço, enquanto suas mãos acariciam minhas coxas sobre a calça do pijama. Sinto que vou derreter quando seus lábios descem pela minha pele, e mordo os lábios para não fazer barulho quando ele me pressiona no colchão da cama, minhas pernas envolvendo seus quadris. Eu o provoco e ele parece se divertir, seus lábios encontrando os meus com sofreguidão enquanto me pressiona mais. As finas camadas de tecido que nos separam desaparecem como que por mágica, e Andrei só pausa por um segundo para colocar proteção antes de continuar. Acho que vou explodir, a sensação de sentir sua pele na minha assim é enlouquecedora. É esquisito e perfeito ao mesmo tempo, toda a afeição, saudade e frustração, todos os meus sentimentos expostos sem nem precisar de uma palavra sequer.

Capítulo 25

Acordo suada e quente, as pernas de Andrei emboladas nas minhas embaixo do cobertor na cama estreita, e me levanto, tropeçando em suas calças no caminho. Pego a primeira peça de roupa que encontro – a camiseta dele – e visto, subitamente envergonhada. Nós esquecemos de apagar a luz ontem à noite e parece que houve uma guerra no quarto. Encosto a cabeça na porta, ouço o som dos chuveiros no fim do corredor e suponho que é de manhã. Volto até a cama, mordendo os lábios enquanto observo Andrei dormindo calmamente. Passo a mão em seu cabelo e lhe dou um selinho. Sussurro em seu ouvido com um sorriso no rosto quando lembro da noite de ontem.

Antes de encontrar Cléo na sala de treinamentos, tomo banho e vou até o refeitório. A ideia de treinar com ela me deixa nervosa, mas ontem a mulher foi menos irritante. Talvez possamos nos dar bem. Encontro vovó Clarisse no café da manhã e comemos juntas. Meu humor melhora bastante depois da conversa que temos, mas quando me pergunta onde está Andrei, tenho certeza de que ela sabe. Pelo menos, para a vantagem do meu namorado, ele só precisa aparecer na enfermaria de tarde, então pode dormir e evitar a paranoia que surge em mim: todas as pessoas sabem o que aconteceu ontem à noite. Encontro Maritza no corredor e quando olha para mim, ela sabe. Cléo também. Hassam também. Leon também, e ele nem enxerga.

Paro um segundo para respirar e me acalmar. Primeiro, estou ficando louca por um motivo completamente banal e desnecessário. Segundo, existem coisas mais importantes na cabeça de todas as outras pessoas do universo que não envolve quem está fazendo sexo com quem, principalmente se os dois envolvidos forem adolescentes. Cléo percebe como estou aérea e decide não me ensinar nada hoje, sabendo que vai se irritar. Em vez disso, manda que eu corra ao redor da sala até minhas pernas queimarem e eu ficar exausta.

Na hora do almoço, encontro meu grupo no refeitório. Andrei está ao lado de Sofia, conversando baixinho com ela, os dois com uma aparência ainda cansada. Hassam e Hannah estão lado a lado e ele parece amuado, como se algo o tivesse irritado. Leon está entre Andrei e Victor, que me observa de forma incômoda enquanto me aproximo.

– Vocês duas se mataram? – Hannah pergunta quando me sento à sua frente, entre Leon e Andrei. Fico confusa. – Você e Cléo!

– Não. Por que isso aconteceria? – respondo e ela encolhe os ombros, balançando a cabeça.

– Droga!

– Eu falei. – Andrei estende a mão e Hannah tira do bolso um pacote que parece um bombom e lhe entrega.

– Por enquanto você está ganhando, Andrei, mas da próxima não passa.

– Vocês *apostaram* que eu iria brigar com Cléo? – pergunto, surpresa e um pouco ofendida. – Só porque a gente não deu certo no início não quer dizer que isso vá acontecer novamente. Obrigada por me defender, Andrei.

– Ah, não. Eu não apostei que você não iria brigar com ela, só não ia ser hoje. Dou cinco dias. – Ele me entrega o bombom e se inclina para me dar um beijo na ponta do nariz. – Está vendo, estou trabalhando em ser mais otimista.

– Que bom pra você – digo, sarcástica, e tento abrir o pacote com uma mão só. Andrei me ajuda, segurando uma das pontas enquanto eu desenrolo a outra. Não consigo resistir e lhe dou um selinho, trocando um sorriso cúmplice antes de colocar o chocolate na boca.

– Não acho que você vá brigar com sua tia – Victor acrescenta, se inclinando para me olhar também e fico incomodada, principalmente com o termo *minha tia*. Me escondo atrás de Leon, que parece estar alheio à nossa conversa.

– Você nem conhece ela. – Sofia reage rispidamente e se inclina na mesa também, lançando um olhar letal para Victor. Andrei parece surpreso com a reação de sua irmã adotiva e apoia a mão em seu ombro.

– Sofia. – O tom de Andrei é de aviso e ela se endireita, falando algo em voz baixa que não consigo entender, mas Andrei descarta.
– Não se preocupe.
– Vou pegar comida. – Hassam se levanta de supetão, surpreendendo a todos. – Alguém quer ir comigo?
Leon se mantém imóvel, como se não tivesse escutado, e Andrei se voluntaria para acompanhá-lo. Eu o seguro pelo braço e nós temos uma conversa silenciosa: *"O que aconteceu?"*; *"Eu vou descobrir"*; *"Aproveita e traz comida para mim"*. Os dois entram na fila, conversando, e vejo Hassam balançar a cabeça várias vezes, como se estivesse contrariado. Sofia ocupa seu lugar, encostando o braço contra o meu e fitando Victor de forma hostil. Pessoas são tão complicadas que dão preguiça.
– Quando você sai, Leon? – pergunto baixinho para o garoto, que se inclina na minha direção.
– Depois de comermos. Gunnar vai nos acompanhar. – Leon é econômico com as palavras e cruza os braços. Na minha frente, Hannah fica surpresa, confusa e finalmente parece entender algo.
– Achei que meu irmão iria com vocês – ela fala com cuidado, como se estivesse pisando em ovos. – Gunnar ia ficar com Idris.
– Os planos mudaram. – Leon dá de ombros e eu seguro sua mão embaixo da mesa. Será que ele e Hassam brigaram? Fico nervosa por ele ao pensar que talvez tenha contado a Hassam como se sente e levado um pé na bunda.
– Você lembra o que eu pedi? – Victor atropela as palavras quando pergunta para Leon e é óbvio que está tentando mudar de assunto com rapidez. Me sinto traída quando percebo que ele sabe o que aconteceu e eu não.
– A mensagem para sua mãe? Sim, eu lembro, Victor. Você poderia vir conosco sem problema algum se quisesse. – O tom de Leon é um pouco menos rígido.
– Não. Eu preciso enfrentar Felícia. Haverá tempo para isso depois.
Essa frase mata qualquer possibilidade de continuar uma conversa descontraída. É fácil tratar a missão de Leon e Maritza como algo isolado, que não é crucial, mas mencionar Felícia traz Fenrir

à mente, e com ele toda a incerteza que sentimos. O clima pesado que fica é quebrado quando os meninos voltam. Hassam larga o prato na sua frente com irritação e transforma o ato de comer no mais agressivo do mundo, mastigando como se estivesse planejando uma guerra.

– Eu não sei o que a comida fez pra você, Hassam, mas tenho certeza de que ela não merece essa reação – Hannah fala, com humor na voz, mas seu irmão só emite um grunhido. – Ah, claro, Homem das Cavernas. Vou te deixar em paz para mutilar o pobre purê de batatas com seus dentes.

– Hannah, deixa ele em paz. – Me surpreendo por Andrei pedir isso, porque em qualquer outra situação seria ele fazendo a piada. Hannah levanta as sobrancelhas, Andrei aponta para Leon com os olhos e a garota imita o gesto, mas com Hassam. Eu não faço ideia do que está acontecendo, mas eles parecem estar se entendendo.

– Vocês podem parar? – Leon pede, se levantando. – Eu não preciso enxergar para saber o que estão fazendo e me irritar com isso. Estou indo, preciso encontrar Maritza para acertar os últimos detalhes. Se quiserem se despedir, sairemos em meia hora.

– Eu vou com você. – Victor se levanta também e vejo que os dois estão conversando enquanto saem, mas Leon ainda parece chateado. Tenho vontade de segui-lo, mas Andrei me impede.

– Ele ainda não vai nos querer por perto – sussurra. – Dê a ele algum tempo sozinho.

– O que aconteceu?

– Você quer saber o que aconteceu? – Hassam larga os talheres e apoia os cotovelos na mesa, deixando óbvio que estava prestando atenção à nossa conversa. – Existem algumas pessoas que acham que eu posso ser uma "distração" e um "empecilho" ao bom andamento de uma missão. E, não, não importa que eu tenha um bom histórico em missões desse tipo, não importa que tenha treinamento e seja a pessoa mais adequada para isso, eu sou um "perigo". Foi isso que aconteceu.

– Oh! – Hannah exclama, segurando o braço do irmão. – Oh, Hassam...

– Não venha com "Oh, Hassam" pra cima de mim. – Ele bufa.

– Acho que nunca me senti tão humilhado na vida, é isso que você ganha por... Ah, esquece.
– Eu não sabia que você estava fazendo escola, Andrei – Sofia comenta e vejo Andrei se encolher com a alfinetada, mas ela tem razão.
– Você deveria conversar com ele – sugiro, e Andrei concorda, passando a mão pelos meus ombros. – Conversar sério, perguntar por que ele disse isso, dizer que ficou chateado.
– Vocês sabem de algo. – Hassam nos fulmina e nós dois desviamos os olhares, desconversando. – Não, vocês sabem de algo e vão me contar agora.
– Você devia perguntar para Leon sobre isso – Andrei diz, coçando a cabeça.
– Ele não vai me contar nunca, seja lá o que for. Qual o problema? Ele se sente inseguro porque não sabe se gosta de homem ou de mulher? Se for isso, não tem problema, porque eu sinto atração pelos dois. Não é algo difícil de aceitar depois que você entende.
Sofia engasga com a declaração de Hassam e me lembro de que no Império nada disso é considerado *natural*. O normal é um homem e uma mulher, os dois sem anomalia. Tudo que desvia desse padrão é punição divina. Andrei a ajuda a desengasgar.
– Não é isso. Eu acho que ele tem cem por cento de certeza de que gosta de você – respondo, olhando para Andrei com o canto dos olhos.
– Uau, essa foi direta – Andrei diz, surpreso.
– Mas é a verdade – me defendo. – E se Leon disse o que disse, Hassam, ele acha que está fazendo o que é melhor pra você. Mas Leon está sendo idiota e você precisa dizer isso para ele. Não acho que nós podemos nos dar ao luxo de desperdiçar o tempo que temos, porque quem sabe o que vai acontecer amanhã?
Hassam fica em silêncio, boquiaberto, me encarando como se nunca tivesse me visto antes. Andrei esconde o sorriso, e Hannah cruza os braços, parecendo satisfeita.
– O relógio está correndo, Hassam – digo, fazendo o movimento do ponteiro com os dedos. – É melhor ser mais rápido que ele.
Hassam se levanta de forma desajeitada, desamassando a roupa

num gesto nervoso e esbarrando em algumas pessoas no caminho da saída. Nunca o vi tão afobado ou nervoso, e Hannah ri abertamente de sua cara, provocando uma reação rude de seu irmão antes que ele saia do refeitório.

Eu não sei se Hassam conversa ou não com Leon, porque quando vamos nos despedir do nosso amigo, ele não está lá. Sofia se despede primeiro, abraçando Leon e desejando boa sorte. Na minha vez, não quero soltá-lo, porque tenho a impressão de que algo terrível vai acontecer. Mas preciso deixar que vá, porque ainda falta Andrei. Os dois se afastam, sussurrando enquanto eu desejo boa sorte a Gunnar e Maritza. Sofia me segue, desconfortável por não conhecê-los bem.

– Não faça nada louco ou suicida, Gunnar – eu brinco com o gigante, e ele solta uma gargalhada.

– Não sem você por perto, pode deixar – graceja, cruzando os braços. Ele vê Sofia e sua expressão se suaviza, num sorriso. – Como você está?

– Bem – ela repete a mentira mais recorrente dessa fortaleza, e Gunnar suspira audivelmente.

– Hannah me disse que você consegue ficar invisível. Minha anomalia é um pouco parecida. Se você quiser, quando voltarmos, posso te ajudar a entendê-la melhor – ele oferece e a garota se anima um pouco, mas parece desconfiada. – Reika pode nos ajudar, ela é do Império que nem você. Vai ser um bom passatempo.

– Tudo bem – ela responde e dá um sorriso fraco. – Obrigada, e boa sorte.

Gunnar se separa de nós para checar mais uma vez o carro que vão usar, antes de trazer os prisioneiros que vão levar para servir de testemunha. Parece um tanque de guerra, e fico nervosa quando me lembro que podem ter pessoas da Aurora em qualquer lugar dos túneis, esperando para atacá-los. Eu e Sofia nos agarramos a Andrei enquanto os vemos se afastar, e tenho a impressão de que essa é a última vez que vou vê-los.

Espero estar muito, muito enganada.

Capítulo 26

Nos dias que se seguem, Idris desaparece, trancada em seu escritório, ocupada com algo que ninguém sabe o que é. Nem Cléo consegue entrar, e ela desconta toda a frustração nos meus treinos. As manhãs são dedicadas a um treinamento físico praticamente militar, que é três vezes mais difícil por causa do meu braço enfaixado. Depois do almoço, ela me explica um conceito e me dá meia hora para tentar dominá-lo. Até consigo avançar rápido, mas nem por isso ela deixa de explodir uma vez por dia antes de recuperar a calma. Sofia pede para se juntar a nós na primeira parte, e é bom ter alguém com quem conversar.

Fico surpresa ao perceber que até gosto de Cléo. Apesar do seu pavio curto, ela explica bem e não vê problema em fazer monólogos, o que é maravilhoso porque posso só ignorar o que está falando e não preciso nem fingir que estou ouvindo. Além disso, gosto das histórias das missões que fez e de como conseguiu escapar por um fio um monte de vezes.

Também não ouvimos nenhuma notícia de Maritza, o que deixa todos muito apreensivos. A história do confronto de Cléo nos túneis se espalhou, causando inquietação, e ela organiza grupos para patrulhar os túneis mais próximos da fortaleza e garantir que não vamos ser descobertos. Não há nada para fazer a não ser esperar, esperar, esperar, e o tempo parece lento. Os dias e as noites duram eternidades. A meia hora que passo na enfermaria todos os dias para trocar minha bandagem é um dos poucos momentos que tenho para ver vovó Clarisse, que parece cada vez mais exausta. Às vezes Andrei vem com ela, às vezes não. Dessa vez, ela está só, e seus olhos estão emoldurados por olheiras. As várias rugas de preocupação que apareceram ao redor dos seus lábios se juntaram às poucas que já tinha. Mas ela

parece satisfeita quando Ziba tira minhas faixas e minha mão está quase sem nenhum hematoma.
— Lisandra está bem? — pergunto, como sempre, e me encolho de dor quando Ziba testa um dos movimentos da minha mão.
— Ela continua na mesma — vovó responde. — Os avanços que tivemos no laboratório não deram resultado nenhum, estamos tentando olhar as coisas por outros ângulos.
— E os outros? — pergunto, e ela massageia as têmporas.
— Três começaram a apresentar sintomas como os de Lisandra, e estamos aplicando o mesmo tratamento, mas embora não se agravem, também não melhoram — Ziba responde por ela, olhando para mim e movendo meu pulso, me fazendo gemer de dor. Não sei porque ela está decidida a me torturar hoje, se nos outros dias o exame praticamente não doeu. — Mexa o pulso assim. — Sigo as instruções da médica e sinto um choque percorrer meu braço, e mordo os lábios para não gritar. Ela segura meu braço em suas mãos, usando seu poder e pedindo que eu repita o movimento. A dor não diminui em nada e ela suspira.
— Eu tenho uma boa e uma má notícia — Ziba declara ao se levantar. — Seus dedos estão bons e o braço também, então podemos tirar a maior parte da sua faixa. A má notícia é que o seu pulso não está curado, e você precisa ficar com ele enfaixado.

Concordo e ficamos em silêncio enquanto a médica termina o trabalho. Quando ela sai, depois de vários agradecimentos meus, vovó se senta na cadeira onde Ziba estava e tira algo do bolso do seu jaleco para me entregar. Pego os objetos com os dedos recém libertos e encaro por alguns segundos antes de sentir o calor no meu rosto.
— Isso é...
— Antes que você ache que Andrei chegou na ala médica contando vantagem, eu praticamente coagi ele a contar. Ele também não foi muito discreto na hora de pegar preservativos, então dei alguns para ele. Mas o mais importante para você é isso aqui. — Ela pega a cartela de comprimidos. — Não é o melhor contraceptivo que existe, mas é o que temos aqui. Você toma um por dia, conforme o seu ciclo menstrual. Não esqueça de tomar todo dia.
— Obrigada — murmuro, constrangida.

– Ah, não fique com vergonha. É completamente natural, o importante é que vocês se mantenham seguros. Vocês são muito novos para terem filhos e precisam tomar cuidado com doenças, sempre – ela apazigua, segurando minha mão esquerda na dela. – E eu sei que Andrei não é desse tipo de pessoa, mas se algum dia você estiver com alguém que insista para que você não use nenhum tipo de proteção, contra a sua vontade, você não deve ceder. Existem milhares de concessões que precisamos fazer num relacionamento, mas essa não é uma delas.

– Certo – falo, ainda sem jeito. – Obrigada por se preocupar comigo.

– Eu te amo, como não me preocuparia? – Vovó sorri. – E se você precisar conversar sobre qualquer coisa comigo, qualquer dúvida, qualquer sentimento que não esteja entendendo, pode me procurar. Mesmo se eu estiver ocupada, consigo arrumar um tempo. Você sempre foi muito fechada e, aqui, não parece ter nenhuma amiga com quem conversar. Ah, não proteste. Sempre está grudada em Leon, Andrei ou Sofia, nunca com ninguém mais. Você pode não se sentir confortável de falar sobre suas dúvidas com eles ou com Sofia, que é muito nova, então venha até mim.

– Tem Hannah – tento me defender, mesmo que eu saiba que ela tem razão.

– Bem, se ela também quiser conversar com alguém mais velho, vocês duas podem vir até mim – ela diz e se levanta, me puxando para um abraço. – Eu soube que está treinando com Cléo.

– Hoje é o dia dos assuntos constrangedores – eu brinco, abraçando-a de volta. – Sim, estou.

– Ela não está te perturbando, está? – pergunta, e tenho vontade de rir, porque sua preocupação me faz sentir com 6 anos de idade.

– Não, ela está se comportando direitinho. Agora que tenho dedos livres, provavelmente vai arrumar uma forma nova de me torturar, mas ela jura que é necessário – respondo, desviando o olhar.

– Se é importante para você ficar bem, deve obedecê-la. – Embora eu não tenha contado para vovó Clarisse diretamente sobre o que havia acontecido na missão, algo em sua voz me dá certeza de

que ela descobriu de alguma maneira. – Pelo menos ela parou de insistir que vocês se comportem como uma família?
– Às vezes ela fala algo assim, mas acho que percebeu que não gosto – digo e me afasto. – Minha família é você. Você, Rubi, Dimitri e Tomás. Você vai ficar conosco quando tudo acabar?
– Não sei. Eu honestamente não faço a mínima ideia. Adoraria poder ficar com as meninas aqui, mas... e as outras? As que estão em algum lugar e precisam ser protegidas? – ela responde com pesar, arrumando o meu cabelo. – Mas eu adoraria conhecer essas pessoas que se tornaram tão importantes pra você.
– Como elas estão? Carine e as outras? Eu mal as vi desde que cheguei e foi muito estranho revê-las.
– Bem. Sarai descobriu a anomalia dela, estou esperando que as outras duas também o façam – ela responde com um sorriso enigmático e eu demoro algum tempo para processar o que disse. Me lembro de Amita, uma das garotas do orfanato que descobriu que era anômala sobrevivendo à uma mina terrestre. Nina, a mais velha de todas nós, que era minha melhor amiga, foi transferida de unidade no exército, algo que dificilmente acontecia em início de carreira. A sucessão de nomes e rostos, e a maneira como Vovó Clarisse nos ensinava a sempre manter a calma, a nunca fazer nada muito arriscado... Tudo faz sentido em uma frase.
– Nós... todas nós? – pergunto, embasbacada. – Todas nós somos anômalas?
– Algumas famílias em Kali preferem abandoná-las do que criá-las só para serem recrutadas pelo exército antes mesmo de virarem adultas. E eu as escondo, tento dar outra opção à elas – explica, e eu preciso me apoiar em algum lugar para não cair. – Você foi a única que não foi encontrada nessa situação.
– Elas seriam monstrinhos de rua se você não as salvassem? – Só quando pergunto percebo que terrível é a expressão que usam em Kali para os bandos de crianças anômalas que vivem nas ruas, se virando de qualquer forma para sobreviver. – Não, finge que não usei esse nome. Elas morariam na rua se você não fizesse nada?
– Provavelmente nem conseguiriam sobreviver ao primeiro ano – diz e eu me aproximo dela, abraçando-a.

– Obrigada por ser tão generosa.
Vovó Clarisse faz cafuné em mim, como se eu ainda fosse uma criança, mas o momento é interrompido pelas batidas na porta. Andrei parece um fantasma, com o jaleco branco manchado de vermelho e uma expressão assombrada. Não precisa falar nada para que vovó Clarisse se movimente rapidamente, atravessando a distância até a enfermaria, onde Lisandra está, como uma tempestade, eu e Andrei na sua cola. Ela nem sequer reclama que estou aqui, de tão preocupada que está.

– Chame a equipe médica! – exclama para Andrei antes de fechar a porta na sua cara. O garoto não hesita e sai correndo, me deixando na frente do quarto confusa e sem saber como agir. Sou uma intrusa, mas quero saber se posso ajudar.

Me agacho ao lado da porta, observando a movimentação nervosa de pessoas sem atrapalhar. Depois de um tempo, um homem é praticamente expulso do quarto e o reconheço como quem acompanhou Lisandra até aqui, provavelmente seu esposo, Yuhan. Ele está limpo e mais arrumado, com a barba feita, mas seu rosto é uma máscara de desespero. Ele olha para mim e para a porta nervosamente e, quando percebe que não vão chamá-lo para dentro, se abaixa ao meu lado, me olhando intensamente.

– O que está acontecendo? – ele pergunta para mim e fico surpresa que ele mesmo não saiba.

– Eu não faço ideia. Achei que você soubesse...

Ele engole em seco, desolado, e senta no chão, esticando uma perna.

– Sabia que estava bom demais para ser verdade – comenta baixinho, olhando para cima e cobrindo o rosto com uma das mãos.

Fico em silêncio e abraço meus joelhos, sem saber como consolá-lo. Eu sinto o peso dos seus sentimentos, o medo e o desespero se transformando em palavras murmuradas de uma prece contínua para o Criador, no idioma cheio de vogais e inflexões que é mais utilizado no Império. Ele parece se agarrar às palavras como se fossem oferecer algum conforto e, depois de um tempo, o cântico me acalma também. Em situações como essa, em que não há nada a fazer, em que tudo parece perdido, parece ser bom ter alguém a quem recorrer, uma entidade abstrata que ofereça conforto. É uma face que me agrada mais do que a ideia de que estamos sendo policiados o tempo inteiro.

Depois do que parece ser uma eternidade, vovó Clarisse sai do quarto com uma expressão que já vi várias vezes e seguro o braço do homem como reflexo, numa tentativa fútil de impedir as palavras que sei que estão por vir.

– Eu sinto muito – vovó murmura e observo que seu jaleco está salpicado de sangue.

– Nem o bebê? – ele pergunta, com um tom de cortar o coração.

– Lisandra ficou instável muito rápido e fizemos tudo para tentar salvá-la. Quando vi que não havia chances, nós tentamos retirar o bebê mas... – Ela balança a cabeça, entristecida. – Eu sinto muito.

Se há um som para um coração partido, é o que o homem faz quando recebe a notícia, um urro animalesco entre a raiva e a dor. Sinto vontade de chorar com ele e encosto em seu ombro. Fico surpresa quando ele se agarra a mim em desespero, suas lágrimas encharcando o tecido da minha camisa. Cada soluço faz com que ele estremeça por inteiro e eu passo a mão em seu cabelo, sentindo minhas próprias lágrimas se juntarem às dele. É como se a perda do homem fosse grande demais para ele aguentá-la sozinho, e começo a me lembrar de Ava e me descontrolo. Não é certo pensar nisso, mas o que aconteceu com Lisandra e seu bebê é o que nos espera se não vencermos essa luta.

Não sei ao certo quando é que Idris aparece e nos força a levantar. O homem parece destruído quando a líder o leva para longe, sussurrando palavras de conforto. Ninguém parece bem, e o humor na fortaleza é gélido e cortante. A notícia da morte da mulher se espalha rapidamente e vou atrás de Hannah e Sofia quando vovó Clarisse e Andrei se trancam no laboratório para uma reunião. Sofia está pior do que eu, e nós três nos encolhemos em um canto do seu quarto, murmurando bobagens como distração e esperando.

Parece que essa é única coisa que sabemos fazer.

Capítulo 27

Estou treinando com Cléo no dia seguinte, um circuito de corrida com obstáculos que é praticamente impossível de vencer, quando Idris aparece. Eu paro o que estou fazendo para observá-las, e Cléo estala os dedos, me mandando voltar ao trabalho. Elas conversam por muito tempo, sentadas em um dos cantos, e a voz grave de Idris ressoa no cômodo, mas não consigo discernir nenhuma palavra do que diz. Quando se levanta para sair, para no meio da sala e me observa com um sorriso.

– Tenho boas notícias para você – diz e eu me atrapalho, tropeçando em um dos estrados de madeira que tenho de pular.

– Teve notícias de Leon e Maritza? – pergunto, esperançosa, e Idris abaixa a cabeça, me dando a resposta que não quero.

– Não é isso. Nós vamos agir – explica e olha para Cléo e para mim, ponderando algo. – Você vai com Cléo, hoje à noite. Você, Victor e Hannah, e uma unidade à escolha dela.

– O que vamos fazer? – Fico nervosa e me aproximo, saltando mais alguns estrados de madeira no caminho. – Vamos atrás deles?

– Vocês vão impedir que Fenrir atrapalhe nossos planos – Idris explica. – Petra convocou uma Cúpula Máxima no Senado para juntar todos os senadores e os presidentes das províncias para decidir assuntos de extrema urgência e relevância nacional. A situação em Prometeu anda precária, com os avanços de Fenrir e a escassez de comida. Eles vão resolver isso da forma que queremos. Mas precisamos dar uma mãozinha para eles: Charles está fazendo uma campanha para juntar o maior número de humanos na frente do Senado durante o evento, para engrossar nosso coro. Pretendemos levantar a maior manifestação que a União já viu para garantir que o cônsul seja derrubado.

– E nós *quatro* vamos impedir que Fenrir se aproveite da situação e vire as coisas a seu favor? – pergunto, descrente.

— Vocês serão uns vinte, Sybil — Idris fala. — Mais bem treinados do que qualquer pessoa da Aurora. E só precisam garantir que ele não vai deixar Pandora. Cléo tem um plano que soa promissor.
— Mas e se Maritza estiver certa? — questiono. — O que vão fazer depois?
— Você realmente acha que Felícia está por trás disso? — Cléo parece descrente. — Nós impedimos Fenrir, Petra negocia com ele, e aí, mundo novo!
— Parece fácil demais. — Olho para Idris, apreensiva.
— Não, não é fácil — ela responde, com um suspiro pesado. — Mas é o melhor que podemos fazer atualmente. Se formos para cima do cônsul sem impedir Fenrir ou vice-versa, um deles pode nos deter. É essencial garantir que um não atrapalhe nosso sucesso com o outro.
— Tudo bem — dou de ombros.
— Você não parece ter muita convicção.
— Eu não preciso ter convicção, Idris, eu só preciso que você tenha — explico. — Seu humor afeta todo mundo e se você não tem certeza de que esse é o melhor plano, as pessoas também não terão.
— Você acha que não sei disso? — rebate. — Você acha que cheguei até aqui sem saber que meu comportamento afeta toda a estrutura dessa organização? Estou te perguntando porque eu e Cléo prezamos sua opinião, Sybil.
— Por quê? — eu pergunto, curiosa. — Por que alguma de vocês se importa com o que eu, uma garota de 17 anos, que não sabe nem o que vai comer amanhã, pensa?
As duas parecem constrangidas e olham para todos os lados, menos para mim. E então, percebo como fui estúpida, porque a resposta está bem na minha frente.
— Vocês acham que eu posso substituir meu pai? — pergunto surpresa, decepcionada, irritada.
— Você está chamando o Almirante de pai agora? — Idris pergunta, de forma leve.
— Eu podia chamar ele do que quisesse e não iria mudar o fato de que, somados, eu passei quinze minutos com ele na minha vida. Quinze! Minutos! — exclamo. — Se vocês duas acham que tenho

algum tipo de sabedoria sobrenatural só por compartilhar uma parte do DNA dele estão enganadas.

— Me recuso a ficar aqui e ouvir isso de você! — Cléo se torna vermelha como um pimentão e esconde o rosto, e sei que acertei um dos seus pontos fracos. — Esteja pronta para sair na hora combinada.

A exaustão no rosto de Idris é visível enquanto observa Cléo bater a porta com força. A líder me olha séria, me analisando, e sinto um frio estranho no corpo.

— Não pretendia causar esse mal-estar entre você e Cléo. Como andam os treinos? Ela tem te tratado bem? Você notou algo diferente?

— Hum, nada fora do normal — respondo sem saber direito o que seria algo diferente no jeito com que Cléo e eu convivemos. — Por mais que eu me esforce, não tenho muita afinidade com Cléo. Ela quer que eu seja alguém que não sou, e não me vejo como parte da família dela. Tirando nossas anomalias, não somos nada parecidas. Não me sinto... humm... muito segura com ela.

Idris faz um som ininteligível e leva a mão ao queixo, seus pensamentos bem longe de onde estamos.

— Ela comentou sobre o ataque que sofreu quando estava voltando para cá?

— Só disse que Reika se machucou.

— Tudo bem. — Idris pondera por alguns instantes antes de apoiar a mão em meu ombro. — Quando sairmos daqui, podemos arrumar outra pessoa para te treinar. O que acha disso?

— Pode ser — digo, e ela aperta meu ombro uma vez, com um sorriso gentil.

— Eu... — começa. — Não posso falar por Cléo, mas eu nunca vi seu pai em você. Estava acostumada a ter Lupita ao meu lado o tempo inteiro, me ajudando, me mostrando caminhos que não consigo ver direito, chamando minha atenção quando erro. E... Eu pensei, se eu pude dar minha filha para ajudar o Alexander, que mal tinha usar você para me ajudar? Para preencher o espaço que ela deixou quando se foi? Eu sinto muito.

— Pessoas não são substituíveis. — Minha voz sai estrangulada, mas sinto pesar por sua dor.

— Eu sei. Não deveria ter feito isso.

– Mas obrigada. – Encosto em seu braço numa tentativa de consolá-la. – Por confiar em mim. Por nunca ter me cobrado mais do que eu conseguiria fazer. Gostaria que as coisas tivessem sido diferentes e que Lupita pudesse estar com você agora.

– Conto com vocês para que a morte dela não tenha sido em vão – diz, apertando meu ombro. – Tome cuidado.

Eu agradeço e a deixo, procurando Hannah para que ela me explique o que preciso fazer antes de sairmos. O dia passa como um borrão enquanto organizo a mochila, misturando os poucos pertences pessoais que tenho com algumas armas que encontro e acho úteis: uma faca, uma caixa de ferramentas, uma bolsa com compostos explosivos que só se ativam quando misturados, uma arma de choque. Em seguida, me misturo com as outras pessoas que irão conosco. Hannah manda que eu coloque uma faca extra dentro da bota, e eu obedeço, mas sou claramente a mais inútil do grupo. Penso que só estou aqui porque Cléo me quer por perto, pois não sou tão treinada quanto os outros.

Me despeço de Sofia com um beijo na bochecha e uma promessa de que nos veremos em breve e vou até o laboratório de vovó Clarisse, mas encontro Andrei no meio do caminho, na biblioteca. Seu cabelo está desgrenhado e parece que não dormiu mais de meia hora de ontem para hoje. É a primeira vez que o vejo desde que Lisandra morreu e ele parece aliviado quando me vê, me envolvendo em seus braços.

– Por um minuto achei que você já tinha saído – ele murmura no meu cabelo. – Só nos avisaram agora.

– Eu não iria sem falar com você antes – digo, me afastando. – Vocês ainda não saíram do laboratório?

– Clarisse quer tentar descobrir o que aconteceu o mais rápido possível, aproveitando a última amostra de sangue de Lisandra. Ela acha... – Ele hesita, olhando para os lados e me puxando para entre duas estantes. – Ela acha que não tem como reverter, que todos os que foram curados vão morrer da mesma forma que Lisandra. Está tentando ir por esse lado para pelo menos passar uma proibição das pesquisas no Senado.

– Quer dizer que todos eles vão morrer? – Sinto um frio no estômago. – Todos?

– Não tem como ter certeza de nada ainda – ele sussurra e beija minha testa. – Não vamos sair daqui enquanto não conseguirmos algo concreto, isso eu te garanto.

– Você está ficando cada vez melhor nesse negócio de ver o lado positivo das coisas, hein? – brinco e ele sorri. – Queria que estivéssemos todos juntos, eu, você e Leon. Sinto que somos melhores assim. Você podia vir comigo, posso falar com Cléo...

– Sybil... – Consigo ouvir a negativa em sua voz e suspiro, resignada.

– Acho que o problema é que tem tantos pedaços do meu coração espalhados por aí... e eu não queria enfrentar isso sem o maior deles. – Seguro sua mão e beijo a palma, abaixando-a até o meu peito.

– Se você quiser, pode levar um pedaço do meu para te ajudar. Depois a gente troca – ele diz com humor, se abaixando e encostando os lábios nos meus no beijo mais gentil, mais doce, mais frágil que já recebi na vida. Eu o puxo mais para perto e ele me abraça pela cintura, toda a ternura que ele sente óbvia em cada um dos seus movimentos. Ele me solta e encosta o queixo na minha cabeça e eu levo minhas mãos ao seu peito, sentindo seu coração acelerado sob meus dedos.

– Eu preciso ir. Nos vemos depois? – digo, por fim. – Fala para vovó Clarisse que amo ela e espero vê-la em breve.

– Tudo bem – ele concorda, mas não me solta. – Espera só um pouquinho.

– O que foi?

– Shh, só um pouquinho – pede e eu o abraço por dentro do jaleco, sentindo o calor da sua pele. Ele me aperta mais contra si e, depois de quase um minuto, diz: – Pronto.

– O que foi isso?

– Eu estava vendo se conseguia pegar um pouco da sua coragem. Funcionou. Espero que não faça falta pra você. – Ele me dá um selinho e precisa me empurrar para eu sair da biblioteca. Olho para ele mais uma vez, com as mãos enfiadas no jaleco, e ele dá um sorriso. – Quando você vir Fenrir, dê uma porrada na cara dele por mim. Com uma cadeira. Várias vezes.

Não consigo evitar sorrir enquanto caminho em direção à garagem, mesmo que meu coração esteja disparado de ansiedade. Sou a última a chegar e fico parada ao lado de Hannah e Victor enquanto ouvimos a explicação de Cléo sobre o que vamos fazer. A ideia é nos separarmos, um grupo indo pelo caminho usual nos túneis e o outro, pela rota mais longa. Além disso, só sabemos que devemos nos misturar com os habitantes de Pandora e nos encontrarmos no prédio da prefeitura ao anoitecer do segundo dia, que será quando Idris sairá daqui. Até lá, precisamos tentar juntar a maior quantidade de informações sobre a defesa e o funcionamento da cidade.

Parece um bom plano e fico otimista quando entramos na escuridão do túnel. Estamos em um carro aberto como o que me trouxe para cá, e em uma das pontas, com Victor inquieto ao meu lado, sua aflição contagiosa. Meu coração martela no peito e não sei o que esperar dessa viagem. Faz menos de um mês que deixei Pandora, mas acho que ela não estará igual. Nós não pegamos o mesmo caminho que usamos para chegar até a fortaleza; deixamos que o outro grupo, num carro mais robusto, siga por ele. Hannah parece impaciente depois de um tempo, e sussurra para Victor:

– Você já sabe o que vai fazer quando encontrar Felícia?

– Não. – Ele parece nervoso. – Mas não deixem que ela encoste em ninguém.

– Certo, amarrar Felícia assim que a vir. – Hannah toma nota mental. – Mais alguma dica?

Ele começa a falar, mas desiste rapidamente, negando. Eu começo a mexer na bandagem do meu pulso, arrumando-a para que não haja nenhum perigo de se soltar, enquanto Hannah faz mais algumas perguntas para o garoto, que responde de forma monossilábica. Não estou prestando atenção em nada específico quando vejo uma luz no teto do túnel mais à frente, como se estivesse refletida num espelho, e pisco algumas vezes para garantir que não estou ficando louca antes de gritar:

– Cuidado!

Cléo pisa no freio de uma vez, lançando todos nós para frente. Me seguro no banco com força e Victor estica seus braços para segurar a mim e a Hannah, em um reflexo. Minha testa bate nas costas do assento da frente e fico atordoada com as luzes intensas que nos

iluminam, mas o clique da arma me deixa quase imediatamente alerta. Percebo que estamos encurralados antes dos outros e, quando levanto o braço para proteger minha vista, consigo identificar uma das pessoas vestidas de amarelo e preciso me conter para não gritar.
— Olha só quem está aqui. — Professor Z se aproxima de mim, com as mãos nos bolsos e uma postura casual. — Que coincidência engraçada! Eu tinha certeza de que você estava morta.
Toda resistência é inútil, porque se somos dez pessoas no carro, eles são o triplo. Quando meus olhos se acostumam, vejo jovens vestidos de amarelo nos cercando por todos os lados, com as armas mais estranhas que já vi, e sinto um arrepio quando lembro que são exatamente como as do arsenal de Fenrir, em seu castelo. Professor Z me puxa para fora e eu me debato, mas ele é maior e mais forte, e a primeira coisa que faz é colocar uma arma na minha cabeça. Cléo levanta as mãos de onde está, na cabine de motorista, e um dos garotos berra para que larguemos todas as armas. As pessoas hesitam, mas professor Z dá um tiro para o alto, arrancando gritos e uma rendição fácil.
Sinto vontade de chorar enquanto professor Z praticamente me arrasta até seu veículo: um quadriciclo estranho que parece capaz de passar por cima de qualquer coisa. Ele me joga de qualquer jeito no assento e bato as costas no retrovisor, me encolhendo com a dor. Professor Z se vira para os demais, sua coordenação motora boa o suficiente para que a mão que segura a arma em minha direção nem sequer trema. Analiso a situação: se eu conseguir fugir dele, para onde vou? Como vou fugir de tantas pessoas?
— Salvem a motorista, o garoto esquisito e a garota chamada Hannah. Podem matar todos os outros — ele ordena.
— Não! — eu berro e ele olha para mim com um sorriso divertido.
— Não o quê? — pergunta. — Eu devo matar todos? Você quer ver?
— Você pode levá-los com você. Ninguém precisa morrer — barganho, me sentindo gelada, e ele dá uma gargalhada.
— Todos eles já estão mortos, Sybil. Estamos só resolvendo a questão logística da coisa — ele fala e me encolho quando ouço o primeiro tiro e os sons de luta que se seguem. — O quê? Você disse alguma coisa?

Sinto o sangue rugir nos meus ouvidos enquanto olho ao redor, percebendo que existem outros três quadriciclos como o que estou e, atrás de nós, não há ninguém, nenhum tipo de vigia. Um plano se forma em minha mente e percebo algo. A postura de comando de professor Z e a forma como todos parecem obedecê-lo cegamente, sem sequer questionar, deixam óbvio que ele é o líder da Aurora. É por isso que tantas pessoas da minha escola estavam fazendo parte, é por isso que tantos adolescentes se juntaram sem muita dificuldade.

– É você, não é? – pergunto e ele parece ligeiramente surpreso. – Você manda em todos eles, você começou a Aurora. Deve ser patético demais ser um adulto e só ter moral com um monte de adolescentes em quem você fez lavagem cerebral.

– Cale a boca! – Ele parece irritado com minha provocação e pressiona a arma contra minhas têmporas. – Se falar mais uma palavra, eu atiro.

– Mas você não pode me matar – blefo, escondendo o quanto estou tremendo. – Fenrir me quer viva, para poder me punir. Não é?

– Você quer testar?

– Vá em frente – provoco, considerando a inteligência da minha mania de enfrentar armas dessa forma. O dedo do professor Z vai para o gatilho, mas não se move. Ficamos assim por alguns segundos antes dele abaixá-la. – Agora, pare de matá-los.

Eu prevejo o movimento que faz antes que aconteça, e consigo me desviar, escapando por um triz da coronhada que deveria me acertar. Ele parece surpreso e aproveito para correr abaixada, agradecendo mentalmente pelos últimos dias de treino com Cléo que me fizeram ficar um pouco mais ágil. Quando ouço os tiros em minha direção, me jogo atrás das rodas do veículo. A mochila nas minhas costas amortece a queda.

– Não atirem! – professor Z berra e agradeço mentalmente pelo orgulho imenso de Fenrir e o medo que ele exerce nos outros. Pelo menos por enquanto é isso que me mantém viva. – Mas não a deixem escapar! É uma garota de um metro e meio, seus incompetentes!

– Fenrir te avisou para amarrá-la! – Ouço um dos garotos retrucar.

— E vocês não fizeram isso por quê? — professor Z berra de volta.

Aproveito o tempo que perdem e rolo embaixo do veículo, depois me agacho do lado oposto ao que estão. O painel de controle é algo louco e me sinto burra por não ter considerado que poderia ser acionado com chaves que não estão aqui. Espero que, pelo menos, a distração seja suficiente para que os outros fujam enquanto penso em uma alternativa. Puxo a faca da minha mochila, ciente de que ela não terá efeito nenhum se decidirem atirar em mim, e procuro o tanque de combustível. Se não posso usar para fugir, pelo menos posso mandar tudo pelos ares.

Ouço passos se aproximando e levanto a faca. Abaixo a guarda quando vejo que é Cléo. Estou aliviada por ela estar aqui também e me aproximo, esperando que tenha algum plano.

— Onde estão os outros? Estão todos bem? — pergunto num sussurro, e Cléo dá um sorriso, desviando os olhos de mim.

— Eu sinto muito por isso — ela fala e, antes que possa fazer algo, meu pulso enfaixado está entre seus dedos, sendo esmagado.

Minha vista escurece e fico zonza, e ela torce meu braço de forma não-natural, aumentando a dor, até me deixar imobilizada contra o chão. Ela amarra meus pulsos nas costas com uma corda apertada, joga minha faca para longe e não consigo entender o que está acontecendo até que as botas de professor Z param na minha frente e ele encara minha tia com um sorriso satisfeito.

— Eu sabia que você seria útil para alguma coisa — ele diz e Cléo cospe na direção dele, com escárnio.

Fico em silêncio enquanto vejo Cléo se deixar ser amarrada por professor Z, sentindo o ódio queimar dentro de mim. Vários nomes me vêm à mente, mas mordo os lábios, sem querer dar essa satisfação a eles. Meu pulso está latejando sob a corda, mas pelo menos ainda tenho minha mochila. Se eu conseguir chegar até Pandora, posso me soltar. É isso que repito mentalmente enquanto professor Z me levanta e me arrasta até o quadriciclo, chutando meus pés quando me recuso a mover.

E, quando eu me soltar, eles vão se arrepender de não terem me matado quando puderam.

Capítulo 28

Hannah é a que mais se debate enquanto tentam nos tirar dos túneis, e posso ver as lágrimas em seus olhos enquanto dá cabeçadas a torto e a direito. Victor tem um hematoma imenso em uma das bochechas, mas caminha com os ombros pesados, como se fosse um prisioneiro a caminho da forca. Me recuso a abaixar a cabeça, caminhando ao lado do professor Z com uma postura orgulhosa enquanto ele me puxa. Cléo é uma atriz muito boa, porque quando um dos garotos dá uma coronhada em Hannah, ela se exalta a ponto de precisar levar um mata-leão que a deixa desacordada.

O sol está nascendo quando o grupo nos leva da estação de metrô vazia até o prédio da prefeitura. Sinto meu coração afundar no peito quando vejo como Pandora está: as tendas dos anômalos que tinham sido removidos para cá deram lugar a tendas cobertas com panos amarelos e, mais à frente, há uma trincheira feita com pedaços de metal retorcidos que tenho certeza de que um dia foram os postes de luz ornamentados do centro da cidade. O fedor de lixo, de suor e de fumaça me faz engasgar. Lembro da última vez que estive aqui, dos humanos que foram queimados vivos e sinto náuseas.

As portas da prefeitura são abertas por dois garotos não muito mais velhos que Tomás, e o hall principal está cheio, com adultos e adolescentes igualmente, todos mais ocupados em limpar e alinhar armas e munições do que prestar atenção em nós. O plano de Idris parece risível quando vejo essa quantidade de pessoas disposta a ajudar e a quantidade de munição que têm. Nós podemos ter poder de fogo, mas não é nada comparado ao que vejo aqui.

Professor Z me guia até o fundo do prédio, onde um conjunto de escadas leva ao andar de cima. Olho para trás, esperando que o garoto levando Hannah esteja nos seguindo, mas vejo que mudou de direção.

– Para onde vocês estão levando ela? – É a primeira coisa que falo desde que chegamos, fincando os calcanhares no chão.

– Não te interessa – professor Z fala rispidamente, me empurrando para que eu prossiga. Coloco peso contra sua mão, me recusando a me mover. – Você pode colaborar ou eu posso te obrigar, você escolhe.

– Se alguma coisa acontecer com ela... – ameaço, e ele solta uma gargalhada.

– O que você vai fazer? Fugir só para ser encurralada daqui a dez metros? – ele zomba e eu chuto sua canela, fazendo-o sacudir minhas mãos amarradas. Fecho os olhos quando sinto uma pontada no pulso machucado. – Se comporte.

Mesmo assim, luto por todo o caminho até a sala do prefeito, onde Fenrir está. Victor só nos observa, em silêncio, e tenho vontade de sacudi-lo e mandar que faça algo! Quando chegamos na frente da porta, coloco todo o meu peso contra professor Z e ele tem um trabalho imenso para poder me empurrar e me obrigar a entrar.

A primeira coisa que percebo é a flâmula imensa com o rosto de Fenrir no fundo da sala. Logo abaixo dela, ele está sentado atrás de uma mesa escura, olhando para o lado, exatamente como a imagem na bandeira, e minha reação é gargalhar. Só falta uma foto sua na mesa, exatamente na mesma pose, para fechar a cena. Felícia está sentada em um sofá no centro da sala e parece intrigada pela minha reação, mas professor Z está nervoso e manda, sem sucesso, que eu cale a boca.

Fenrir se levanta, com seu sorriso afiado de tubarão, e eu o encaro, minhas gargalhadas se transformando em um sorriso de desafio. Estou morrendo de medo por dentro, mas não desvio o olhar nem quando ele para à minha frente, seus olhos mostrando que um sorriso é a última coisa que quer estampado no meu rosto.

– Confesso que te subestimei – ele fala, seu tom cortante como gelo. Levanto mais o queixo, controlando o quanto estou assustada por estar aqui, encarando-o depois de tanto tempo. – Achei que você ia ser só uma pecinha no meu jogo, só uma forma de chantagear *seu pai*. Mais uma mártir da minha causa. Você foi uma ótima coadjuvante, com o episódio dos policiais humanos destruindo sua mão, coitadinha. A triste história da menina que veio de Kali, sobrevivente de um trágico naufrágio, só para morrer na explosão... Mas eu não esperava que você fosse ser uma pedra no meu sapato.

– Também é um prazer te rever, Fenrir. – Minha voz sai mais firme do que espero, e o sarcasmo está no ponto certo. – Sabe, confesso que achei que você era mais inteligente. Não sabe a dificuldade que seus capangas tiveram para me pegar.

Ele se aproxima e segura meu queixo e, quando tento me desvencilhar, ele aperta minhas bochechas com seus dedos gelados. Sua mão é imensa e tenho certeza de que, se quiser, consegue quebrar meu nariz com um gesto. Tento soltar minhas mãos, mas a corda está muito apertada e não posso fazer nada.

– Você era mais bem-comportada antes de *morrer*. A propósito, bom truque. Eu não me preocupei em te calar porque achei que você estava com seu pai e aquela traidora da minha cunhada embaixo da terra. Foi um bom espetáculo, não foi? – Seu sorriso é sádico. – Sua família está aqui, eles são adoráveis. É tocante como Rubi protege Dimitri, mesmo não sendo irmãos de sangue. É uma devoção inacreditável.

– Você está mentindo – digo, entredentes, e Fenrir gargalha.

– Quando você vai aprender que não minto nunca, Sybil? Não sobre o que é divertido.

Aproveito a proximidade para cuspir em sua cara, acertando-o bem no olho e ele me solta com uma expressão de nojo, pegando um lenço de seda amarelo do bolso do terno para se limpar. Me surpreendo quando ele me joga no chão com um tapa na cara, e sinto o gosto de sangue dentro na boca. Ouço Felícia rir e me encolho, tentando me afastar de Fenrir. Mas ele me coloca em pé como se eu fosse uma boneca de pano, seus olhos irados. Nunca me senti tão humilhada na vida.

– A próxima vez que fizer isso, será a última que fará qualquer coisa na sua vida – ele ameaça.

– Quer que eu a deixe comportada? – Felícia pergunta, e sinto um calafrio quando vejo como está perto de mim, com os braços cruzados e uma expressão impassível.

– Não! – Victor exclama de onde está e ela levanta o rosto, um

sorriso demoníaco se formando nos lábios. – Não, Felícia. Eu voltei. Estou aqui. Não faça nada com ela.
– Sempre soube que você iria voltar. – Seu tom é amoroso e sinto nojo. – Venha cá, Sybil. Não vai doer nada.

Me debato e tento me afastar, mas a menina segura com força nos meus braços amarrados, afundando as unhas na minha pele. Desvio o olhar, torcendo para que o poder dela não tenha efeito sobre mim. Ela se aproxima e sussurra no meu ouvido:
– Calma, Sybil. Calminha. Você vai ficar muito feliz em me obedecer.

Aos poucos sinto meu corpo relaxar e fico com uma sensação parecida como quando vejo Andrei depois de muito tempo. A dor do meu pulso parece algo distante, assim como todas as preocupações. Por que eu não a obedeceria? Fenrir está irritado o suficiente para me matar se quiser, e Felícia parece a melhor saída para que eu fique viva no final. Ela com certeza não faria nada de ruim para mim, que nunca fiz nada contra ela. Parece uma boa lógica, e eu agradeço quando solta meus pulsos, ficando em pé no centro do salão.

– Sybil! – Ouço Victor falar e não entendo por que ele está tão alterado. Felícia se aproxima e ele se encolhe, se contorcendo, e não faz nenhum sentido para mim. Felícia é tão boa, nunca faria nada de ruim para ele.

– Me conte onde fica o esconderijo de Idris – Felícia pede e eu a encaro, confusa. Por que ela quer saber isso? Não está dentro do acordo, não. Ela insiste: – Sybil, me conte.

Balanço a cabeça, me recusando a abrir a boca. Se eu contar, isso, com certeza o destino de todo mundo da fortaleza será a morte. Idris, Sofia, vovó Clarisse e Andrei. Eu não posso entregá-los assim, de mão beijada. Felícia insiste mais algumas vezes, mas sou irredutível e, de repente, eu entendo. Entendo por que Victor estava tão desesperado.

Sinto uma dor profunda na base da minha nuca, a pior dor de cabeça que já tive. Minha visão fica turva e a respiração se acelera, a dor como uma facada na base do meu crânio. Pisco várias vezes, mas parece que o mundo foi coberto por uma aura de luz e não consigo me controlar direito. O que essa psicopata fez comigo?

— Túneis — digo sem querer, mordendo os lábios para não falar mais nada. Eu a encaro com ódio do meio da minha dor e ela parece intrigada, como se eu fosse um brinquedo quebrado.

— Não vai funcionar — Fenrir diz, irritado. — Não funcionou com nenhum deles. O que aquela criatura faz com vocês para serem assim?

— Não fale de Idris desse jeito — retruco, e ele parece exasperado, olhando para Felícia como se ela devesse fazer alguma coisa.

— Nós vamos levá-la para a cela — Felícia diz, e Fenrir parece frustrado, mas não discute. — Sybil, não precisa mais me contar nada, mas me siga. Victor, me espere aqui como um bom garoto.

Abro a boca mais uma vez, para testar, e nenhuma palavra indesejada sai. Olho para Victor, que faz um sinal para que eu siga Felícia, antes de se sentar em uma das cadeiras, resignado. Ele tem um pouco de razão, porque fora da vista dos dois é mais fácil bolar algum plano. Ainda estou com minha mochila e espero que nenhum deles ache que ela apresenta algum tipo de risco. Felícia vai na frente, e professor Z, que bateu o seu recorde pessoal de ficar calado, está atrás de mim, sem dar um pio. Tenho certeza de que morre de medo dela.

O caminho que fazemos é bem direto: para fora, subindo mais um andar, virando à direita. Paramos em frente a última porta do corredor e professor Z desamarra minhas mãos, certo de que não reagirei. E, mesmo assim, não sinto vontade alguma de fugir. Felícia abre a sala e o fedor de urina e sangue seco me engalfinham, me fazem engasgar. O homem que a acompanha puxa a mochila das minhas costas com brutalidade e a abre, virando todo o seu conteúdo no chão, os diários da minha mãe biológica desabando com um ruído seco.

— Não faça isso! — exclamo e me abaixo para pegá-los, mas Z afasta minha mão com o seu pé. Meu reflexo é me encolher, a memória do soldado pisando em mim ainda é fresca demais.

— Acha que vamos deixar você ficar com tudo isso? — desdenha e se abaixa, pegando um deles. Quando o abre, duas fotos caem no chão, e sou mais rápida que ele para pegá-las. — O que é isso? Você veio para uma missão e trouxe seu diário?

— Me devolva! – exijo e me levanto, segurando as fotos contra o peito. – Você pode pegar todo o resto, mas isso não.

— Devolva para ela – Felícia ordena e Z fica imediatamente tenso. – Verifique se não há mais nenhuma arma na mochila, coloque os diários dentro e devolva. O que você acha que ela vai fazer com eles? Uma bomba?

Professor Z obedece com rancor, praticamente descosturando os bolsos de fora da mochila na tentativa de achar mais alguma arma. Depois, coloca os diários um a um dentro dela e me entrega. Eu agarro a bolsa, sentindo uma onda de gratidão imensa por Felícia. Tento não desviar os olhos para onde Hannah pediu que eu escondesse a faca em minha bota, esperando que não pensem em me revistar com mais afinco. Mas Z parece irritado demais por Felícia ter cortado a sua onda e observa, carrancudo, enquanto a garota segura meu braço com força e sussurra:

— Fique aqui dentro e não saia.

Tento lutar enquanto a sensação de prazer me encurrala e me faz acreditar que ficar esperando nessa sala é a melhor opção, que ouvir Felícia é bom, porque ela está me ajudando. Sento-me em um canto do chão, cruzando as pernas enquanto a observo sair e trancar a porta. É como se tivesse uma batalha dentro de mim: a parte sensata, que sabe que isso é errado e vai me custar muito caro, e a parte que só quer aproveitar a sensação de alívio, que faz raciocínios que parecem bons o suficiente para me convencer a obedecer. Me sinto leve, e quando vejo quem está na sala comigo, as gargalhadas surgem do nada.

O cônsul está sentado, amarrado na cadeira como um porco assado, e está amordaçado, fedendo mais do que qualquer outra coisa do cômodo. Ele me encara com uma expressão tão intensa quanto a de Fenrir, mas isso só me faz rir mais alto. É por isso que ele não reagiu! Ele está aqui o tempo todo, como prisioneiro. Qual diferença faz todo o plano de Idris se no final Fenrir sempre está um passo à frente?

De um dos cantos, Áquila, o filho de Fenrir, levanta o rosto e vejo que está num estado pior que o meu: seu supercílio está aberto e há um roxo imenso em sua bochecha, com as laterais um pouco verdes, mostrando que o hematoma não é recente. Minhas risadas ficam ainda mais altas e minha barriga dói, porque é engraçado demais pensar que há alguma chance de escapar quando Fenrir havia aprisionado o próprio filho. Ainda rindo, sinto a mão no meu ombro e me viro. Rubi me encara com uma expressão preocupada. Me parece hilário que Fenrir soubesse que estou viva e tivesse tomado seu tempo para cumprir a promessa de que iria fazer mal para minha família se eu não o obedecesse. Sou imbecil por ter achado, em algum momento, que as intenções dele eram boas e que talvez ajudá-lo fosse o melhor para os anômalos.

– Sybil, Sybil. Olhe para mim! – Rubi tenta me fazer focar em seu rosto e eu respiro fundo algumas vezes para tentar me livrar das risadas. A mulher parece preocupada, o cabelo ruivo cortado na altura do seu queixo, completamente diferente de como a deixei. Ela parece mais magra e sua expressão é assustada. – Sybil?

– Estou aqui. Eu estou bem – digo, respirando fundo e fechando os olhos. – Eu estou aqui.

– Ainda bem. – Ela suspira, aliviada, antes de me envolver em seus braços e me apertar com força contra si, um gesto que me lembra de vovó Clarisse. – Você está realmente viva!

Afundo-me em seus braços e tento voltar para a realidade, piscando algumas vezes. Estamos em uma sala sem janelas, que tem só um balde com um cheiro horrível, que suponho ser onde devemos fazer nossas necessidades. A única saída é a porta trancada. Apesar de estarmos todos soltos aqui dentro, não há muito que possamos fazer para escapar e preciso cobrir minha boca para não ter outra crise de riso.

– Sybil? – Ela passa a mão pelas minhas costas, tentando me acalmar.

– Me desculpe – falo, apertando meus olhos com as mãos. – Também... me desculpe por ter fingido que morri.

– Quando Andrei nos contou, nós... não acreditamos. Mas eu entendo... eu entendi. – Ela fecha os olhos, massageando as têmporas. Tirando o cabelo cortado e a expressão de cansaço, ela parece ser a pessoa mais inteira da sala, com nenhum ferimento visível. – Uma semana atrás, Brian bateu na nossa porta e, quando vi, aqueles mo-

leques que são o *exército anômalo* haviam nos cercado, querendo saber onde você estava. Como a resposta não foi do agrado deles, eles nos trouxeram para cá.
– Onde está Dimitri?
– Eles nos dividiram. Nós causamos muitos problemas juntos.
– Consigo sentir a dor em sua voz. – Tomás ficou com as outras mulheres na casa.
– Pelo menos isso – sussurro e me viro para Áquila. – E você? O que faz aqui?
– Fenrir não quer ninguém em seu caminho – ele responde, sua voz amarga. Se levanta com ajuda da parede, o cabelo caindo sobre seus olhos. – "Ninguém" inclui, aparentemente, seu próprio filho. Ele está louco.
– Mas ele faria isso de qualquer forma – respondo, levantando o queixo para observá-lo melhor.
– Não sem mim – ele rebate, travando a mandíbula. – Não desse jeito. O que esse idiota está fazendo aqui?
Áquila aponta com o seu queixo pontudo para o cônsul enquanto aproxima de nós apoiando a mão no tórax. Xingo baixinho quando percebo que provavelmente está com uma costela quebrada, e é por isso que parece sentir tanta dor. Rubi se levanta para ajudá-lo e ele aceita, se abaixando ao meu lado.
– Sua tia nos disse o que você pode fazer, então pode nos tirar daqui – Áquila exige, com uma expressão ameaçadora parecida com a do pai. Eu me afasto, com medo de tocá-lo. Já basta Felícia me controlar, não preciso de Áquila também.
– Do que ele está falando? – Rubi pergunta, confusa.
Tento ignorar a irritação que sinto quando me lembro de Cléo enquanto explico para Rubi uma versão reduzida do que aconteceu desde que os deixei, no dia do comício. Solto minha mochila e entrego um dos diários para Rubi, que o segura e fecha os olhos. Sob suas pálpebras, percebo seus olhos se movendo rapidamente, como se estivesse vendo várias coisas ao mesmo tempo e me assusto, me lembrando só depois da anomalia que ela tem, a de sentir e ver cenas do passado. Quando ela solta o livro, tem lágrimas nos olhos e balança a cabeça, sem palavras.

Áquila se mantém em silêncio, mas com uma expressão impaciente que me dá vontade de socá-lo. Se já não estivesse tão machucado... Quando penso nisso, levo a mão ao meu lábio, que está coberto de sangue seco e sinto raiva do que Fenrir fez. Será que ele também bateu em Áquila? Deve ser a pior coisa do mundo apanhar do próprio pai.

– Dimitri é seu tio? – ela pergunta, por fim, surpresa. – O Almirante, ele... Homem tolo.

– Eu colocaria isso em sua lápide – Áquila diz. – Aqui jaz Alexander Klaus, o homem mais tolo do universo.

– Cale a boca! – explodo. – Você não tem direito de falar nada sobre ele sendo filho de quem é.

– Achei que você não o aceitava como pai. – Fico impressionada em como, mesmo no estado em que está, ele ainda consegue ser maldoso.

– Quem é você para saber o que se passa em minha mente? – respondo, me levantando. – Foi *Cléo* que te disse isso também?

– Ela falou isso e muito mais. Como vai Andrei? – ele pergunta casualmente. – Parou de ser um bicho do mato? Fala com as pessoas? Acho que ele vai ficar bem feliz de saber o que meu pai planeja fazer com Charles. Vai ser uma boa reunião familiar.

– Você quer saber? Mesmo se eu conseguir sair daqui, vou te deixar para trás. – Praticamente cuspo as palavras, caminhando pelo pequeno cômodo. – Ninguém vai sentir sua falta!

O garoto fica em silêncio, a última frase tendo um efeito maior do que eu esperava. Rubi arruma os diários em minha mochila e se junta a mim. Acho que vai me repreender, mas ela só me encara.

– Você tem alguma ideia de como nos tirar daqui? – pergunta para mim, e eu nego.

– Mas para onde iríamos? Estamos cercados por aliados de Fenrir. Não conseguiríamos chegar muito longe – falo baixo, e ela concorda, ficando cabisbaixa. – Nós precisamos descobrir um horário em que ninguém vai perceber que fugimos até estarmos bem longe.

– Tem uma opção melhor – Áquila fala, sem olhar para nós. – Meu pai com certeza vai para o Senado durante a Cúpula Máxima e levará o cônsul com ele. Se conseguirmos convencê-lo a nos levar também, podemos escapar.

– Você tem alguma sugestão? – pergunto com desdém, e o filho de Fenrir não responde por alguns segundos antes de nos fitar com o canto dos olhos.

– Ele vai querer plateia de qualquer forma, só temos que ter certeza de que nós seremos os escolhidos para isso – diz, por fim.

– Desafie ele e estará lá com certeza.

Pondero por alguns instantes. Áquila estar aqui pode ser mais algum tipo de armadilha, mais uma parte no plano de Fenrir, mas o garoto parece tão frustrado que não deve ser o caso. Além disso, faz sentido: Fenrir quer plateia. Ele vai querer se gabar para alguém sobre como o plano que fez está dando certo e, sem o próprio filho por perto, alguém precisa tomar seu lugar. Eu só preciso garantir que ele nos leve, e torcer para termos uma abertura para conseguirmos fugir.

Capítulo 29

Espero até que Rubi esteja dormindo, abraçada nas próprias pernas, para me aproximar de Áquila e sussurrar minha ideia. O garoto olha para mim como se eu fosse louca e sussurra de volta, apontando inconsistências. Nós tecemos o plano assim, sob o olhar raivoso do cônsul e, quando estamos nos últimos detalhes, me sobressalto com o estrondo da porta da sala se abrindo.

Olho na direção do barulho e sinto meu sangue gelar quando vejo Brian e Naoki entrarem no cômodo, os dois com as camisas amarelas que vi o exército de Fenrir usar. Minha amiga tem os olhos baixos enquanto dá água para o cônsul, e Brian joga alguns pacotes metálicos na nossa direção, de forma descuidada. Áquila é lento demais para desviar ou segurar o seu, que o acerta exatamente onde seu supercílio está cortado, e eu olho para Brian de forma quase assassina. É óbvio que ele fez de propósito. Ambos agem como se fôssemos mobílias e eu me levanto, cruzando os braços.

– Quanto tempo – digo, e Naoki levanta o olhar rapidamente, se atrapalhando com as mãos e derrubando um pouco de água na roupa do cônsul. – Fico feliz em ver que estão bem.

– Sybil... – Naoki se afasta do prisioneiro, mas não olha na minha direção em nenhum momento. Brian vai até ela e segura seu braço, oferecendo apoio, e sussurra algo que não escuto.

– Brian, Rubi me contou o favor que você fez a ela – continuo, usando todo meu autocontrole para parecer calma. – Muito obrigada mesmo por colocar minha família nas garras de Fenrir. Nunca um amigo me fez algo tão *bom* quanto isso.

Naoki encara Brian com uma expressão de choque e o garoto dá de ombros enquanto troca o balde por um limpo. Naoki volta a me fitar e vejo como está confusa, sem nenhuma ideia do que fazer agora. Ela se aproxima e sinto minhas mãos tremerem, incerta do que vai acontecer. Ela tem todo o direito de ficar com raiva dessa vez, porque nós a deixamos para trás de forma deliberada. Brian é o único amigo que lhe restou, e se ela está aqui, agora, a culpa é minha. Ela para à minha frente e estica a mão devagar, encostando onde Fenrir me bateu.

– Você está viva – ela sussurra e eu engulo em seco, assentindo.
– Quando me disseram... eu não acreditei...
– Naoki. – O tom de Brian é de repreensão e a garota se assusta. Eu seguro sua mão e sinto sua pulsação acelerada nos dedos. Não faço ideia do que fizeram com ela, mas é óbvio que está aterrorizada.
– Lembre-se das regras.
– Me ajude – mexo os lábios, de forma que Brian não me escute ou veja, e ela balança a cabeça. – Por favor.

O rosto de Naoki se contorce, como se estivesse sentindo alguma dor embora ela não pareça nem um pouco machucada. A garota se aproxima mais de mim e tira alguma coisa de um de seus bolsos, segurando minha mão machucada, pressionando algo um pouco maior do que minha palma contra minha pele. Abro e fecho a boca quando vejo a arma de choques que estava em minha mochila. Ela usa seu corpo para me esconder de Brian, me dando tempo para guardá-la embaixo da minha blusa folgada.

– Naoki, ela fez a escolha dela e você a sua. Ela quis nos trair e se juntar à ralé, e você está no caminho certo – Brian fala com um tom um pouco mais persuasivo, se aproximando dela e encostando as mãos em seus ombros de forma carinhosa. O olhar de Naoki desliza entre mim e ele, e embora não queira soltá-la, deixo-a ir, sentindo o coração pesar. – Vamos.

– Diga a Fenrir que preciso falar com ele – ordeno, encarando Brian, que demonstra desdém. – É sério. Eu tenho algo que ele quer e se ele descobrir que você o atrapalhou, vai te punir.

– Fale com ele você mesma – Brian rebate, puxando Naoki na direção da porta. – Porque ele virá te buscar em breve. Se eu fosse você, comeria algo antes. Você vai precisar.

Eu escorrego pela parede até me sentar quando eles fecham a porta, dobrando os joelhos e pegando o pacote que está um pouco à frente de mim. Sinto os olhos de Áquila e do cônsul observando cada movimento e tenho dificuldades em conter o medo enquanto tento abrir a embalagem. O que Fenrir quer comigo agora? Como a carne seca e os biscoitos que vêm no pacote sem prestar muita atenção no que estou fazendo e percebo Rubi pelo canto de olho, ainda dormindo.

– O plano pode continuar – Áquila diz, baixinho. – Ele provavelmente te chamou para mostrar algo que vai te aterrorizar. Não deixe ele ver que está com medo ou se aproveitará cada vez mais.

Concordo e ele me imita, abrindo seu pacote e comendo o conteúdo em silêncio. Se passam mais de 250 minutos até que a porta se abra novamente e Felícia entre no cômodo, fazendo uma careta com o fedor. Não me escapa a expressão de nojo que tem quando vê seu pai em um dos cantos, como se a mera presença dele ali a incomodasse, e ela faz um gesto para que eu me levante e a siga. Obedeço sem reclamar, mas Felícia finca as mãos em meus braços novamente e sussurra mais uma ordem em meu ouvido para que eu não fuja. Mesmo que fugir não seja meu plano, tento lutar contra a sensação que me domina, sem sucesso, e a sigo contente, como se estivéssemos indo para um passeio.

Não voltamos para a sala do prefeito – em vez disso, vamos para um salão no mesmo andar da cela e, assim que entramos, entendo que é o lugar de onde o prefeito faz pronunciamentos quando aparece na televisão. Fenrir está na varanda e o sol poente faz com que sua sombra pareça imensa dentro do cômodo; o homem parece um anão em comparação. Felícia me guia com a mão nas minhas costas, como se eu fosse uma convidada e estivesse aqui de boa vontade, e paramos ao lado de Fenrir.

Essa provavelmente é a melhor vista de Pandora: a cidade se espalha preguiçosamente ao nosso redor, bairro atrás de bairro, com seus prédios e casas idênticas, até chegar a Prometeu. As pessoas vestidas de amarelo se movimentam como formigas pelas ruas mais próximas e, abaixo de nós, a bagunça da praça é evidente. Mas há um espaço vazio e limpo, no centro, e observo confusa a movimentação de pessoas da Aurora que vão e vêm, carregando objetos grandes e desengonçados e despejando-os lá. Felícia vê minha confusão e dá uma risada fina que parece um tilintar.

— Ainda falta muito? — ela pergunta para Fenrir, com uma ansiedade que a faz soar infantil. Fenrir parece se divertir.

— Tenha paciência, Felícia — diz, se movendo para sair do nosso caminho. — Nós queremos que tudo esteja perfeito para Sybil, não queremos?

— Se você diz — responde, dando de ombros.

— O quê... — começo a falar, mas quando sinto o olhar dos dois sobre mim, fico acanhada.

— Não, continue. — Fenrir faz um gesto com a mão, gentil.

— O que você está fazendo? — pergunto, observando o deleite com o qual recebe a pergunta.

— O que estou fazendo? Estou garantindo nosso futuro, Sybil — ele responde de um jeito orgulhoso. — E quero mostrar para você que não importa o que tentem fazer, eu vou triunfar no final.

— Duvido. Você não sabe o plano de Idris. — Junto toda a minha coragem para responder, mas pronta para qualquer reação violenta que ele tiver. Em vez disso, Fenrir gargalha.

— Sua tia me fez o favor de contar tudo. Inclusive, deveria agradecer a Idris por fazer metade do meu trabalho, ela sempre foi bem prestativa nesse sentido. — Ele olha para a praça mais uma vez, com uma postura relaxada. — Felícia, anote isso. Não esquecer do papel de Idris. Por mais que esteja tentando me atrapalhar, ela merece algum crédito depois.

— Certo. — Felícia revira os olhos, irritada. — O que mais eu preciso anotar, Fenrir? Um lembrete para que você não conte o seu plano para qualquer pessoa que te dê atenção?

Estou desconfortável por ficar entre a disputa de poder dos dois, e fico mais surpresa ainda quando Fenrir é o primeiro a desviar o olhar e Felícia cruza os braços em desagrado, como uma rainha que foi desobedecida. Inconscientemente me afasto da garota na direção de Fenrir, porque se ela é alguém a quem até ele teme, com certeza não é uma pessoa segura.

— E se eu te disser que Cléo não sabe o plano real de Idris? Que Idris sempre soube que Cléo era a infiltrada que vazava informações para você e, deliberadamente, a fez acreditar no plano errado? — jogo a isca e vejo a postura de Fenrir mudar quase imediatamente.

A intensidade do ódio em seu olhar faz com que eu me encolha e Felícia segura meu braço com força, pronta para usar seu poder se necessário.

— Você não teria como saber isso — ele diz com uma voz baixa, perigosa. — Você é só uma pirralha, Idris nunca confiaria em você.

— Quem disse? — digo em desafio, sentindo minhas pernas trêmulas. As chances da minha mentira dar errado são muito, muito grandes. — Você pode perguntar para Cléo, Idris me adotou como secretária pessoal dela e eu a acompanhei em todos os minutos de todos os dias. Cléo não esteve na maior parte deles.

— E por que ela te mandaria para cá, logo para mim? — ele pergunta com desdém.

— Porque ela sabia que você não me mataria. Ela precisa de mim para o plano dar certo — blefo, meu coração se acelera. É esse o momento, se ele acreditar em mim as coisas vão dar certo. Se não... estamos todos ferrados.

— E por que você me contaria isso se não fosse parte do plano dela? — Ele parece se divertir com minha falta de lógica e eu olho para meus próprios pés, deixando um pouco do meu nervosismo transparecer.

— Quero que você solte minha família. Dimitri e Rubi. Hannah também. E me prometa que não vai fazer nada com o pai de Andrei, nem com meus amigos, se eu te ajudar. — Minha voz soa fraca e ele interpreta meu medo de forma completamente diferente, soltando uma gargalhada.

— Você está traindo as pessoas que te salvaram para proteger quem você ama? — Fenrir balança a cabeça, se divertindo. — Vocês gostam de posar de nobres, de que nunca fariam algo fora dos padrões morais que têm, mas, no final, basta pressionar um pouquinho que vocês cedem.

— Eu não vim até aqui para você rir na minha cara. Aceite ou recuse minha proposta e aí conversamos — falo entredentes, fingindo irritação, mas no fundo estou impressionada por ele cair na minha história tão rápido.

— Se eu não soubesse que seu maior medo é esse, perder todo mundo que você ama, eu não acreditaria em você. — Ele e Felícia trocam olhares e a garota faz um pequeno gesto com a cabeça. – Você sabe que se eu recusar, todos vocês estarão mortos de qualquer forma. E, não importa minha escolha, você não sai disso viva.

– Não me importo de não sair viva. – Sinto meu coração acelerado e engulo em seco. – Só me prometa que todos os outros vão ficar bem.

Um grito vindo de baixo chama nossa atenção e não recebo nenhuma resposta. Fenrir se inclina na varanda, seu sorriso predatório se abrindo no rosto, e faz um sinal para que nós nos aproximemos. Eu não quero, mas Felícia me guia delicadamente e não posso correr enquanto não fechar o acordo. Repasso mentalmente o plano que inventei para Idris. E preciso contar para Fenrir algo que o tire completamente do caminho da líder, ao mesmo tempo em que me dê plena oportunidade de fugir.

Mas quando olho para baixo e percebo o que está acontecendo, dou um passo para trás, sendo impedida por Felícia. Finalmente entendo o sorriso sádico no rosto de Fenrir e seguro o braço da menina, incerta de como proceder. São dezesseis corpos, todos estirados no meio da praça. Há sangue seco em suas expressões vidradas e em suas calças verde-oliva, manchando de vinho suas blusas coloridas e o calçamento da praça. Conheço cada um deles porque eram da minha equipe quando saímos da fortaleza em direção a Pandora, e minha garganta se aperta, me obrigando a desviar o olhar. Professor Z está parado na frente deles com uma expressão falsa de luto, e aos poucos a praça fica em silêncio quando o vê ali. Consigo ouvir a respiração de Felícia e de Fenrir ao meu lado, que estampam sorrisos ao ver o meu horror diante da cena.

– Essas pessoas – professor Z começa, gritando em um megafone, sua voz ressoando pelos prédios ao redor da praça – são anômalos fugitivos, pessoas que estavam escondidas do governo por não concordarem com as prisões em que eles nos mantêm! Quando descobriram nosso esforço, entraram em contato para vir nos ajudar e foi assim que foram recebidos pelas forças humanas, pelo exército do cônsul! Mortos! Cada um deles!

O som de ultraje percorre a praça nos xingamentos, nos gritos de revolta, a indignação é palpável. Sinto-me enojada, porque com certeza parte dos que estão ali participou da matança e sabe que aquilo é mentira, que eles foram os responsáveis por aquelas mortes. Como alguém consegue viver sem tomar responsabilidade pelas pessoas que matou?

— Mas nosso dia está próximo! — ele grita, e as pessoas urram de volta. — Em dois dias marcharemos por Prometeu e tomaremos a glória para nós. Quando Fenrir estiver no poder, nunca mais precisaremos andar com a cabeça baixa, nunca mais precisaremos nos esconder! Finalmente poderemos ser livres! Cada uma dessas vidas irá valer a pena e nós os faremos pagar pelo que fizeram.

E então, a coisa mais aterrorizante acontece: eles começam a gritar o nome de Fenrir em uníssono. Fenrir! Fenrir! Fenrir! Suas vozes se espalham, cada vez mais altas, estridentes, alteradas e percebo que, aos poucos, se viram na direção de onde estamos. Fenrir se endireita e Felícia me puxa para trás, para que eu saia do campo de visão. Quando o homem levanta um braço, as pessoas reagem como se estivessem sendo abençoadas e ele faz isso três vezes seguidas, cada uma arrancando uma reação mais intensa que a anterior.

— O dia está próximo! Vocês estão comigo? — ele grita e, apesar de não usar nada para amplificar sua voz, ela ressoa por toda a praça. — Juntos vamos assistir a aurora de uma nova era.

Eles entram em êxtase, cantando o nome do político enquanto nós voltamos para o salão; Fenrir exultante com a forma como consegue manipulá-los. Seu sorriso de dentes afiados é de orelha a orelha e percebo que ele tem uma multidão de pessoas à sua disposição que fariam qualquer coisa que pedisse, porque acreditam que ele realmente é a solução. Sinto minhas mãos geladas e seguro na barra da blusa para controlar a tremedeira. Mesmo que eu consiga fugir, que consiga libertar minha família, se Fenrir completar seu plano, não teremos lugar para ficar. Ele nos caçaria até o fim do mundo.

Felícia me senta em uma cadeira, me dá um copo de água, e eu a encaro, confusa. Ela faz um sinal para que eu beba, como se estivesse tudo bem, mas examino a água antes de obedecê-la. Observo Fenrir tirar algo de dentro da boca e jogar em cima da mesa, esmagando-o com a mão. Percebo que é algum dispositivo eletrônico enquanto ele se senta, cruzando as pernas de forma relaxada.

– Você sabe, Sybil, a melhor parte disso tudo? – Fenrir pergunta, contente. – É que professor Z nem anômalo é. Ele é uma dessas aberraçõezinhas que nascem em famílias anômalas de vez em quando, tão sem poder quanto qualquer humano desprezível.

Engasgo-me com a água e sinto a mão de Felícia nas minhas costas, como se ela quisesse me ajudar. Bem, apesar de não ter nenhum respeito pelo livre-arbítrio alheio, pelo menos ela é gentil. Fenrir se diverte com minha reação e se inclina, ainda animado com toda a idolatria da Aurora.

– E eu aceito. Me conte tudo sobre o plano de Idris que eu solto sua família e aquela garota – ele diz e eu o encaro, surpresa. Esperava que ao menos ele fosse consultar Cléo, mas deve estar se sentindo invulnerável o suficiente para confiar em mim sem se garantir.

– Você os solta primeiro – exijo, tirando forças não sei de onde.

– E depois eu te conto.

Fenrir leva a mão ao queixo, me analisando. Felícia cruza os braços ao meu lado, como se estivesse impaciente, e eu olho para meus joelhos, torcendo para que ele aceite. O único som dentro do cômodo são os gritos vindos de fora, clamando o nome de Fenrir como se fosse um grito de guerra. Ele se move um milímetro e prendo a respiração.

– Tudo bem. Mas se eu descobrir que está mentindo para mim, eu os trago de volta e os mato na sua frente antes de te matar – ele fala de maneira casual, como se ameaças de morte fossem algo que fizesse diariamente, e eu hesito. Estou apostando alto demais, arriscando tudo o que tenho na esperança de ter um pouco de sorte. Mas, por fim, assinto, sentindo um peso no meu peito quando aperto a mão do homem.

O paralelo com a vez em que o conheci no Centro de Apoio após a missão na ilha não escapa, mas repito para mim que quem propôs os termos fui eu. Que tenho o controle da situação. Eu tenho as informações completas, não ele. Se da primeira vez o segui cegamente pelo caminho que ele queria, agora é minha vez de guiá-lo. É isso que me dá forças para voltar para o cárcere sem reclamar, sob o olhar atento de Felícia e de sua anomalia que me manda não tentar fugir.

Capítulo 30

Faço um sinal discreto para Áquila quando volto para a pequena sala, como forma de dizer que deu certo, e ele parece apreensivo com minha resposta. Devo parecer muito assustada enquanto mecho na mochila, porque Rubi pergunta constantemente o que aconteceu e percebe que não deixo que encoste em mim. Verifico a faca em minha bota e escondo a arma de choques no cós da calça. Sentar a faz machucar minhas costas, mas não fico segura deixando-a longe de mim.

– O que você está fazendo? – Rubi exige uma resposta depois de um tempo, parecendo irritada. – Sybil, o que você fez?

– Preciso que você guarde os diários para mim – digo, entregando a mochila para ela sem encará-la. – Por favor. Prometo que volto para buscá-los.

– Sybil... – Ela pega a mochila, muito confusa, e eu a abraço, apertando-a contra mim. Ela passa a mão pela minha cabeça e eu encosto a testa em seu ombro, respirando fundo. Rubi insiste: – O que você fez?

– Você e Dimitri precisam procurar ajuda, mas de forma discreta – sussurro em seu ouvido. – Hannah estará com vocês, ela saberá a quem alertar e como alertá-los.

– Você... – Rubi se afasta e me encara, assustada. – Sybil, o que você fez para aquele psicopata nos soltar?

– Não foi nada que vai me colocar em um risco maior do que já corro – digo, desviando o olhar, e ela segura minha mão com força. – Peça ajuda, pegue Tomás e desapareçam até tudo voltar ao normal. Eu vou encontrá-los quando puder.

– Droga, Sybil! – ela exclama e levanta o meu rosto. – Você não deveria ter feito isso sem me consultar. Você não devia se colocar em risco para tentar nos salvar, nós daríamos um jeito.

— Rubi, é a melhor maneira — falo baixinho e a sinto suspirar quando me abraça novamente. Sinto um bolo na garganta e mordo os lábios. — Prometo que vou voltar para casa.

— Nós estaremos te esperando — ela sussurra e me dá um beijo na testa. Sinto que quer dizer algo, mas seu peito só sobe e desce de forma cansada enquanto faz cafuné no meu cabelo.

São Brian e Felícia que vêm buscá-la, e não preciso insistir para que me levem junto, para vê-la partir em segurança. Encontramos Dimitri e Hannah no primeiro andar e levo a mão ao rosto quando vejo o estado físico do meu tio. A primeira coisa que noto é a ausência de cabelo em sua cabeça, a segunda é o fato de que ele não consegue ficar em pé sem ajuda. Depois, vejo que os dedos de sua mão estão retorcidos, como se tivessem sido quebrados, e preciso me conter para não arrancá-lo das mãos do garoto que o segura e enchê-lo de cuidados.

Ele olha para nós e, mesmo com os hematomas em seu rosto, dá um sorriso quando me vê. Rubi corre até ele e ninguém a impede quando ela o toma do garoto, apoiando-o em seus ombros. Hannah parece confusa, mas está exatamente do jeito em que a deixei. Felícia faz um sinal para que eu me aproxime deles e abraço Dimitri e Rubi de forma desajeitada. O homem encosta a testa na minha cabeça e quando percebo seu alívio ao me ver bem, preciso conter um soluço que certamente se transformaria em choro.

— Eles vão nos soltar? — ele sussurra para mim, e Rubi e eu trocamos olhares. Dimitri percebe e seus lábios se transformam em uma linha fina de preocupação. Eu o beijo na bochecha e me afasto.

— Prontos? — Felícia pergunta, com um sorriso que a faz parecer angelical. Segura no braço de Brian, que parece desconfortável com a cena, e ordena: — Brian, leve-os para casa em segurança. Se acontecer qualquer coisa com eles, você irá se arrepender amargamente.

Percebo a dúvida nos olhos de Hannah enquanto descemos as escadas, passando pelo hall da prefeitura e indo para um subsolo que eu nem sabia que existia. Mas há uma saída de emergência aqui e Hannah só percebe que não os sigo quando está do lado de fora.

— Sybil! — Ouço-a gritar. — Sybil! Por que você não vem também? Sybil! Me larga, seu troglodita!

Ouço o barulho seco do soco e a porta se abre novamente. Hannah e um guarda lutam, ele a puxa para fora e ela se agarra na madeira da porta como se sua vida dependesse disso. Ela me encara, confusa e eu faço um sinal discreto para que ela vá embora.

– Sybil! – me chama mais uma vez, chutando o garoto que a puxa no meio das pernas e Felícia cruza os braços, se divertindo muito com a cena.

– Hannah, só vá embora! – digo, incisiva.

Hannah me encara por um segundo e finalmente se solta, fazendo a porta se fechar em um estrondo atrás de si. Felícia apoia sua mão no meio das minhas costas novamente e quando percebo que está cantarolando baixinho enquanto fazemos o caminho de volta, tenho vontade de socá-la. Mas preciso me concentrar porque se a primeira parte do meu plano funcionou, preciso de muito mais habilidade para fazer a segunda parte dar certo também. Como esperado, ela me leva direto para a sala do prefeito, onde Fenrir está sentado na frente da flâmula que exibe seu rosto. Dessa vez, Victor e Cléo também estão aqui, e enquanto o olhar do menino é vazio, o da mulher seria capaz de me matar. Felícia me direciona até uma das cadeiras e me encosto completamente no espaldar, com medo que encontrem a arma de choques escondida embaixo da minha blusa.

– Conversei com sua tia, Sybil, e foi um prazer descobrir que você não mentiu para mim. – Fenrir faz um gesto amplo na direção de Cléo, que parece contrariada. – Por alguns instantes realmente achei que você estava me enganando, mas não. E só por isso sua família está lá fora, a salvo, como você pediu. Agora é sua vez de cumprir sua parte na barganha.

– O que você quer saber? – digo, apertando o assento abaixo de mim.

– Não há nenhum outro plano, Fenrir – Cléo me interrompe, se levantando. – Faça como planeja e dará tudo certo.

– Da forma como reage, até parece que é *você* que quer esconder algo. Você está trabalhando como agente dupla, Cleópatra? – O tom de Fenrir é preciso como uma faca e vejo os sinais de irritação surgirem em Cléo. – Você me trouxe um plano falso para que a sua aberraçãozinha de estimação triunfe?

– Você sabe que não – ela responde, entredentes. – Eu não devo nada a ela, não depois do que ela fez.

– Então deixe sua sobrinha falar – faz um sinal com o queixo para mim. – Comece, Sybil.

– Ela sabe que você planeja levar a Aurora para Prometeu – digo, nervosamente. – E fez Cléo acreditar que vão te deixar em paz só para aproveitar enquanto estão fora para tomar Pandora e impedir que voltem para cá.

Fenrir se inclina na minha direção, com a testa franzida, e continuo tecendo minha torrente de mentiras, prendendo-o no meio. Idris sabe os planos dele, sabe que ele está com o cônsul, e está usando a Cúpula Máxima como isca para atraí-lo até o Senado para acabar com ele de uma vez. Idris sabe que se o encurralar, ele nunca conseguirá realizar seu plano de começar uma nova era, e é isso que planeja fazer. Nós fomos uma distração, algo para fazê-lo achar que estávamos no escuro quanto aos termos dele, enquanto sabíamos tudo. Quando termino, usei a expressão "roubar a sua glória" pelo menos umas vinte vezes, e vejo que Fenrir cai direitinho, exatamente como Áquila havia dito.

Sua mandíbula está tremendo quando se levanta devagar, a tensão visível em seus músculos, e eu me encolho, com medo do grito que dá a seguir, derrubando tudo da mesa com um gesto da mão. Prendo a respiração e sinto que todas as outras pessoas fazem o mesmo enquanto ele joga sua cadeira contra uma das paredes, quebrando-a em milhares de pedaços. Ninguém tem coragem de dizer nada.

– Você. – Ele aponta para Cléo praticamente cuspindo as palavras. – Você não ficará aqui para cuidar de tudo, você irá comigo e impedirá Idris se for preciso.

– Ela está mentindo! – Cléo protesta, ao se levantar. – O nosso acordo não foi esse, eu te entregava o que você queria e, em troca, você me protegeria! Você faria algo para me vingar!

– Não existe mais acordo a partir do momento em que você não me trouxe a informação completa – ele ruge e Cléo cruza os braços, com uma expressão de desgosto.

– Nada do que ela fala é verdade! – Cléo exclama novamente

e se aproxima de mim, segurando no meu ombro. Me encolho e desvio o olhar, me sentindo constrangida. – Diga para ele, Sybil. Você não colocaria sua família em risco, colocaria? Sua mentira só está me prejudicando.

– Não, eu nunca colocaria a minha família em risco – afirmo sem olhar para Cléo, me sentindo um pouco culpada. Fenrir nos encara por alguns segundos e sua expressão para Cléo é cortante.

– Você é tão cega que não percebe que é exatamente por isso que ela nunca mentiria? – ele fala, e eu deveria me sentir esperta, mas só me sinto uma farsa. – Porque é a segurança da família dela que está em jogo aqui, família que não te inclui.

Fico ainda mais envergonhada quando percebo o choque no rosto de Cléo, que indica que ela nunca havia cogitado essa possibilidade até o momento. Se ela me considera como família, por que me entregou para Fenrir? O que achou que ele faria comigo? Me daria chocolate e me levaria para dar uma volta num parque de diversões? É absurdo que Fenrir tenha sido capaz de perceber isso em poucos minutos, sendo que, depois de todos esses dias, com todas as minhas negativas e os momentos desconfortáveis, Cléo ainda não tivesse caído na real. Toda e qualquer chance de considerá-la minha família morreu ontem, no momento em que ela me entregou para o professor Z de mão beijada.

E ela pode clamar o quanto quiser que estou mentindo, porque Fenrir acredita demais na minha retidão moral para duvidar da minha história. Me lembro de Hassam e do funeral: a melhor mentira é aquela que está tão misturada com a verdade que não há como distinguir as duas. É irônico que Fenrir caia na mesma armadilha em que prendeu todas as outras pessoas com tanta facilidade.

– E você. – Fenrir finalmente se vira para mim. – Você também irá conosco, para testemunhar a expressão de Idris quando perceber que você a traiu. Para me ver enquanto triunfo.

Eu tento parecer chocada ou chateada, mas, no fundo, me sinto vitoriosa. Porque, sem perceber, ele está fazendo exatamente o que eu quero.

Capítulo 31

— E aí? – Áquila questiona quando volto para a cela.
— Se eu tivesse seu poder não teria dado tão certo – respondo, me acomodando ao seu lado. – Obrigada pela ajuda.
— Ele também vai me levar? – pergunta, parecendo ansioso, e dou de ombros, incerta. O garoto fica em silêncio por um longo tempo e sinto o cansaço me abater. Fecho os olhos. Não percebo o desgaste que havia sido inventar essa história até parar, e preciso estar bem para amanhã. Mas Áquila volta a falar, com um tom quase inaudível: – Você me leva com você? Quando fugir?
— Você não quer ficar com seu pai? – Observo-o com o canto dos olhos, curiosa.
A resposta demora para vir e, quando vem, é um gesto tão sutil que mal percebo. Ele leva a mão ao próprio rosto e se abraça com uma das mãos, como se precisasse de conforto antes de limpar a garganta e explicar:
— Eu acho que não consigo confiar nele. Não mais – diz, olhando para onde o cônsul está. – Meu pai... Fenrir consegue ver qual é o maior medo de alguém. Às vezes são coisas que você nem percebe que teme, até que ele... ele te confronte com elas. E depois que ele sabe, não consegue não usar. É como se fosse parte da natureza dele.
Olho para meus pés, relembrando todos os momentos que tive com Fenrir. Como ele havia tentado barganhar comigo depois da missão, até o momento em que havia encostado em meus pulsos e ameaçado minha família. A maneira como Áquila sugeriu que eu os colocasse no meio como garantia de que minha mentira passaria, como Fenrir assumiu imediatamente que eu nunca os colocaria em risco... Não tem nem como Áquila estar mentindo, porque, quanto mais

penso, mais me parece óbvio que esse é meu maior medo: perder as pessoas que amo.
— Ele nunca havia tentado descobrir o meu até... até... — A voz de Áquila falha. — E tenho medo que ele não pare, agora que sabe. Eu sei que sou babaca e você não tem obrigação nenhuma de me ajudar, mas...
Considero o que diz por alguns momentos antes de tirar a faca da minha bota e jogar em sua direção. Andrei provavelmente diria que não poderíamos confiar nele, mas minha intuição diz que Áquila não está mentindo. Poucas pessoas conseguem fingir tão bem, e a surpresa com que recebe a arma me dá mais certeza de que isso é o certo a fazer. Ele a pega, encarando-a por alguns segundos de forma incerta antes de a esconder embaixo da camisa, parecendo nervoso, como se não esperasse essa minha reação.
— Eu te ajudo, mas se você me trair... — falo, num tom de ameaça, e o garoto concorda, cabisbaixo, numa postura contemplativa. O "obrigado" que sussurra é tão baixo que mal escuto.

***

Nos buscam pela manhã, e Áquila e eu somos escoltados por três pessoas da Aurora, dois meninos e uma menina. Ao que tudo indica, Fenrir e Felícia já partiram, pois a prefeitura está bem mais vazia e silenciosa. Com certeza Fenrir fez questão de levar o maior número de guarda-costas que pôde sem deixar Pandora desprotegida, com medo da investida de Idris contra seu domínio — embora essa parte seja uma mentira minha e eu não tenha a mínima ideia do que acontecerá quando chegarmos ao Senado. Em minha mente, as ordens de Felícia ainda tentam dominar, mas não conseguem derrubar a barreira de tensão e ansiedade. E a dor de cabeça começa quando piso nas escadas e vai se tornando cada vez pior conforme atravessamos a praça e descemos na estação do metrô. O sol mal despontou no horizonte e praticamente toda Pandora dorme, alheia à nossa movimentação.
Preciso ajudar Áquila a descer na plataforma, porque ninguém mais se importa. O garoto está ofegante e precisa se apoiar por alguns minutos, apertando a mão no tórax, sua respiração saindo com

um chiado feio. Não há muita insistência para nos movermos, e só depois que ele fica melhor é que levanto os olhos e fico paralisada, sem entender o que está acontecendo.

Leon e Gunnar estão à minha frente, com as mãos amarradas nas costas, sendo escoltados por Naoki, Brian e uma outra garota que não conheço. Gunnar olha para mim com o canto dos olhos, um sinal para que eu fique calada e não indique que o conheço. Brian se aproxima devagar, com um sorriso no rosto.

– Leon! Olhe só quem está aqui, Sybil! Só falta Andrei para ser uma reunião feliz do nosso grupo de amigos.

– Brian. – O tom de Leon é quebrado, como se estivesse sentindo algum tipo de dor física.

– Você não acha que é surpreendente nós termos o encontrado também, Sybil? Aparentemente ele veio visitar a família – Brian continua, dando dois tapinhas no ombro de Leon. – Foi bem fácil capturá-lo colocando um par de vigias no prédio em que ele mora.

– O que ele está fazendo aqui? – falo entredentes, pressionando a mão nas têmporas para tentar domar a dor de cabeça galopante que se forma. – Achei que tinha feito um acordo com Fenrir.

– Ele mandou um recado para você – Brian sorri. – Leon é um lembrete para que você coopere. Se sua parte do combinado for cumprida em cem por cento, ele poupará a vida do cegueta.

– Brian, esse não é você – Leon suplica, se virando na direção do menino. – Nos ajude, por favor. Nós precisamos parar Fenrir.

– Por que eu iria querer pará-lo, Leon? Para que tudo volte a ser como antes? Para nós voltarmos a ser humilhados? – ele pondera, se aproximando do amigo. – As coisas podem ser diferentes se você decidir nos ajudar.

Leon apenas abaixa a cabeça e Brian suspira, como se não houvesse jeito. Naoki nos observa, sem intervir. Não consigo nem sequer sentir raiva porque meu corpo está mais concentrado na dor em minha nuca do que no drama que se desenrola. Todos os meus pensamentos ficam embaralhados e não consigo focar em uma ideia só, em um plano para nos livrarmos deles e fugirmos.

Ando poucos metros antes do meu estômago se revirar, reagindo à dor, e eu tropeçar e cair de joelhos, sorvendo o ar com dificuldade. É como se várias facas estivessem atravessando meu cérebro de uma vez, como se uma tonelada de concreto estivesse tentando me esmagar. Uma das garotas tenta me colocar em pé, mas minhas pernas parecem feitas de gelatina, e Naoki precisa apoiar meu peso em seus braços, me ajudando a caminhar devagar. Preciso manter minha cabeça baixa para que o mundo não rode e não faço ideia de como Victor aguentou tanto tempo se sua dor foi tão grande como essa.

Áquila também não consegue manter o pique e precisamos parar depois de pouco tempo, nós dois encolhidos de dor. Que plano genial esse que fizemos, envolvendo duas pessoas incapazes de correr ou reagir. Nossa respiração é uma sinfonia descompassada de chiados e assovios e, em um momento de clareza, tenho uma ideia e me arrasto até ele.

– Áquila – sussurro com dificuldade e o garoto abre os olhos.
– Use seu poder em mim.
– O quê? – ele parece chocado com o pedido.
– Ordene que eu não obedeça Felícia – minha voz sai entrecortada e afundo as unhas em seu braço. – Por favor.
– Você quer que eu controle sua vontade para você não ouvir aquela fedelha? – É impressionante como ele ainda tem capacidade de desdenhar, mesmo na condição em que está.

Fecho os olhos e solto um gemido, sentindo uma pontada na cabeça, e levo a palma das mãos aos olhos, pressionando-os para ver se diminui. As mãos de Áquila se fecham no meu braço, sinto-o muito próximo e tenho que me controlar para não me afastar. Escuto-o sussurrando o que pedi e alguns segundos depois, outra dor aparece em minha cabeça, na testa. Um som animalesco sai da minha boca e percebo que talvez essa não tenha sido uma decisão inteligente enquanto sorvo o ar com velocidade. Minhas mãos estão tremendo, sinto como se duas partes do meu corpo estivessem lutando: uma tentando dominar a outra e dor, dor e dor.

Áquila também se encolhe ao meu lado, mais confuso ainda. Será que ele tem, de alguma forma, conhecimento do que está acontecendo? Quando segura meu braço novamente, sinto uma energia subir pelo meu pescoço, e minha força de vontade se infla. A determinação de não ser controlada por Felícia me invade e começa a domar, aos poucos, a dor aguda da nuca.

– O que vocês estão fazendo? – Ouço Brian se aproximar e encolho os joelhos, abaixando a cabeça entre eles. – Nós não podemos nos atrasar.

– Eles não estão bem. – É Gunnar que responde e percebo que ele está entre nós, numa postura protetora. – Podemos esperar um pouco até que se recuperem.

– Não temos mais nenhum minuto a perder. – Ele soa irritado.

– Se levantem agora.

– Brian, nós podemos esperar um pouco. – Naoki soa incerta, ouço-a se aproximar e sinto quando se abaixa à minha frente. – Sybil não parece bem.

Mas estou melhorando, quero responder. A dor na minha nuca não passa de uma dor fantasma agora. A injeção de força de vontade consegue dominá-la, moldá-la sob a vontade de Áquila. Eu não faço ideia do que está acontecendo, mas está funcionando, e minha respiração começa a voltar ao normal. Em compensação, quando lanço um olhar para o garoto ao meu lado, ele parece pior do que antes, extremamente pálido. Passo a mão na testa para tirar o excesso de suor e levanto a cabeça, analisando a cena à minha frente.

Eu e Áquila estamos encostados na parede, e Gunnar está entre nós, Brian e Naoki. Leon, mais à frente, também deu um jeito de se encostar contra a parede, deixando todos os nossos guardas em um corredor a nossa frente, de forma que não tem como nos cercarem. O amadorismo com que eles se portam chega a ser engraçado, e eu me inclino na direção de Áquila, sussurrando algo. O garoto solta o meu braço e procura a faca em sua calça jeans, deixando a arma a postos.

– Estou melhor – digo e me levanto, sentindo as pernas trêmulas. Não consigo me firmar e tropeço, caindo na direção de Brian, que me segura por reflexo. Áquila aproveita o momento para se levantar também, com um pouco de dificuldade, e consigo ver, com canto dos olhos, o momento em que passa a faca para as mãos amarradas de Gunnar. – Obrigada, Brian. Não achei que ainda soubesse o que é gentileza.

– Naoki, ajude-a a andar. Não podemos perder tempo. – Ele me ignora e Naoki me segura, pedindo desculpas com o olhar. – Elena, ajude Áquila. Se ele não estiver lá conosco, Fenrir ficará irado.

O garoto que carrega a luz mais forte toma a dianteira e, logo atrás, estamos eu e Naoki, Elena e Áquila. Depois, Brian, Leon, o outro garoto e, por último, Gunnar e a última das nossas guardas. Confio em Gunnar o suficiente para saber que, quando ele achar adequado, vai se soltar e nos ajudar a fugir, então não me preocupo com isso. Até porque Prometeu fica a quase duas horas de caminhada de Pandora, então ainda temos tempo antes de atacar. Mesmo quando me sinto forte o suficiente para caminhar sozinha, deixo que Naoki me ajude e penso em mil formas de começar uma conversa, mas deixo todas morrerem, com medo da reação dos outros. Naoki não parece estar confortável com a situação e sei que com pouco eu a convenceria a ficar do nosso lado.

Caminhamos em silêncio pelo o que parece uma eternidade até que ouço um barulho antes de perceber a movimentação e, quando olho para trás, percebo que Áquila e Leon são os únicos que imitaram meu movimento. Gunnar não está mais em seu lugar, mas a garota continua caminhando normalmente, como se nada tivesse acontecido. Contenho um sorriso porque com certeza ele os colocou em uma ilusão de que tudo está bem.

– Eu estou melhor – digo para Naoki, me desvencilhando de seu apoio. – Obrigada.

– Tem certeza? – ela pergunta, preocupada. – Eu... eu posso te levar até lá se precisar.

– Está tudo bem – reasseguro e ouço outro barulho, obviamente um grito interrompido. Quando olho para trás novamente, não vejo a garota.

Dessa vez, consigo ver o movimento furtivo de Gunnar quando ele bate com as costas da mão na nuca do último garoto, fazendo-o desabar como em um passe de mágica. Leon parece nervoso, e observo discretamente enquanto Gunnar apressa o passo, passando por nós e indo até a parte da frente, para sua próxima vítima, o garoto com a lanterna. Chega a ser estranho como Naoki, Elena e Brian não percebem nada de errado e Gunnar toma o lugar na nossa frente, iluminando os trilhos do metrô.

Nós prosseguimos, passando por várias bifurcações e entroncamentos, sem que nenhum dos três perceba nada de errado. Nossos passos ecoam pelos túneis, a respiração de Áquila fica tranquila e Gunnar não parece ter pressa para se livrar dos outros. Naoki está com as bochechas vermelhas e a respiração curta quando decide quebrar o silêncio:

– Como está Andrei?

– Ele está à salvo. – Minha resposta é curta e não perco a oportunidade de olhar para Brian com o canto dos olhos.

– Pelo menos um de vocês tinha que ser inteligente. – Apesar de Brian murmurar, a acústica dos túneis faz com que eu consiga ouvi-lo perfeitamente.

– O que você disse? – paro onde estou e me viro, cruzando os braços. Vejo que Áquila se encolhe, numa tentativa frustrada de fugir do meu campo de visão. Brian balbucia algumas vezes antes de responder.

– Eu não disse nada. – Ele volta atrás, passando a mão no cabelo ruivo de maneira nervosa.

– Ah, porque eu tive a impressão de ter ouvido você dizer que eu e Leon somos burros por ter confiado em você. Achei engraçado, porque pareceu ser um bom aviso para Naoki – retruco e, mesmo com a fraca iluminação, vejo-o ficar vermelho.

– Cale a boca e continue andando! – ele ordena com um tom irritadiço, e eu cruzo os braços e obedeço, um meio-sorriso nos lábios. À minha frente, Gunnar esconde o rosto e percebo que está segurando uma gargalhada.

Naoki fica cabisbaixa, pensativa, e não puxa mais assunto por todo o caminho. Começo a ficar impaciente, sem saber o que Gunnar está esperando para agir e só entendo quando ele ilumina a placa velha e enferrujada com *República* escrito em um estilo antigo de letras redondas e elegantes. Não andamos muito antes de Gunnar parar à nossa frente, sem se mover.

– Rafael, o que aconteceu? – Brian pergunta, esticando o pescoço, seus olhos se movendo pela fileira para ver se estamos todos aqui. Não deve achar nada de errado porque sai de onde está e caminha até à frente, olhando fixamente para mim como se eu fosse culpada por termos parado.

– No três – Gunnar fala baixo e Brian continua caminhando, perguntando o que fez com que Rafael parasse. Seguro Naoki pelo pulso e ela não parece entender o que está acontecendo. – Um. – Leon ocupa o lugar de Brian na fila e Áquila insiste com a garota que o carrega de que está bem. – Dois.

– Está tudo seguro, não há por que ter medo. Podemos prosseguir. – Brian volta, limpando as mãos na calça.

– Três! – Gunnar dá um bote em Brian, segurando-o pela blusa e apertando-o contra a parede do túnel.

Nós nos movemos rapidamente: eu começo a correr e puxo Naoki pelo pulso, obrigando-a a me seguir. Ouço os passos de Áquila no meu encalço e os sons de luta entre Gunnar e Brian. Quando olho para trás, vejo que Brian atravessou os braços de Gunnar e ele e Elena tentam imobilizar o garoto, que se esquiva com facilidade. Gunnar está ganhando tempo para conseguirmos fugir, e aperto o braço de Naoki, apressando o passo. Leon logo nos alcança, mas não andamos muitos metros antes que Naoki pare, fincando os tornozelos no chão e nos impedindo de continuar.

– Naoki! – eu a chamo, puxando-a pelo braço, mas ela está imóvel, com os olhos vidrados e a boca meio aberta. – Naoki!

A garota está paralisada, seu peito subindo e descendo rapidamente, e solta um choramingo de dor, se encolhendo com as mãos na cabeça. Eu não acredito no que estou vendo. Naoki pressiona os olhos com outro gemido e percebo que treme exatamente como eu tremia alguns instantes antes. Dou um passo para trás, tropeçando no trilho desativado do trem, boquiaberta. O mundo parece em câmera lenta quando Leon se aproxima, tentando convencê-la a se mover, ela levanta o rosto com os olhos vidrados e abre a boca, seu grito supersônico ressoando no túnel como uma explosão. Eu me encolho, sentindo o chão sob meus pés tremerem e Leon se abaixa quase imediatamente, pressionando os ouvidos com força, seu rosto transfigurado pela dor.

Eu não parei para pensar em como a anomalia de Naoki é

poderosa até esse momento. Meu peito reverbera com cada grito que dá e me encolho, protegendo meus ouvidos como posso da dor fina que cada um deles provoca. Leon se arrasta para longe dela, assustado e eu sei que alguém precisa pará-la antes que todos nós estejamos surdos, mas não consigo me mover quando ela sustenta mais um grito por um tempo humanamente impossível. Procuro os outros com os olhos e vejo suas sombras encolhidas na parede, iluminadas pela lanterna que caiu no chão.

– Naoki, pare! – Brian ordena, sua voz distante, abafada, e a garota se balança de um lado para o outro, com as mãos na cabeça.

Naoki se cala e ouço um zumbido em meu ouvido direito e o pressiono com mais força, na esperança de que passe. Demoro um pouco para entender o porquê de ela estar calada e, quando levanto os olhos em sua direção, vejo que está em pé novamente, com os olhos nebulosos, como os de Victor na última vez em que o vi. Maldita Felícia e seu poder! Não tenho dúvidas de que deu alguma ordem para Naoki obedecer aos planos de Fenrir. Mesmo me sentindo atordoada, me arrasto até onde Leon está e tento movê-lo, sem muito sucesso.

– Leon, você consegue me ouvir? – pergunto baixinho e o garoto pisca algumas vezes, seus olhos claros encarando o vazio. Tento tirar uma das mãos dos seus ouvidos, e meus dedos ficam melados. Reparo, com horror, que é sangue. – Leon? Merda, merda, merda!

– Sybil? – ele me chama, num tom anormalmente alto e sinto um aperto no peito. – Sybil, onde você está? Sybil?

– Estou aqui – respondo, na mesma altura que antes, e ele me chama mais uma vez antes que eu o convença a segurar minha mão. Leon a agarra como se estivesse se afogando.

– Vocês não podem fugir – Naoki se posiciona entre nós e o resto do túnel. – Brian, prenda-os.

– Seu desejo é uma ordem – Brian comenta e se levanta num movimento fluído, atravessando Gunnar quando ele tenta impedi-lo e caminhando em nossa direção. Gunnar se vira para segui-lo, mas Elena o ataca, usando uma corda para prendê-lo pelo pescoço.

Capítulo 32

É quando percebo que eles estavam esperando que tentássemos fugir. Os gritos de Naoki não parecem afetar Brian e Elena como nos afetaram, e tenho certeza de que usam algum tipo de proteção nos ouvidos. Faz muito sentido quando penso, porque *quando* Fenrir iria nos deixar tão livres assim? Puxo Leon e tento guiá-lo pelo túnel, mas ele tropeça nos trilhos e em uma pedra, completamente desorientado. Eu saco a arma de choques e a deixo próxima ao meu corpo, de forma discreta. Brian dá um sorriso desdenhoso.

– Vocês acharam mesmo que não teríamos um plano de contenção? Fenrir sabe que você tende a dar trabalho. – Ele tira uma corda do bolso e a brande como se fosse um chicote, se divertindo.

– Sybil, você poderia ter colaborado desde o início. Você poderia ter se juntado a nós naquele dia em que te convidei, na sua casa. As coisas seriam diferentes.

– Leon provavelmente está *surdo*. Você realmente acha que vale a pena? Ele é seu amigo antes de qualquer um de nós! – Eu soo ultrajada e me aproximo mais de Leon, sentindo sua mão em torno do meu braço.

– Existem sacrifícios que precisam ser feitos por um bem maior – Brian se justifica e se aproxima de uma vez, decidido a acabar com a situação rapidamente.

Eu me esquivo de seus braços, empurrando-o com o ombro na direção da parede. O garoto tropeça nos trilhos e se desequilibra, quase caindo, e eu me solto de Leon, aproveitando o momento de fraqueza para fazer o que queria desde que descobri que ele foi o responsável por capturar Rubi e Dimitri: dar um soco exatamente no meio da sua cara. Quando meu punho bom encontra seu rosto, ouço o som de pele contra pele e sinto dor, mas fico satisfeita quando do vejo que o garoto está atordoado, como se não soubesse o que aconteceu. Os nós dos meus dedos latejam, mas não me arrependendo nem por um segundo. O garoto parece ultrajado e olho para Naoki com o canto dos olhos, esperando alguma reação, mas ela não vem.

– Esse foi meu mais sincero agradecimento por ter nos ferrado – digo, e ele se levanta de uma vez, irritado e, agora, não hesito em encostar a arma de choques em seu antebraço e apertar o gatilho.

Os eletrodos o atingem em cheio e ele solta um grito quando a descarga elétrica percorre seu corpo, sua boca se tornando um círculo perfeito enquanto ele treme e cai, desacordado. Largo a arma de uma vez, assustada. Não esperava a intensidade do choque e me aproximo do garoto, checando sua pulsação. Por mais que esteja com raiva, não quero que ele morra.

Mais atrás, no corredor, Elena revelou que sua anomalia é bem útil para conter pessoas: ela controla cordas. Gunnar conseguiu se esquivar da que prendia seu pescoço, mas as outras estão o perseguindo como se fossem cobras, se enrolando em suas pernas e seus braços e ele parece mais concentrado em escapar delas do que em derrotar Elena. Observo Áquila se aproximar, se arrastando por uma das paredes, e se jogar contra a garota sem nenhum aviso. Elena tropeça na tentativa de se esquivar do garoto e bate a cabeça no trilho de ferro, desmaiando. É o suficiente para que Gunnar pegue as cordas com as mãos e rapidamente amarre a garota. Ele também arrasta o corpo desacordado de Brian e usa o resto da corda para prendê-lo junto aos trilhos e à Elena.

Volto para Leon e seguro seu braço, percebendo que os poucos minutos em que ficamos separados foram o suficiente para que ele entrasse em pânico. Ele me agarra, sua respiração acelerada e eu passo a mão nas suas costas, testando sua audição. Limpo seus ouvidos com a bandagem do meu pulso e percebo que o sangue estancou, para meu alívio.

– Como estamos? – Gunnar se aproxima e vejo que está apoiando Áquila em um dos braços, que parece minúsculo com a diferença de altura entre os dois. – Isso é sangue?

– Eu acho que não consigo mais ouvir. – A voz de Leon é alta, mas sai fraturada, morrendo no final. Eu o seguro com força, afundando as unhas na sua pele e ele me procura no escuro, com dificuldade. Gunnar se vira para Naoki com uma expressão de fúria e eu não tenho tempo de contê-lo antes que vá para cima dela com uma disposição assassina.

— Gunnar! — berro, mas o grito de Naoki engole minha voz, nos atingindo como se fosse algo físico. Sinto a pressão mudar nos meus ouvidos, Leon solta um grito e se abaixa e eu o protejo com meu corpo, abraçando-o na tentativa de abafar o som.

Gunnar também se encolhe, tapando os ouvidos. A garota se cala e levanta a mão, com um gesto claro para que não se aproxime. Gunnar se levanta, cambaleante, andando na direção dela só para que a garota grite novamente, sua voz desaparecendo no meio do grito e se transformando só em pressão, tornando difícil respirar. Sinto as paredes ao meu redor vibrarem.

— Áquila, a impeça! — Minha voz sai abafada e estranha e procuro o garoto no túnel, mas não o acho em lugar algum. Será que ele está fugindo sem nós? Será que essa é uma armadilha e cometi um erro ao confiar nele? De repente, todo o meu plano parece fraco demais para dar certo, e sinto que é aqui, num túnel desativado e desconhecido, que vamos morrer. Leon se agarra mais a mim, como se sentisse minha insegurança.

Por estar mais perto, Gunnar sofre o pior dos efeitos, mas ainda assim consegue avançar, um passo de cada vez. Naoki toma fôlego e Gunnar se aproxima mais, antes de mais um grito praticamente jogá-lo na parede do outro lado. Mas então, percebo uma movimentação no túnel atrás dela e levo um susto, assim como ela, quando Áquila aparece por trás e a segura pelas mãos. Naoki demora alguns segundos para entender o que está acontecendo e logo seus gritos de defesa se tornam choramingos de dor. Ela tenta se soltar das mãos de Áquila, mas ele a segura com firmeza, fazendo-a se sentar no chão.

Minha cabeça parece rodar quando me levanto, mas preciso me certificar de que Áquila não a está machucando, apesar de tudo. Gunnar ainda se recupera e eu puxo Leon, que me segue com passos cambaleantes e incertos. Áquila levanta os olhos quando me vê se aproximar, sua testa coberta por uma camada fina de suor, e percebo que está usando sua anomalia. Naoki tenta se desvencilhar de

Áquila, mas logo desiste e só encosta a testa nos joelhos, incapaz de se concentrar em qualquer outra coisa que não seja respirar fundo.

– Eu fiz o mesmo que fiz com você – Áquila explica, sua testa franzida em concentração.

– Naoki. – Eu me abaixo perto dela, deixando a mão de Leon sempre no meu ombro, e prendo o cabelo da garota com uma das mãos. – Você precisa lutar contra Felícia. Ela fez algo com você, e Áquila está tentando te ajudar, mas você precisa ter força e aguentar a dor.

– Sy-Sy-Sybil – ela fala com lábios trêmulos e segura com força nas mãos de Áquila, como se aquilo fosse ajudá-la. – Le-Leon está bem? Eu sinto muito, eu devia ser forte...

– Shh, não fale nada. Só... melhore – digo, sentindo um aperto no peito. A respiração de Naoki fica laboriosa, sua pele queima sob meu toque e me lembro de Victor, nos primeiros dias em que esteve conosco. Gunnar para ao nosso lado, segurando a lanterna, e parece estar em um dilema.

– Não podemos perder mais tempo. Eu posso carregá-la, mas precisamos ir. – Seu tom é praticamente um pedido de desculpas. – Sybil, você consegue guiar Leon?

– Eu não posso soltá-la ainda – Áquila avisa, em um tom hesitante. – Você consegue carregá-la e me ajudar? Não vamos te atrasar?

Gunnar assente e os dois garotos fazem uma dança esquisita para não machucar Naoki ao mesmo tempo em que Áquila continua segurando suas mãos, com uma expressão de concentração no rosto. Ela parece um passarinho ferido, encolhida nos braços de Gunnar, apoiando Áquila com as mãos. Eu me levanto, seguro o braço de Leon e seguimos num ritmo lento e cuidadoso que só contribui para aumentar minha ansiedade. Logo, os sons abafados do choro de Naoki se juntam aos nossos passos no túnel e ouço Áquila sussurrar algo para tentar acalmá-la. Não me escapa a ironia de nossas brigas terem começado porque ela queria estar mais próxima do garoto e, agora, ela finalmente tem o que quis, mas num momento completamente inadequado.

Passamos pela estação abandonada de República e mudamos de rumo no próximo entroncamento, em direção ao prédio do Senado.

Gunnar nos guia, pois sabe de cor o mapa dos túneis. As paredes vão ficando mais estreitas e o teto mais baixo, como se estivéssemos subindo uma rampa. Gunnar para de repente e joga a luz da lanterna para cima, iluminando uma escotilha de metal suja de sangue. A tensão é palpável enquanto Gunnar repousa Naoki no chão, ao lado de Áquila, e tenta abri-la, usando mais força do que o esperado. E quando a porta se abre com um estrondo, algo cai pendurado. Dou um passo para trás horrorizada.

Vejo primeiro as roupas, a calça verde-oliva como a que eu, Gunnar e Leon estamos vestindo, a blusa preta. Os óculos de grau caem no chão com um tilintar e a cabeça se curva para o lado num ângulo não natural, o peso sustentado pela corda em torno do seu pescoço.

Cléo.

Cleópatra Klaus, minha tia. Morta.

Suprimo um grito e me afasto, tropeçando em Leon e quase nos derrubando no processo. Meu coração parece prestes a explodir e não consigo entender por que ela está aqui assim, dessa maneira. É minha culpa? Fenrir a matou por causa da mentira que contei para tentar nos salvar? Gunnar grunhe algo horrível e a desamarra com mãos trêmulas e movimentos nervosos, deitando-a no chão como se houvesse alguma forma de salvá-la. Leon sente o tremor em minhas mãos e me segura, alheio a todo o drama que se desenrola, e sinto os olhos de Áquila sobre mim como se o garoto antecipasse uma explosão.

– Cléo. – Ouço Gunnar chamá-la, sacudindo-a como se fosse trazê-la de volta à vida. Um dos seus braços repousa de forma flácida contra o chão e consigo ver a palavra TRAIDORA marcada com tinta vermelha em sua pele. Por um momento horrível, tenho certeza de que Idris descobriu o que ela fez e a puniu por isso.

Mas então Gunnar encontra um papel no bolso da mulher e o tira, seu rosto se contorcendo em emoções que não consigo entender. Não ouso me mexer, mas ele estende o papel para mim, com uma expressão indecifrável. Eu o pego, incerta, e ele direciona a lanterna para que eu possa ler: "Um presente para Idris". Minhas mãos estão tremendo e eu mal consigo ler o resto do bilhete: "Traidores não merecem perdão. Fenrir".

Sinto-me anestesiada e amasso o papel em uma das mãos. Somos todos tolos, achando que podemos impedir Fenrir de alguma forma. Cléo havia se juntado a ele por qual motivo? Para quê? Havia colocado tudo em risco assim para acabar morta, de qualquer forma. Olho para seu corpo pálido e soluço, sentindo os olhos arderem e preciso de muita força de vontade para não chorar. A única certeza que tenho é de que a próxima sou eu.

– Você sabe de algo. – Gunnar se levanta de uma vez, a muralha que é seu tórax bloqueando minha visão. – Por que ele matou Cléo? O que significa esse bilhete?

Não consigo arranjar palavras para respondê-lo e desvio o olhar, me apertando contra Leon como se pudesse me esconder da dor nos olhos de Gunnar. Leon passa a mão pela minha cabeça, visivelmente confuso, mas se mantém calado.

– Ela entregou os mapas dos túneis para o meu... para Fenrir. – Áquila vem ao meu resgate e eu olho para baixo, fugindo da reação de Gunnar. – Cléo alertou sobre o plano do comício, sobre o plano de vocês. Ela entregou Sybil para Fenrir e deixou que os outros morressem.

– Você está mentindo! – Gunnar ruge, vencendo o pequeno espaço até onde Áquila e Naoki estão. – Ela nunca faria isso. Como ela entregaria o próprio irmão e a própria sobrinha? Pare de inventar histórias.

– Não estou inventando nada! – Áquila se defende e Gunnar parece dobrar de tamanho, ainda mais assustador. Vejo quando o garoto solta Naoki e usa a mão para se proteger, num movimento automático, como se já tivesse feito isso várias vezes antes.

– Gunnar, ele está falando a verdade. – Finalmente encontro palavras e Gunnar se vira na minha direção, a confusão visível em seu rosto. Ele acredita em mim o suficiente para não me questionar por nenhum segundo. – Pelo menos sobre me entregar para Fenrir. Provavelmente todo o resto é verdade também, eles falaram sobre acordo.

– E por que ela faria isso? – ele pergunta, olhando para o corpo da mulher no chão. – Cléo nunca, nunca seria capaz de nos trair. Ela está conosco desde que tinha sua idade, desde que libertou um grupo de fugitivos do Império e se juntou a Idris. Ela acredita no que fazemos.

— Acreditava — Áquila corrige e, quando sente que estamos prestando atenção nele, limpa a garganta. — Talvez tenha algo a ver com o marido dela...?

Eu não faço ideia do que está falando, mas Gunnar fica pálido e se afasta, como se aquilo fosse informação demais para processar.

A única luz que resta é a que vem da porta acima de nós. Fecho os olhos de Cléo antes de me juntar aos outros. É a única gentileza que posso fazer por ela agora.

Capítulo 33

Nenhum de nós tem coragem de chamar Gunnar, e eu me sento ao lado de Leon, Áquila e Naoki enquanto analiso a situação. Ver a corda pendurada me embrulha o estômago e demoro a perceber que era um pedaço de uma escada de cordas. Com certeza essa é uma rota de fuga do Senado, e Fenrir imaginou que Idris poderia usá-la, deixando Cléo como um aviso. Não há como subir sem a ajuda de Gunnar e me concentro em Naoki, sentindo sua testa febril com uma das mãos.

– Sybil? – Leon me chama baixinho e eu me inclino em sua direção. Ele estende a mão e para a milímetros do meu nariz, soltando o ar devagar. – Fale algo.

– Leon? Você está bem? – Obedeço e ele sorri, aliviado.

– Você respira alto – diz, baixinho, e estala os dedos perto do ouvido algumas vezes. – Minha audição está voltando.

– Que ótimo! – digo, segurando sua mão e ele parece bastante satisfeito. – Estamos esperando Gunnar.

– O quê... O quê aconteceu? – Leon pergunta. – Onde estamos? O que é esse cheiro forte? Alguém se machucou?

Eu luto para encontrar palavras para respondê-lo, mas antes que encontre uma boa resposta que não seja "Cléo é uma traíra, mas Fenrir é pior", Áquila solta um grito e se afasta de Naoki como se ela o tivesse atacado, colidindo contra mim e Leon. O som dos dentes da garota rangendo tomam o túnel e ela começa a convulsionar, seus olhos entreabertos mostrando apenas a parte branca. Ela grita de dor, como se estivessem rasgando-a de dentro para fora, e Áquila nos empurra para longe, como se ela fosse perigosa. Leon cobre os ouvidos com medo, mas Naoki não tem força para usar sua anomalia. A garota puxa o ar com ferocidade, lutando para respirar.

– Ela desistiu – Áquila fala, com uma delicadeza inesperada, e sinto como se estivessem esmagando meu coração no peito.

– Sybil? – Naoki chama, sua voz saindo fraca. Eu troco de lugar com Áquila, me aproximando da garota. Sinto Leon me seguir, poucos centímetros nos separando.

– Naoki? – seguro sua mão, olhando para seu rosto, assustada. Mesmo com a pouca luz com a qual Gunnar nos deixou, consigo ver seus olhos vermelhos e a palidez excessiva. – Naoki, não fale. Guarde energia, você não pode desistir.

– Sybil... Leon? Oh, vocês estão bem. – Ela fecha os olhos, apertando minha mão sem força. – Eu não consigo. Me desculpa.

– Shh, você consegue. Não fale muito, Áquila pode te ajudar.

– Não, Sybil, não, eu não vou aguentar. Dói... muito. – Ela geme e se encolhe em torno da barriga. – Eu quero voltar a ser feliz.

– Naoki...

– Eu só... quero voltar a ser feliz – repete com dificuldade.

– Shh, já passou. Daqui a pouco fica tudo bem.

– Eu estava... tão sozinha – continua, me ignorando. – Mas não... estou mais. Obrigada... por me trazerem... com vocês.

– Naoki. – Leon encosta a mão no meu ombro e entendo que ele quer segurar a mão da menina também, mas não consegue encontrá-la. Eu o guio e ele aperta nossas mãos na sua, muito maior do que as nossas. – O que aconteceu com você?

– Leon... eu podia... ser mais forte. Ser... uma amiga melhor. Me desculpa. – Ela fecha os olhos, mordendo os lábios até sair sangue enquanto uma onda de dor a faz tremer novamente. Leon segura nossas mãos com mais força. Ao nosso lado, Áquila se dobra, soltando um gemido de dor.

– Naoki, não! – Leon fala, desesperado. – Não, Naoki, seja lá o que tiver te controlando, você precisa lutar. Eu sei que não era você, por favor. Eu não vou te odiar, só não vá embora. Naoki...

Fico em silêncio enquanto a vejo desistindo, vejo o poder de Felícia vencer o de Áquila, enfraquecendo o garoto e fragilizando o corpo de Naoki, que entra em convulsão novamente como uma punição por ter resistido. Vejo sua respiração se acelerar até um nível impossível e, de repente, parar, como se seu coração houvesse adormecido, seu corpo descansando, enfim. Leon a chama num balido, como um filhote perdido da mãe, e eu preciso abrir seus dedos com algum esforço para que ele a solte. Eu o consolo como posso, sem forças para nada além de segurá-lo. Primeiro Cléo, depois Naoki. Fenrir e Felícia podiam fazer o que quisessem comigo, mas não sem que eu causasse um estrago terrível em seus planos. É o mínimo que posso fazer.

Áquila nos dá espaço, mas assim que Leon me solta e afunda o rosto nas mãos, o garoto ocupa o lugar de Leon, com respeito quase nulo pelo meu espaço pessoal. Seus lábios não passam de uma linha fina no rosto, e o hematoma na bochecha faz metade do seu rosto parecer feito de sombras.

– Você sabe algo sobre Felícia que não quer contar – ele diz em um quase sussurro.

– O quê?

– Ela fez algo com Naoki e com você, e eu consegui contrabalancear. Como você sabia disso? – pergunta e eu me afasto, esbarrando na mão de Cléo e me sentindo claustrofóbica.

– Foi... um chute – respondo, hesitante, e ele faz um som de desdém.

– Balela! Você sabe algo. E eu... senti. Com você e com Naoki, senti como se houvesse um pouco da vontade dela em vocês, eu não sei. Mas não é igual à minha anomalia – fala, pensativo. – Se fosse, eu saberia.

– Que diferença faz se eu sei algo ou não? – falo, na defensiva, e me levanto, querendo ir para longe do corpo das duas.

Ele parece ponderar minhas palavras por alguns segundos e seus olhos desfocam, como se estivesse muito concentrado. Fico com medo de que o próximo a cair morto seja ele, mas a visão do garoto logo se foca em mim, com uma expressão vulnerável.

– Eu queria uma explicação para o que Fenrir fez. – E sei que ele não está falando da explosão ou de nos prender, do assassinato de Klaus, de nada disso.

É minha vez de ficar calada. Ele abaixa a cabeça, levando a mão inconscientemente para sua bochecha. Considero as palavras de Victor em minha cabeça, as que usou quando explicou o que

Felícia pode fazer. Ela não inventa nada, ela só mostra ou inibe. Então, o comportamento de Naoki não foi algo que ela criou, foi algo que despertou. Se Fenrir bateu em Áquila, teve alguma influência dela, não foi algo completamente inventado. O potencial estava ali. Escolho mentir a aprofundar sua dor.

– Eu não sei de nada, Áquila – respondo e vejo que ele não acredita, mas não pressiona por mais informações.

Junto-me a Leon, que está inconsolável, e tento enxugar suas lágrimas como posso, sussurrando bobagens para acalmá-lo. O garoto sorve o ar com dificuldade e tento manter a calma, porque sei que se eu me desesperar como ele, nossas chances de sair daqui diminuem. Gunnar se aproxima de nós, fungando, limpando o rosto com as costas das mãos e para quando vê a cena, seus ombros se curvando como se carregasse uma tonelada.

– Nós voltamos para buscá-las depois – quebra o silêncio, apontando sua lanterna para a escotilha. – Sybil, eu te levanto primeiro e você ajuda Leon e o outro garoto. Depois eu subo e estamos prontos.

Não há muito que discutir, e Gunnar me levanta como se eu não pesasse nada. Apoio-me nas bordas do buraco e puxo meu corpo para cima, causando uma pontada dolorida no meu pulso ruim. Arfando, me jogo para o lado e desabo no chão. Pisco várias vezes até me acostumar com a diferença de claridade e reconheço as paredes recobertas de tecido vermelho, com detalhes dourados do Senado. Várias portas de madeira escura ladeiam o corredor, e não há nenhum indício de atividade, nenhum sinal de vida. A mão de Áquila aparece e eu o ajudo a subir com alguma dificuldade. Ouço os grunhidos de Gunnar mais abaixo, e ele empurra Áquila de uma vez, que cai de forma desengonçada em cima das próprias costelas, com um gemido de dor.

O próximo é Leon, e ele agarra minha mão boa com força quando vou ajudá-lo, quase me arrastando de volta para o túnel de acesso. Gunnar o empurra duas vezes antes que o meu amigo consiga subir, e ele parece desnorteado. Vejo as marcas de sangue em sua camisa e fecho os olhos, me sentindo culpada por deixar o corpo de Naoki para trás. Gunnar o acompanha logo depois e demoramos algum tempo para nos recompor.

Leon enxuga o rosto com as mãos, sua respiração lenta, tentando se controlar.
– Para onde nós vamos agora? – questiona.
– Destruir Fenrir – Gunnar explica, como se fosse simples assim, e se levanta de uma vez, forçando Áquila a se levantar com ele. – Você sabe onde ele deve estar, não sabe?
– A-acho que s-sim. – Áquila hesita, olhando para mim com um pedido de ajuda nos olhos. Gunnar ignora a apreensão do garoto e faz um gesto com a cabeça para levantarmos.
– Então você vai nos guiar. – Seu tom não dá margem para discussões e Áquila assente fracamente, apontando a direção que devemos seguir. Gunnar mal espera que nos levantemos antes de voltar a caminhar, seus passos cheios de propósito assassino, e sei que ele seria capaz de matar Fenrir com as próprias mãos se o encontrasse agora.

Bem, ele teria que entrar logo atrás de mim na fila.

Capítulo 34

Áquila nos leva pelo labirinto de corredores do Senado, explicando que estamos na área de serviços. Meu coração parece um tambor no peito, a cada corredor que viramos tenho certeza de que vamos encontrar algum guarda, algum tipo de resistência, mas não encontramos nada. Paramos no pé de uma escada de serviço que sobe em espiral, com degraus minúsculos, e Gunnar sobe na frente, me ajudando a guiar Leon. A audição do garoto não voltou ao estado hipersensível de sempre e fico apreensiva em levá-lo conosco, mas a alternativa é deixá-lo sozinho e nunca faria isso.

Eu sou a primeira a avistar a garota com uma arma comprida, parecida com uma lança. Ela está um andar acima e, se abaixar os olhos, consegue nos ver. Seguro Gunnar pela camisa, impedindo-o de prosseguir e faço um gesto para que fique em silêncio. Outra menina se junta a ela e me inclino, tentando não ser vista, observando que as duas guardam uma pequena porta. Áquila segue a direção do meu olhar e fica pálido quando as vê, como se algo terrível estivesse esperando por nós e, como se fosse um imã, atrai a atenção de uma.

– Cuidado! – Áquila berra segundos antes da garota apontar a arma para nós e dispará-la.

Chamas irrompem da ponta da lança, lambendo o corrimão da escada e preenchendo o vão entre os degraus. Empurro Leon contra a parede como reflexo, sentindo o calor das labaredas nas minhas costas, protegendo-o como posso. Gunnar solta Áquila e pula dos degraus de três em três, apagando as pequenas chamas que atingem sua camisa com tapas rápidos, e ouço o baque surdo logo antes que as chamas parem.

Praticamente puxo Áquila e Leon para subirmos também, e é a vez de Leon me segurar. Ele faz um gesto com a cabeça para baixo e, quando olho, fico horrorizada em ver a quantidade de garotos com blusas amarelas que se aglomeram ao pé da escada, iniciando a subida. De onde vieram? Com certeza estavam em algum lugar próximo, só esperando serem chamados.

– Subam, subam, subam. – Puxo Leon pelo braço, forçando-o a subir os degraus com mais rapidez. O garoto tropeça algumas vezes, ainda confuso, e Áquila fica para trás depois de alguns degraus. Volto para buscá-lo, mas ele só faz um sinal para continuarmos.

Só quando finalmente chego ao fim da escada percebo que o chão está escorregadio, coberto por uma camada de gelo. Se a primeira garota caiu fácil, a segunda é uma resistência formidável, usando sua arma para criar o gelo que cobre o chão. Gunnar, porém, não está em lugar nenhum, escondido por uma de suas ilusões.

– Não adianta se esconder! Não preciso te ver para te congelar – ela ameaça, brandindo sua lança com determinação.

– Por que você não tenta *me* congelar? – Atraio sua atenção e me afasto de Leon e de Áquila. Os passos nos degraus parecem mais próximos e fico nervosa, sabendo que é questão de segundos até que nos alcancem. – Duvido que consiga.

Ela não gasta tempo contando vantagem e só aponta a arma na minha direção, soltando um jato de gelo. Eu tento sair do caminho rapidamente, com medo de arriscar e acabar me machucando, mas escorrego no gelo e sou atingida bem no ombro, sendo lançada contra a porta com a força do golpe. O ar falta nos meus pulmões e preciso respirar algumas vezes para recuperar o fôlego, mas só sinto a umidade no meu ombro, nada de frio. Agradeço mentalmente pela minha anomalia enquanto observo minha adversária ficar confusa por não ter causado efeito algum. Gunnar aparece logo atrás dela e a derruba no gelo com a arma da outra garota.

– Eles estão quase aqui! – Áquila fala, assustado, e Gunnar joga a lança na direção dele. O garoto segura a arma em um reflexo e olha para ela como se fosse algo de outro mundo. – O que eu faço com isso?

– Engole – Gunnar sugere, impaciente, enquanto verifica se a garota está desacordada mesmo. – Impeça-os de chegar até aqui antes que possamos fugir!

Consigo reunir forças para me levantar ao mesmo tempo em que

Áquila aponta as chamas na direção dos degraus. A porta atrás de mim é de madeira reforçada e está recoberta com uma crosta fina de gelo. Testo abri-la só por desencargo de consciência e, quando não consigo, Gunnar me entrega a arma de gelo e toma o meu lugar, agindo com um *pouco* mais de violência. Ele chuta o trinco da porta, fazendo-a soltar algumas farpas. Precisa de tempo para conseguir abri-la e, pela expressão de pânico no rosto de Áquila, não é um luxo que teremos.

Leon se solta dele e tenta caminhar em nossa direção, escorregando algumas vezes, mas sem cair. Eu o guio até a parede mais próxima da porta, entregando a arma em sua mão e mostrando onde pode ativá-la, e me junto a Áquila, esticando o pescoço para espiar a escada. Os degraus abaixo de nós têm dez, talvez quinze garotos da Aurora, cada um deles carregando uma lança ou alguma outra arma, e embora as chamas não os machuquem, os mantêm distantes.

– Gunnar! É melhor você fazer isso nos próximos cinco segundos se não quiser ter que enfrentar uma horda de lança-chamas.
– Eu o apresso e ouço só um grunhido como resposta. – Leon, o ajude! Vocês dois são fortes o suficiente para quebrar a maçaneta.

Gunnar pausa por um segundo, como se nem sequer tivesse considerado a ajuda de Leon como uma possibilidade, e tenho vontade de socá-lo. Não sei se o que mais me irrita é o fato de achar que pode fazer tudo sozinho ou como dá a entender que Leon não tem capacidade para ajudá-lo. Ele pode não estar ouvindo bem, mas ainda é tão capaz quanto Gunnar.

– Merda! – Áquila xinga e me empurra na direção dos outros, com pressa.

Demoro para entender que a arma que estava usando parou de funcionar e percorro o curto espaço para me juntar a Gunnar e Leon na tentativa de arrebentar a porta. Só conseguimos quando nós quatro nos jogamos contra ela, abrindo-a de supetão. Leon me impede de cair e Gunnar se joga, fechando a porta com seu peso, tentando impedir que alguém entre por ali atrás de nós. Nós precisamos dar um jeito de mantê-los longe, mas quando presto atenção nos meus arredores, me esqueço de tudo.

Se os corredores são impressionantes, o parlamento em que o Senado se reúne é extravagante. Uma cúpula imensa deixa a luz solar entrar, iluminando as pinturas belíssimas de crianças aladas brincando entre as nuvens do teto. As paredes parecem ser feitas de ouro e sangue fresco, e o sol da tarde destaca cada um dos intrincados padrões gravados nas pilastras de sustentação. Estamos em um ponto mais alto, escondidos por uma delas.

Abaixo de nós se estendem várias fileiras de cadeiras elegantes cobertas com veludo vermelho, entremeadas por escadas de mármore branco. No centro, o sol ilumina o cabelo de Fenrir, deixando-o com uma aura quase sobrenatural. Felícia está ao seu lado, com uma expressão serena, acompanhada de um Victor cabisbaixo. Há um pequeno grupo da Aurora ao redor de dois prisioneiros. Identifico a cabeça calva do cônsul quase imediatamente, mas quando vejo os fios loiros bagunçados do segundo prisioneiro, sinto como se meu coração parasse.

Andrei?

O que Fenrir está fazendo com Andrei aqui? Como o encontrou? O garoto levanta o rosto e vejo o sangue que escorre do seu nariz, que está curvado num ângulo não-natural. Fecho meus punhos e me contenho para não descer até lá e arrancá-lo das garras de Fenrir.

Meus olhos vagam pelo resto do cômodo, procurando rotas de fuga e tentando formular um plano. Ao redor do círculo mais externo de cadeiras existem portas duplas de madeira escura e, na frente de cada uma delas, uma dupla de guardas vestidos de amarelo, com as armas estranhas como as dos nossos perseguidores. Eu reconheço algumas e, quando tento me lembrar de onde, a memória do porão de Fenrir vem à tona. *Um arsenal.* Agora faz sentido.

Os círculos mais internos estão todos ocupados por pessoas bem-vestidas, com ternos impecáveis e cabelos alinhados, e, de onde estou, consigo ver vovó Clarisse sentada em uma das primeiras fileiras, apreensiva. Ao seu lado, reconheço os dois prisioneiros que capturamos nos campos de refugiados e procuro mais intensamente por outros indícios de membros do Sindicato na multidão, sem identificar mais ninguém.

Isso me deixa nervosa: será que Hannah conseguiu avisá-los sobre Fenrir? Será que têm um plano para contê-lo? Por que vovó Clarisse e Andrei estão aqui e mais ninguém, nem Maritza?

O clima do lugar é tenso, mas ninguém ousa agir, nem Fenrir, nem os senadores, como se estivessem se medindo, considerando o próximo passo. Alguém atrás de Gunnar ruge e o garoto se desencosta da porta. Noto uma fina camada de suor cobrindo sua testa quando nos esconde atrás da pilastra com seu corpo. Um dos soldados de Fenrir sai pela porta e nos procura, mas seus olhos passam rapidamente por nós, iludido pela anomalia de Gunnar. Outros o seguem e ele faz um sinal para que se espalhem no círculo externo, se juntando aos outros guardas. Fenrir olha em direção à porta e sinto um calafrio com seu sorriso. Ele parece pronto.

– É um prazer estar reunido com vossas excelências numa ocasião tão interessante. – A voz de Fenrir ecoa pelas paredes e parece que está falando ao meu lado. – Entendo que estão discutindo o futuro da União e, embora não tenha sido convidado, senti que o Estado Anômalo deveria estar presente. Como prova das minhas boas intenções, trago seu cônsul, que foi capturado enquanto tentava fugir para encontrar um dos seus contatos no Império.

– Estado Anômalo? – Um dos senadores se levanta, de um jeito presunçoso. – Quanto tempo você acha que dura depois que nos organizarmos, Fenrir? Me diga, honestamente.

– Ofereço minha amizade e sou tratado com esse tipo de desdém – fala Fenrir, com uma calma extraordinária. – Eu lhe devolvo a pergunta: quanto tempo Vossa Excelência acha que os humanos duram depois que nos atacarem? Dois dias? Três?

– Você não deveria se esquecer de seu lugar. – A resposta do homem é gélida e eu me encolho com o desprezo em sua voz. – A meia dúzia de truques que as suas aberrações sabem fazer não adiantam nada em comparação com o nosso poder de fogo. Se você quer jogar este país em uma guerra civil, vá em frente. Te garanto que iremos ganhar.

– Parem agora. – Uma mulher se levanta do lado oposto ao primeiro senador, com uma postura quase régia. Ela me parece conhecida, e suponho que seja Petra. Seus olhos estão em Fenrir, com uma expressão neutra. – Senador Fuller, por favor, mantenha a compostura. Senador Vilhjalmsson. – Ela pronuncia o nome como Vi-rral-msson, com um r forte, e fico confusa por alguns instantes antes de entender que é o sobrenome de Fenrir. – Vossa Excelência ainda tem um lugar em nossas fileiras caso queira colaborar.

– Estou colaborando, Senadora Amani – Fenrir responde, fazendo um gesto para que tragam o cônsul até os seus pés. Felícia se afasta do pai, parando do outro lado do senador anômalo. – Mas não tenho interesse em abandonar os meus à mercê de pessoas como o Senador Fueller. Eu venho para ajudá-los a resolver seus problemas.

– Se você veio para nos ajudar, por que estamos aqui como seus prisioneiros, Fenrir? – Petra abandona a polidez quase imediatamente, com um tom inquisitivo, apontando para os garotos de amarelo com a mão. – Você planeja nos coagir e transformar a União em União Anômala? Você quer se tornar o novo cônsul?

– É feio fingir que não compartilha das minhas ambições, Petra – Fenrir fala de modo condescendente, esticando a mão para Felícia. A garota lhe entrega uma faca e fico tensa, sem saber o que fará a seguir. – Acho que não fui claro em minha mensagem. Não voltarei atrás, não me curvarei perante vocês, mas me colocarei exatamente no lugar que mereço. E se vocês não colaborarem, o destino de vocês será o mesmo do nosso amigo cônsul.

– Ele não vai... – Áquila começa a falar quando Fenrir estica o pescoço do cônsul e eu afundo as unhas em seu braço, incapaz de desviar os olhos do centro do plenário.

Todos na cúpula levantam e murmuram horrorizados e, antes que alguém possa impedir, vejo a poça vermelha se acumulando no mármore branco do chão do Senado, circundando o corpo que Fenrir acabou de soltar como um saco de batata podre. Felícia dá um passo para trás para não se sujar, e Victor a levanta como se não pesasse nada. Sugo o ar, fazendo um barulho patético quando processo o que aconteceu.

Fenrir matou o cônsul. Na frente de todos. No meio do Senado.

Como parte de um espetáculo grotesco, o homem não parece se incomodar com o sangue que se acumula no couro preto do seu sapato, desafiando o Senado com a cabeça erguida, a faca suja nas mãos, os respingos vermelhos em seu terno cinza bem cortado. Sua postura é tão beligerante que acho que vai gritar um desafio, mas ele se mantém em silêncio enquanto o caos quebra como ondas ao seu redor. Andrei tenta se levantar para não se sujar, mas um garoto da Aurora o empurra com força contra o chão, e o sangue do cônsul

se acumula no tecido das suas calças. Todas as autoridades parecem anestesiadas, sem saber como agir agora, e Fenrir se aproveita da situação rapidamente:
— Com todos vocês como testemunha, me declaro Protetor do Povo! — anuncia, sua voz o único som no plenário. — Por ter eliminado a ameaça para a União, por ter protegido os mais fracos como manda nossa Constituição, sou o melhor para exercer o papel. E como Protetor do Povo, minha primeira ação será dissolver o Senado. Os senhores podem retornar para suas províncias de origem.
— Você não pode fazer isso! — Uma mulher se levanta abruptamente da cadeira e, quando abre a boca para continuar, ela cai com um grito, atingida por um tiro no ombro. Na direção do tiro, vejo um homem um pouco mais velho do que os outros membros da Aurora com um fuzil, pronto para atirar em quem proteste a seguir.
— Quem irá me impedir? — Fenrir desafia, olhando para Petra com desdém. — Senadora Amani? Quer ter a honra?
Uma das antigas religiões da União acreditava na glória da batalha, no momento em que o deus da guerra abençoava alguns guerreiros com força e vontade extraordinárias, tornando-os invulneráveis e descontrolados. É o que parece acontecer com Gunnar: a provocação de Fenrir é o estopim, e ele nem sequer olha para nós enquanto desce as escadas para o centro do plenário com um grito de batalha que faz reverberar as paredes, dezenas de cópias dele surgindo atrás de si como uma ilusão enquanto avança, tomando os degraus como um enxame. Os olhos de Fenrir se arregalam e ouço barulhos de tiro, mas Gunnar tem experiência o suficiente para conseguir se camuflar entre seus clones.
Sussurro para que Leon fique aqui, esperando, e aproveito que todos os guardas parecem concentrados em parar Gunnar para caminhar parte do círculo externo antes de descer para o centro, determinada a tirar Andrei de lá. Fenrir foi rodeado pelos seus guarda-costas e está com a mão no ombro do garoto, uma ameaça clara de que se Gunnar chegar perto demais, Andrei terá o mesmo destino do cônsul. Desço as escadas de dois em dois degraus, me concentrando na minha respiração numa tentativa de conseguir controlar meu poder com facilidade quando eu precisar. A multidão

de Gunnars alcança o centro e um dos garotos aciona a arma, soltando uma labareda que destrói uma dúzia de ilusões e faz algumas pessoas da primeira fila de cadeiras gritarem e tentarem fugir desesperadas para a fileira de cima. O fogo atinge o tecido vermelho e rapidamente se espalha para as cadeiras adjacentes, o cheiro de cabelo queimado me fazendo tossir conforme preenche o ambiente.

Analiso minhas chances: se eu me aproximar demais, nunca vou conseguir vencer o círculo de anômalos que separa Andrei e Fenrir de mim. Paro alguns degraus antes, ponderando o que fazer, e Andrei olha na minha direção, com uma expressão de espanto. Eu levo as mãos aos lábios para que fique em silêncio ao mesmo tempo em que Gunnar derruba dois dos seus combatentes de uma vez, roubando a arma de um deles antes de desaparecer. O grupo parece desnorteado.

– Fenrir! – berro. O homem olha na minha direção, surpreso e, atrás dele, as chamas se espalham, atingindo outra fileira de cadeiras. – Você quebrou sua promessa.

– O que...

Andrei não dá oportunidade para que ele termine. Levanta-se de uma vez e o atinge com o peso do seu corpo, derrubando-o. Ele aproveita os segundos que demoram para nossos adversários entenderem o que está acontecendo para correr, mas o sangue deixa o chão escorregadio e ele não vai muito longe antes que Victor o segure pela gola da camisa.

– Pegue-a! – Ouço a voz abafada de Fenrir ordenar, e enquanto Andrei luta para se soltar de Victor, vejo Felícia caminhar na minha direção de forma determinada, seus olhos azuis me encarando com raiva, como se eu a tivesse contrariado. Ela toma a arma de um dos garotos perto dela e eles abrem caminho sem questionar.

Dou um passo para trás, e depois mais dois, e mais três, presa em seu olhar. É como se ela fosse um felino prestes a dar um bote na presa e eu estivesse paralisada demais para reagir. Não posso dar as costas a ela, porque com certeza conseguirá me pegar, mas também não tenho nenhuma chance se a arma que estiver segurando for um dos lança-chamas.

– Olá, Sybil. Como está sua cabecinha? Bem? Nenhuma dor? – Ela sobe um degrau, encostando a ponta da lança que segura em seus sapatos. Eu me afasto mais um degrau, mas tropeço, nervosa, e quase caio. Preciso de um plano, rápido.

– Nunca estive melhor – provoco, observando-a. Ela é mais alta do que eu, mas sou mais pesada, e com certeza tenho mais força. Se eu a pegar desprevenida e conseguir desarmá-la, tenho alguma chance. – Mas não posso dizer o mesmo de Naoki.
– Ah, Naoki. Foi tão fácil, você sabia? Assim como Victor. Sempre é mais fácil quando eles são solitários. – Ela sobe mais um degrau, suas palavras mostrando desprezo, e tento ignorá-las. Preciso me concentrar e procurar uma oportunidade. Estou acima dela na escada, então além do peso, também tenho a vantagem da gravidade. – Mas você me deixa confusa, Sybil. Me diga, como conseguiu chegar aqui sem que o seu lindo cérebro explodisse?

– Você parece inteligente o suficiente para convencer Fenrir a fazer essa bagunça. – Com isso, ela para de avançar e franze a testa, como se estivesse reavaliando sua opinião sobre mim. Eu dobro os joelhos discretamente, me preparando para o salto. – Tenho certeza de que consegue descobrir sozinha.

– Então Victor falou – ela murmura, pensativa, e levanta a arma na minha direção. – Não fiz nada demais, Sybil. Fenrir já estava à beira do precipício, só precisou de um empurrãozinho, de uma sugestão. Como meu pai. É engraçado como as pessoas perdem os pudores quando você as convence de que algo é bom para elas.

– Quando a alternativa é quase morrer de dor, não vejo como há muita escolha. – Meu tom é raivoso e ela ri com deboche.

Aproveito para saltar em sua direção, empurrando-a, mas ela reage com rapidez, usando o corpo da arma para me bloquear. Eu seguro a arma e a viro na direção de sua cintura, enquanto puxo seu pé com um dos meus. Ela larga a arma, mas seus dedos compridos se engancham na minha camisa e eu dou um berro quando caio junto com ela. Tento atingi-la com a lança, mas sinto suas mãos esmagando meu pulso machucado e, com a dor, largo-a de qualquer jeito. Enlaço minha mão esquerda em seus cabelos, fazendo-a bater a nuca em cada degrau que escorregamos e, quando chegamos ao fim, dou uma cotovelada em seu nariz, o que faz sua cabeça quicar e ela finalmente solta meu pulso.

Minha respiração está ofegante quando Felícia tenta me dar um murro e me esquivo, mas ela se aproveita da força do movimento para me rolar para debaixo dela. Sinto a umidade do sangue do cônsul nas minhas costas e contenho um grito de horror enquanto seguro os dois pulsos da menina, impedindo-a de me atingir. Ela coloca todo seu peso contra minhas mãos e, embora não consiga me bater, pressiona um dos dedos contra meu olho com força. Grito e tento impedi-la, mas sinto a pressão cada vez mais forte enquanto mexo minhas pernas, o sangue que escorre de seu nariz pingando no meu rosto. Consigo ouvir os gritos de Gunnar ao nosso redor, os passos apressados, o calor cada vez mais forte e o cheiro de queimado.

– Você conseguiu se imunizar. Me diga como – ela sibila furiosa e mordo os lábios para não gritar de dor novamente, sua voz saindo anasalada. – Você usou sua força de vontade?

– Ah, você demorou para perceber – respondo, ofegante com a dor no meu olho, sentindo o sangue escorrer pela minha bochecha, e dou uma cotovelada em sua testa, atordoando-a por tempo suficiente para jogá-la para o lado. Eu rolo para longe e tento ficar em pé, o olho em que ela estava pressionando parecendo prestes a explodir, mas escorrego no sangue e me apoio com o pulso machucado, sentindo a dor subir pelo meu braço com um gemido.

Pisco algumas vezes, pontos pretos dominando minha visão. Felícia escorrega duas vezes na tentativa de se levantar e eu me afasto mais, tentando entender o que está acontecendo fora da nossa briga. Os garotos da Aurora ainda estão caçando as ilusões de Gunnar pelo cômodo, mas elas estão em menor quantidade e sei que o garoto não vai aguentar muito tempo. As chamas nas cadeiras de um dos quadrantes estão cada vez mais altas e os senadores se acumulam em cadeiras mais acima, do outro lado, com expressões assustadas. Tenho vontade de gritar para que façam algo.

Também consigo discernir vovó Clarisse entre eles, com uma das armas da Aurora, sua expressão de desafio, mas os soldados de Fenrir escolhem deixá-los em paz. O alarme de incêndio começa a tocar alguns segundos depois e fecho os olhos quando sinto os respingos de água do sistema anti-incêndio caírem na minha pele. Tento focar a vista em Felícia e considero como posso usar isso para me defender.

No centro, Fenrir está parado como um maestro, com uma postura confiante, mas tensa, como se nada disso estivesse fora de seu plano.

Mas a surpresa vem quando procuro Andrei e o vejo encolhido em um canto, segurando a lateral do corpo com dor e Áquila, ao seu lado, como se estivesse preocupado. Leon está ocupado em desviar a atenção de Victor dos dois, mas não está com seus sentidos em sua plenitude e nos poucos segundos em que os observo, leva três socos doloridos no tórax. Eu coloco minhas mãos no chão e me lembro do treinamento de Cléo, me concentrando na água que começa a se acumular, no sangue que mancha o mármore branco, e tento direcioná-los para Victor. O garoto escorrega e cai, e Leon consegue acertá-lo, mas não tenho certeza se foi por minha causa.

—Eu te odeio. – Ouço Felícia falar entre os dentes e percebo o erro que foi parar de prestar atenção nela quando puxa o meu cabelo. Eu chuto seu tornozelo e a derrubo novamente, afundando as unhas em sua pele e me concentrando em usar meu poder.

– Que bom, porque é recíproco! – eu grito, usando meu corpo para pressioná-la contra o chão, sentindo sua pulsação embaixo de minhas mãos. Preciso me desvencilhar dela para ajudar os garotos com Victor e sinto seus batimentos cardíacos cada vez mais rápidos. A garota arregala os olhos para mim e tenta falar algo, mas aperto mais minha mão contra seu pulso, determinada.

O que salva Felícia é o estrondo das portas se abrindo, que me desconcentra. Olho para cima, assustada com as pessoas vestidas de preto que invadem a sala de supetão, surpreendendo a todos. Os garotos da Aurora se assustam e apontam as armas em massa na direção dos agentes, se esquecendo de Gunnar, se esquecendo de todos nós. Meus olhos não se desgrudam da porta do centro e das duas pessoas que guiam os soldados na direção de Fenrir.

As duas figuras têm mais ou menos a mesma altura e, enquanto a de cabelo vermelho está com o mesmo uniforme preto dos outros, o casaco pesado da segunda é inconfundível.

Rubi e Idris.

A temperatura no Senado cai drasticamente anunciando que a cavalaria havia chegado.

Capítulo 35

Consigo ver o momento em que Fenrir entende o que aconteceu quando se vira para mim, seus lábios contorcidos de ódio por ter sido enganado por *uma garotinha*, dentre todos os seus inimigos. Sinto uma satisfação perversa que não dura muito, porque ele caminha em minha direção como se fosse me matar. Felícia percebe e tenta se levantar, mas eu não deixo, limitando seus movimentos.

– Sua idiota, me solte! Se eu não o impedir, ele vai matar nós duas. – A urgência com a qual fala é o suficiente para que eu a obedeça, apesar de toda a raiva que sinto, e ela fica de cócoras, pressionando o nariz. – Victor! Victor! Pare o que está fazendo, precisamos de você aqui.

Olho na direção onde os garotos estão, minha vista ainda esquisita, embaçada, e me arrependo quase imediatamente, porque Leon está no chão, encolhido. Victor o chuta enquanto Áquila faz um trabalho muito ruim ao tentar impedi-lo, e Andrei se arrasta para se aproximar. Algo grave aconteceu com ele, mas eu não sei o quê. Victor obedece imediatamente ao comando de Felícia e fecha os punhos, como se estivesse tentando resistir. Fenrir está em cima de nós, e Felícia é o único empecilho para que não desconte sua raiva em mim.

– O que você fez? – ele exige, apontando na minha direção. – Felícia, saia da frente. Eu vou dar a lição que essa pirralha merece se ela acha que pode me enganar assim.

– Você está deixando o plano ir por água abaixo, Fenrir – Felícia devolve, mas seus olhos procuram nervosamente por Victor. – Se concentre!

– Por causa dela! – Ele cospe as palavras na nossa direção. Seus olhos vagueiam até onde os garotos estão ao lado de Leon e vejo seu rosto se contorcer mais uma vez quando vê Áquila com eles. Fenrir muda o foco da sua ira rapidamente, percorrendo o espaço entre nós com passos largos. Victor está parado num canto, como se lutasse contra as ordens de Felícia, e tenho vontade de gritar que não é hora para isso. – Ninguém, não se pode confiar em ninguém. Ninguém! Áquila, eu esperava mais de você.

– Fenrir! – A voz de Idris ecoa acima dos barulhos de batalha, acima do som do meu coração acelerado. O homem não parece ouvir, e Áquila está paralisado enquanto seu pai se aproxima. Fenrir atinge o rosto já machucado do filho com um movimento repentino, jogando-o para longe dos outros. – Fenrir! Pare com isso agora.

Por que Idris não está aqui embaixo, impedindo-o? Quando levanto os olhos, vejo que os garotos que cercavam os senadores estão se aglomerando nos degraus entre nós, oferecendo uma resistência formidável. Idris parece assustadora, derrubando-os, imobilizando-os, congelando parte de seus corpos com uma precisão espantosa, mas nenhum dos soldados de Fenrir parece temê-la, e formam uma parede que impede que se aproxime. Os outros agentes estão ocupados tentando apagar o resto das chamas, que mal foram afetadas pelo sistema anti-incêndio, ou buscando impedir que mais membros da Aurora se juntem à resistência. Outro foco de incêndio surge perto dos senadores que, covardes como são, estão saindo de mansinho pelo fundo. Reconheço Hassam como um dos que os guia para fora, sua expressão preocupada e nervosa, como se odiasse o papel que o forçaram a interpretar.

Palavras não vão adiantar com Fenrir no estado em que está. Mas acho que, aqui embaixo, estamos todos paralisados, sem saber como reagir. Ele é tão mais forte, tão maior do que o filho, que Áquila não tem chance alguma, e olho para Andrei, que observa a cena com os lábios pressionados, obviamente formulando um plano. Até Idris ou os outros terminarem sua luta, somos eu, Gunnar e Andrei contra Fenrir. Quais as chances de o impedirmos sozinhos? Mas pelos olhos arregalados e assustados de Felícia, sei que ela também o quer sob controle.

– Mande que ele pare! – ordeno para Felícia e a garota olha para mim, confusa, e balança a cabeça.

– Não é assim que funciona! – ela explica e olha para o homem novamente. – Fenrir! O plano! Largue Áquila e se concentre no plano!

Olho para Andrei e Gunnar do outro lado do círculo, na esperança de formular alguma ideia, mas Andrei se levanta e sugo o ar, finalmente entendo o porquê de o garoto estar praticamente se arrastando. Seu braço esquerdo está quase em carne viva assim como uma parte de seu tórax onde as chamas o atingiram, a camisa queimada em frangalhos e seus dentes trincados para aguentar a dor. Mas, ainda assim, ele é o primeiro a agir e se joga contra Fenrir, empurrando-o na direção oposta à de Áquila. Fenrir mal se abala e, com um movimento, o joga no chão, ao lado do filho.

Gunnar alcança meu olhar e faço um movimento com a cabeça, sem precisar dizer mais nada antes de nós dois nos levantarmos e irmos em direção a Fenrir. Gunnar caminha rápido e dá um grito que distrai o senador, mas o homem está preparado para segurar o soco de Gunnar, que foi lento demais. O chão está grudento entre meus pés e pego impulso antes de escorregar na direção de Fenrir, colidindo contra suas pernas. Ele olha para mim com uma expressão de desgosto e tenta me chutar, mas seguro seus joelhos enquanto Gunnar o empurra e conseguimos derrubá-lo, manchando o resto do seu terno com o sangue quase seco do chão.

– Me larguem! – Fenrir ordena. Gunnar segura as mãos dele e coloca um joelho em seu peito, imobilizando-o.

Eu me ajoelho ao seu lado, com uma estranha satisfação de vê-lo por baixo. Ele é o responsável pelos últimos meses de medo que eu tive, e quando penso em todas as mortes que aconteceram por sua causa, só para alimentar sua sede por poder, quando lembro de como me enganou e me fez acreditar que suas intenções eram boas, sinto o calor subir pelo meu corpo, e antes que eu possa me impedir, uso toda minha força no tapa que dou em seu rosto, deixando a marca dos meus dedos perfeitamente em sua bochecha branca.

– *Você*. – Ele vira o rosto para cuspir sangue. – Nós poderíamos ter conseguido, e você foi a responsável por tudo ter dado errado. Não se esqueça disso quando seus filhos forem usados como cobaias por eles.

– Não ache que só você pode fazer mudanças, Fenrir – respondo, irritada. Suas palavras me atingem e sinto um medo que nem sequer sabia que existia até o momento.

– Você é nova demais para perceber que se aliar a eles nunca trará a mudança de que precisamos – ele responde, seus olhos fixos em mim, e Gunnar pressiona mais o joelho em seu peito, tornando sua respiração ofegante, mas não impedindo que me dê mais um de seus sorrisos predatórios.

Levanto-me, desnorteada, e paro, observando meus arredores. O fogo está sob controle e, aos poucos, as pessoas de preto conseguem prender os garotos da Aurora. Alguns se rendem, se ajoelhando e entregando as armas aos prantos, a decepção visível em seus gestos e em sua derrota. Um grupo dos agentes consegue se aproximar e descer até o centro e vejo os triângulos azuis em suas roupas, bem confusa. Observo todos que estão de preto e percebo que muitos não possuem nenhum tipo de símbolo em seus uniformes e fazem parte do Sindicato. Andrei conseguiu arrastar Áquila por uma curta distância até onde Leon está desacordado e vou até os três garotos, mas o medo que Fenrir implantou em minha mente me domina. Gunnar olha para mim apreensivo, e coloca mais peso em cima de Fenrir, numa reação quase instintiva, tentando combater seus sentimentos.

O que humanos estão fazendo aqui? Eu me abaixo ao lado dos garotos, colocando meu corpo entre eles e a meia dúzia de agentes que agora ocupa o centro do Senado, com todo o tipo de mau pressentimento. Não é isso que eu quis dizer quando falei para Rubi pedir ajuda. Sinto a mão de Andrei encostar na minha e me viro, me deparando com o alívio por estarmos vivos, apesar de toda a dor que ele está sentindo. Entrelaço meus dedos nos dele, me sento ao seu lado e tento não pensar em seus ferimentos ou no que pode acontecer agora.

Mal percebo que Felícia também está próxima a nós, como se buscasse a segurança nos números, e que Victor a acompanha, extremamente confuso. Nós trocamos olhares e entendo que, apesar da briga que tivemos, apesar das ideias diferentes, dos métodos conflitantes, agora estamos do mesmo lado. Somos todos anômalos.

Uma dupla de agentes se aproxima de Gunnar e eles conversam baixo. Gunnar balança a cabeça algumas vezes e o vejo procurar Idris com os olhos, em busca de orientação, mas a líder está ocupada em desarmar os poucos jovens que faltam. A cena que se segue é como um *déjà vu:* um terceiro policial se aproxima e acerta Gunnar exatamente na cabeça com a coronha da arma, tirando-o de cima de Fenrir. Ouço minha voz gritar algo, mas não faço ideia do que é quando um dos policiais da dupla aponta a arma para a cabeça de Fenrir, apesar da sua resistência, e o pressiona contra o chão. Fenrir olha para mim com olhos suplicantes, como se não tivesse tentado me matar minutos antes. Vê-lo tão vulnerável me deixa nervosa e mordo os lábios com força, sentindo o gosto do meu próprio sangue quando o estampido dos tiros engole todos os outros sons do Senado.

A essa distância, um tiro seria mais do que suficiente para resolver o problema, mas a forma como o policial move seu dedo no gatilho é uma mensagem bem clara para todos nós. Sinto algo quente respingar em meu rosto e não tenho coragem de limpar. Felícia solta um grito agudo, assustado, e, ao meu lado, Andrei vomita quando vê a gosma que se tornou a cabeça de Fenrir. Minha vista escurece e preciso controlar minha respiração, meu peito prestes a explodir.

Não era para ser assim. Eu nunca quis que tudo acabasse dessa maneira.

O caos se espalha ao nosso redor, os garotos da Aurora se dispersando em pânico ao verem o que aconteceu. Alguns correm na nossa direção e são abatidos com tiros limpos, que os atingem na cabeça ou no peito. Um dos policiais se aproxima de Victor e Felícia se joga contra ele para impedi-lo, mas o homem não hesita em atirar à queima roupa em seu braço, fazendo a garota cair no chão, gritando e sangrando. Eu não consigo pensar, não consigo agir, não consigo respirar.

Idris chega como uma tempestade. A temperatura ambiente abaixa vários graus e congela as pernas dos dois policiais mais próximos dela. Parece uma deusa da vingança quando os atinge, derrubando-os no chão sem quase nenhum esforço. Os quatro humanos que restam se juntam no meio, cientes de que ninguém atirará neles com medo de nos atingir por estarmos no meio do caminho para o centro do plenário. Os olhos de Idris correm do corpo do cônsul para o corpo de Fenrir e pousam no homem que apertou o gatilho com uma pergunta silenciosa. Toda a coragem que usou para atacar Fenrir parece ter evaporado e uma veia no pescoço do agente está latejando.

– Quem – o silêncio no plenário é tamanho que a voz de Idris ressoa límpida, sem nenhuma interferência – deu a vocês a ordem de matá-lo?

– N-n-n-n – É o único som que sai da boca do assassino enquanto tenta se articular. O guarda que deu a coronhada em Gunnar dá um passo à frente, com o peito estufado.

– Nosso dever é proteger a nação de *coisas* como vocês – ele diz e Idris curva a cabeça para um lado, convidando-o a falar mais, mas o frio se intensifica e me encolho, esfregando os braços em busca de algum calor. Andrei se aproxima, seu rosto esverdeado e os lábios ligeiramente azulados e eu seguro sua mão. – Nós o cumprimos.

Dois homens e Rubi alcançam Idris, e a ruiva vem direto até nós, a preocupação visível em seus olhos. Ela se abaixa para ajudar Felícia, mas a garota se encolhe, com uma expressão horrorizada no rosto e vejo que o braço em que levou o tiro parou de sangrar e parece um peso morto. Rubi percebe que precisa fazer escolhas e se aproxima de nós, se ajoelhando à nossa frente e posicionando a pistola em uma postura protetora. Os outros dois homens param em cada um dos lados de Idris e fico surpresa quando identifico a faixa amarela discreta no braço de um deles. Aperto os dedos de Andrei contra os meus assim que reconheço o anômalo como o homem do metrô, Jorge Cruz, o mesmo que me ajudou no dia que os policiais me atacaram e, o outro, como Dalibor, o agente da polícia secreta do campo de refugiados. Os dois mantêm as armas apontadas para os humanos no centro e não entendo o que está acontecendo.

– Identifiquem-se – Dalibor exige. – Tenho a impressão de que não foram convocados para essa missão.

Não há nada pior do que um soldado nervoso com o dedo no gatilho. A resposta fica óbvia quando o primeiro atira, atingindo Dalibor perto do ombro e lançando-o para trás. Rubi o atinge com um tiro certeiro no joelho, como se já tivesse feito isso mil vezes antes, uma ruga de concentração se formando em sua testa. Eu tento proteger Andrei com meu corpo quando vejo que outro tiro acerta Idris na coxa. A líder nem sequer se abala, esticando a mão e congelando a arma, que para de funcionar. Ela faz isso com a outra arma, mas tanto ela quanto Rubi não são rápidas o suficiente para impedir o último. Ele se vira na nossa direção, disposto a fazer estrago, apertando o gatilho continuamente.

Rubi solta um grito e Andrei me puxa para um abraço, contendo um gemido de dor quando encosto acidentalmente em suas queimaduras. Ouço um berro próximo e tento levantar a cabeça para entender o que está acontecendo, mas Andrei mantém a mão firme e me impede de me mover. Afundo a cabeça em seu ombro bom, minha respiração acelerada. Quem ele acertou? A arma de Rubi dispara mais três vezes ao meu lado e sei que pelo menos ela ainda está bem.

Andrei me solta quando os tiros cessam, a dor em seu rosto visível e, por um minuto, acho que foi atingido. Atrás dele, Áquila está pálido como um fantasma, mas parece inteiro, bem como Leon. Levanto o rosto para procurar Gunnar, piscando algumas vezes para colocar minha vista em foco, e vejo Felícia ajoelhada, segurando seu braço machucado como se fosse um bebê. Quando me sento, percebo que Victor está caído de forma estranha no chão e sinto meu coração se apertar. Rubi se junta à menina, e sua determinação se dissolve em tristeza. Idris está ajoelhada mais à frente, pressionando a lateral do corpo com uma das mãos. Ao seu lado, Jorge tem a mão no pescoço de Dalibor, pressionando a ferida, e olha para cima, como se esperasse reforço.

Felícia solta um gemido e se inclina na direção do corpo de Victor e quero gritar para que Rubi não encoste nela, mas é tarde demais. Minha mãe adotiva tira a mão do ombro de Felícia como se a garota fosse elétrica, com uma mistura de horror e pena no olhar. Percebo o porquê do braço de Felícia parecer tão estranho: ele está azulado, praticamente congelado, e entendo que ela estava no meio quando Idris usou sua anomalia. Gunnar se levanta do outro lado, atordoado, e com os lábios arroxeados. Os gemidos de Felícia se transformam em um choro feio, quase como um uivo, e ela deita em cima de Victor, apertando a mão em algum lugar do seu peito como se pudesse salvá-lo.

– Sybil, você não pode fazer mais nada por eles. – Andrei me impede quando tento me levantar para ir até ela e assinto. Ele encosta a cabeça no meu ombro, com um suspiro pesado, e levo a mão ao seu cabelo, tentando me acalmar. Me inclino um pouco e sinto meu estômago embrulhar quando vejo o número de tiros que Victor levou e sei que não há chance nenhuma de que ele ainda esteja vivo.

– Alguém deveria tirá-la de lá – sussurro, porque acho que seria o que Victor gostaria que fizesse. Mas Felícia se agarra ao corpo dele como se dependesse disso para continuar viva e não tenho coragem.

Ela percebe que a observo e tenta se recompor, enxugando o rosto com a mão boa, e não me escapa o quanto ela parece uma criança atuando numa peça.

– Ele... me salvou. Sem que eu precisasse mandar. Ele entrou no meio do caminho e me protegeu – explica, surpresa, e fico confusa. Andrei levanta o rosto e trocamos olhares, o desconforto que sinto espelhado em seu rosto. Não consigo entender esse último gesto de Victor, que havia fugido de Felícia com tanto afinco.

Desisto de tentar entender e olho para trás, vendo que Leon ainda está desacordado, mas seu peito sobe e desce num ritmo constante, apesar do sangue em seu rosto. Um grupo de membros do Sindicato desce até onde estamos e tomam um cuidado redobrado ao prender os homens responsáveis pelo assassinato de Fenrir. Quatro prestam os primeiros socorros a eles, e agentes, alguns com a mesma faixa amarela do uniforme de Jorge, descem até o centro do plenário. Fico aliviada quando vejo vovó Clarisse entre eles e ela vem direto até nós, envolvendo a mim e a Andrei em seus braços, apesar dos ferimentos do garoto. Encosta o queixo na minha cabeça, sem se importar em sujar sua roupa com o sangue seco que nos recobre.

– Vocês estão bem – ela sussurra para mim enquanto limpa meu rosto com a manga da sua blusa, e eu sinto como se meu peito tivesse arrebentado; todas as emoções que contive até agora me dominam de uma vez.

Meu rosto fica quente, o coração de vovó Clarisse e o de Andrei batendo contra as minhas mãos, o rosto de Naoki aparecendo quando fecho os olhos, as palavras de Fenrir ressoando em meus ouvidos, seu último olhar suplicante. Solto um som patético e todas as emoções vazam pelos meus olhos, em soluços que fazem meu corpo tremer todo. Sinto a mão pesada nas minhas costas, me consolando, e vejo Rubi por entre minhas lágrimas.

– Venha, nós já podemos ir para casa.

Capítulo 36

Não estou nem perto de me acalmar quando entro na procissão de macas e prisioneiros, seguida pelos agentes de preto que nos leva para o lado de fora do Senado. Meus dedos estão entrelaçados aos de vovó Clarisse enquanto os acompanho, meus olhos embaçados pelas lágrimas, meus passos sujando de vermelho o mármore branco do corredor e os degraus das escadas.

Mesmo com a vista embaçada, consigo distinguir algumas imagens das pinturas e esculturas espalhadas pelo salão e as pichações em amarelo que as recobrem. Os senadores estão reunidos aqui, bem como vários prisioneiros da Aurora, sob a supervisão atenta dos membros do Sindicato. Vejo uma loira se deslocar de um grupo de senadores e ir até a maca de Idris; acho que é Maritza, embora não consiga distingui-la bem.

Pisco várias vezes e engulo o medo de que tenha acontecido algo com meus olhos. Cada parte do meu corpo lateja de dor, meu pulso nem parece fazer parte de mim. Porém, sou consumida por outra preocupação: não sei o que acontecerá a partir de agora. Só conseguimos impedir Fenrir, não sabemos nem se vão extinguir o bloqueio às Cidades Especiais. Eu deveria estar aliviada porque pelo menos ninguém mais será morto para dar mais glória a Fenrir, mas só me sinto anestesiada.

Um rapaz vem diretamente até Leon quando o vê em uma das macas e, pelo tamanho e cor do cabelo, sei que é Hassam. Ninguém responde suas perguntas. Vem caminhar ao meu lado, e, apesar da preocupação no rosto, não me faz explicar o que aconteceu.

– Alguém precisa buscar o corpo de Naoki – lembro, com um gosto amargo na boca. – E... e o de Cléo. Elas estão nos túneis.

Hassam demora um pouco para processar a informação, mas logo faz um gesto para que alguém se aproxime e fico um pouco surpresa pois só percebo que é Hannah quando ela está quase em cima de nós. A garota parece aliviada por me ver inteira e me abraça forte. Vovó Clarisse solta minha mão para que eu possa retribuir o abraço.

– Você é uma das pessoas mais loucas que eu já conheci na vida – ela diz, arrumando meu cabelo com uma das mãos. – Obrigada por nos salvar de Fenrir. Estou feliz que esteja viva.

– De nada. – Minha voz sai trêmula e sem convicção, e a garota me aperta contra si.

– Hannah, Cléo e Naoki estão nos túneis. Eu vou segui-los até o hospital, você pode organizar um grupo para ir buscá-las?

– Elas estão feridas? – Hannah pergunta e a preocupação em sua voz me faz soltá-la e morder a lateral da mão para não gritar. Ela observa minha reação atentamente, vê a expressão no rosto de Hassam e seus ombros se curvam. – Oh.

– Avise Maritza onde estarei, tudo bem? – Hassam pede e parece hesitar antes de abraçar a irmã e dar um beijo em sua testa.

– Tudo está bem agora, Hannah. Estamos todos a salvo. Ninguém mais vai se machucar.

– Eu estou bem – ela responde em um tom agudo, empurrando-o para longe. – Vão embora logo, o que esse pessoal está esperando para sair?

– Hannah... – chamo, mas ela só dá as costas para nós, selecionando cinco pessoas de um grupo mais próximo para segui-la. Hassam a observa impassível, com os braços cruzados.

– Deixem ela – vovó Clarisse fala e percebo que continua aqui, a preocupação visível em seu rosto. Estamos parados no centro do salão, esperando que abram as portas para podermos sair e ela passa os braços pelo meu ombro e pelas costas de Hassam, nos puxando contra ela. – Nós estamos esperando as ambulâncias conseguirem se aproximar.

Um vulto com o braço preso em uma tipoia passa por nós em direção à Petra, puxando-a para um canto com a mão funcional em seu cotovelo e sussurrando algo. Mesmo com a visão turva, percebo que a senadora está confusa, olhando para as escadas, a dor visível em sua postura enquanto caminha até lá. Dois agentes tentam

impedi-la de entrar no plenário e ela levanta as mãos, em uma postura de que não quer nenhum mal, antes de sua voz ressoar pelo salão:
– O corpo do meu filho está aí, eu exijo vê-lo.
Ninguém tem coragem de bloqueá-la e a deixam seguir. O olhar de Felícia cruza o meu, e ela levanta o queixo, como se tivesse orgulho desse gesto para Victor. Desvio o olhar exatamente no momento em que abrem as pesadas portas de madeira do Senado, deixando os sons do lado de fora preencherem o salão. O sol está prestes a se pôr e os agentes conseguiram abrir espaço com grades de contenção para que as cinco ambulâncias se aproximem da porta do Senado. Todo o resto está tomado por pessoas, e me surpreendo ao perceber que pouquíssimas estão vestidas de amarelo. Muitos trazem cartazes de "Libertem os Anômalos" e "Nós temos FOME". Não consigo discernir o que gritam, mas vejo exatamente o momento em que Felícia se desvencilha de quem a acompanha e se joga contra uma das grades, berrando para quem possa ouvir:
– Fenrir impediu que o cônsul fugisse e foi recompensado com assassinato! Essa é a forma com que vocês agradecem os anômalos?!
São necessários três agentes para arrancá-la da grade, mas o estrago está feito. Ao nosso redor, os gritos se acalmam e se transformam em sussurros, conversas baixas que passam a informação de Felícia adiante. Sinto meu coração apertar e me contenho para não gritar a verdade para eles, dizer que Fenrir pode até ter feito isso, mas quantas pessoas matou no caminho? Felícia dá um sorriso triunfante enquanto a escoltam para longe.
Fico tão exausta no momento em que me sentam na ambulância, entre as macas de Andrei e de Leon, que me encosto em Vovó Clarisse e durmo, acordando só no hospital local, onde Rubi se junta a nós. Como sou a que está em melhores condições, me deixam por último, e se concentram nos ferimentos mais urgentes. Nem sequer me indicam um lugar para tomar banho, e uso o ombro de Hassam como travesseiro enquanto não me chamam.
– Sybil! – Acordo no que parecem ser segundos depois e sinto os braços me apertarem antes de identificá-los como os da mãe de Leon. – Minha nossa, o que aconteceu com você? Onde está o Lê? E Andrei?

– O-oi, Dona Laura – digo, hesitante, e a abraço de volta. – E-eu não sei.

– Leon entrou em cirurgia trinta minutos atrás. Rubi está com ele. – Hassam explica, olhando para as próprias mãos. – Andrei precisou de sedativos e está no quarto, recebendo cuidados.

A mãe de Leon olha para Hassam, tentando entender quem ele é e qual seu papel nessa história, e me pergunto o quanto ela sabe. Para ela, Leon estava com o pai de Andrei, seguro, enquanto ela e seu marido atendiam pacientes ilegalmente em sua casa.

– Você deve ser o namorado de Leon – diz, por fim, estendendo a mão com um sorriso. Hassam parece constrangido, mas não nega quando a cumprimenta. – Eu sou a mãe dele, Laura. Breno, meu marido, deve estar em algum lugar causando confusão para descobrir qual a situação médica dele.

– Hassam – ele se apresenta, e Laura o puxa para um abraço. Ele fica tenso no início, mas depois relaxa.

– Esperem aqui um minuto. Se Rubi está com Leon, o mínimo que posso fazer é dar um jeito para que pelo menos levem Sybil para tomar um banho.

Ela caminha até a enfermaria, que fica do outro lado de uma parede de vidro, e consigo vê-la gesticulando com vigor até que uma dupla de enfermeiros a segue e me leva até uma ala com quatro camas, onde me dão um conjunto de roupas hospitalares e indicam o banheiro. Gasto quase uma hora para tirar todo e qualquer resquício do sangue do cônsul ou de Fenrir, esfregando o sabonete na minha pele até ficar ardida. Mas não há sabonete que consiga me livrar da raiva e do sentimento de impotência que me consome, e encosto a cabeça no azulejo do banheiro, torcendo para que meu choro seja abafado pela ducha.

Quando saio, uma das enfermeiras diz que posso usar a cama para descansar enquanto não vem me examinar, e agradeço, me enfiando embaixo das cobertas. Peço a Laura e Hassam para me trazerem notícias dos outros e, quando olho para o teto, testo minha vista. Fecho um olho e o outro, abro os dois ao mesmo tempo, mas a luz ainda parece difusa, como se eu estivesse vendo tudo sob uma névoa. Fecho os olhos, nervosa.

Não consigo entender o que aconteceu e não consigo me livrar da culpa, da sensação de que, de alguma forma, estraguei tudo. Fenrir era horrível, sim, mas a acusação que fez logo antes de ser assassinado ressoa em minha mente. Eu estraguei tudo. Nós não vamos conseguir nada em cooperação com os humanos, porque eles não nos respeitam. Como Idris fará algo diferente? Como conseguirá contornar os preconceitos dos senadores e das pessoas sem ser de frente?

Mas não tenho muito tempo para pensar porque Rubi se junta a mim, ainda com o uniforme preto e, para minha surpresa, Jorge a acompanha, sua roupa ainda manchada com o sangue de Dalibor. A última pessoa a entrar é Idris, andando com a ajuda de uma muleta e com a perna direita enfaixada. Rubi passa a mão pela minha testa enquanto o homem pega uma cadeira e se senta perto da minha cama. Idris se apoia ao meu lado, procurando minha mão.

– Os meninos estão bem – minha mãe adotiva diz, dando um beijo na minha testa. Mesmo na distância em que está, vejo seu rosto embaçado e coço um dos olhos, apreensiva. – Já fizeram os curativos em Andrei, e Leon deve sair da cirurgia em breve. O outro garoto... Gunnar? – Ela levanta a cabeça para Idris, que confirma. – Ele só teve uma leve concussão e está em uma enfermaria sob observação.

– E... Áquila? – pergunto, hesitante, numa tentativa de mudar o rumo dos meus pensamentos, e ela parece confusa.

– O filho de Fenrir? – É Jorge que pergunta, inclinando-se na direção da cama. – Ele precisa de pinos em vários ossos e talvez uma chapa no fêmur. Por que a pergunta?

– É só que... eu acho que ninguém mais se preocupa – digo, embora eu mesma não saiba direito por que escolhi perguntar por ele, mas os adultos abaixam a cabeça, como se estivessem envergonhados.

– Nós queríamos saber o que aconteceu – Idris muda de assunto, com uma expressão séria. – Rubi me contou como você conseguiu libertar Hannah e ela. Se não fosse por isso, nós seríamos encurralados por Fenrir e provavelmente ele mataria todos nós e ainda daria um jeito de sair por cima. – Seu tom é amargo. – Rubi foi até Jorge, que acionou a Polícia Nacional quase imediatamente, e, juntos, pudemos modificar o plano. Nós queríamos vir até aqui e pressionar o Senado a aprovar as medidas mais flexíveis que formulamos com Petra, mas Fenrir nunca deixaria que isso acontecesse. Então, nós decidimos encurralá-lo. Mas... como você o enganou? Como Fenrir conseguiu soltá-los, como você o convenceu a deixar a maior parte dos seus soldados em Pandora?

Suspiro pesadamente e começo a falar. Conto sobre como fomos pegos de surpresa, da traição de Cléo, de como Áquila me ajudou a entender que a única forma de enganar Fenrir era mentir e arriscar a vida de todo mundo. Idris precisa se sentar na metade da história, e Rubi ajuda, trazendo uma cadeira. Vejo uma ruga de preocupação em sua testa, mas Jorge parece intrigado. Ele pede para que eu repita várias vezes o meu plano, como nós nos livramos dos nossos guardas e a forma como consegui vencer a anomalia de Felícia. Quando termino, ele está caminhando de um lado para o outro do cômodo, inquieto.

– Precisamos fazer algo para impedir Felícia, se o que pode fazer é tão forte – Rubi afirma, olhando para ele.

– Ela está passando por uma cirurgia agora, mas depois do tratamento médico vai para interrogatório. Porém, não sabemos como proceder ainda, principalmente com a morte de Dalibor, que era o chefe da operação Xeque-Mate. Precisamos falar com a comandante antes de qualquer ação – Jorge explica e Rubi assente.

Eu pisco algumas vezes, um pouco lenta.

– Vocês dois são da Polícia Nacional? – pergunto, incrédula.

Rubi olha para mim e oferece um sorriso de desculpas.

– Eu estive trabalhando no departamento de missões de Z pelos últimos três anos, tentando arrumar alguma pista, algum indício de que são ilegais, mas sem sucesso algum – ela explica, com um suspiro. – E, mesmo agora, tudo está dentro da lei. Se não convencerem o Senado e o novo governo a tornarem-nas ilegais, provavelmente tudo vai continuar.

– Oh – digo e olho para Idris, esperando alguma forma de conforto.

– Clarisse tem como reverter isso – explica. – Ela tem um caso bastante sólido para mostrar que a cura não passa de um engodo e que acaba matando todas as cobaias. Eles não se arriscariam a continuar com o barril de pólvora em que o país está.

– Bem, então pelo menos isso será resolvido – Rubi afirma e se vira para Jorge, que parece ignorar a conversa. – Você está bem?

– Estou pensando – ele responde e se vira para mim. – Sybil, quando tudo isso acabar, tenho certeza de que vamos aumentar os agentes anômalos em serviço. Você e seus meninos, vocês são inteligentes o suficiente para se juntarem a nós. – Eu abro e fecho a boca algumas vezes, sem saber o que dizer. – Claro que não precisa responder agora, porque ainda preciso apresentar minha proposta, e você ainda tem mais um ano de escola pela frente, não tem? Mas se quiser trabalhar conosco depois, você sabe onde me encontrar. Isso também serve para os garotos que você protegeu por todo esse tempo, Idris. Estamos abertos para quem tiver interesse em se juntar a nós.

– Jorge, talvez não seja a hora para isso – Rubi o repreende.

– Rubi, quantos agentes anômalos nós somos ao todo? Cem? Em toda a União? Imagine como podemos ser mais eficientes com equipes que conseguem aproveitar as anomalias uns dos outros muito bem, para se complementar? – ele diz e aponta para Idris. – É o que eles vêm fazendo todos esses anos.

– É uma boa estratégia – Idris concorda. – Mas deveríamos deixar a conversa para depois. Sybil precisa descansar, mas, antes, queria conversar com ela a sós.

Rubi me dá um beijo na testa antes de sair acompanhada por Jorge e, quando a porta se fecha atrás deles, Idris afunda o rosto nas mãos, numa postura desolada. Eu me levanto e vou até onde está, colocando a mão em seu ombro.

– Eu sinto muito por Cléo – sussurro e ela balança a cabeça.

– Não foi uma surpresa – sua voz sai abafada. – Eu já suspeitava, mas no final... quando a atacaram nos túneis no retorno da sua missão, achei que era impressão minha, que estava entendendo seu luto como traição e me senti culpada. Foi por isso que, quando ela veio com o plano para segurar Fenrir, deixei que ela o guiasse. Eu te mandei com ela porque... eu achei que você poderia impedi-la se fosse o caso. E foi o que você fez. – Ela apoia a mão no meu braço. – Estou orgulhosa de você. E de Hannah, que conseguiu agir rapidamente.

– Obrigada – sussurro o agradecimento, e ela levanta o rosto, com um sorriso um pouco triste.

– Devem te chamar para a assembleia dos senadores – ela fala e percebe minha confusão. – Eles estão fascinados com o fato de que você tapeou a morte; vão querer saber sua visão dos acontecimentos.

– Não era melhor chamar você ou Maritza, ou até Rubi?

– Aparentemente, não somos boas porque temos uma agenda política – ela explica, com desdém. – Mas não será nada de mais, Sybil. Ainda tem alguns dias para descansar, conversaremos mais em breve.

Depois que Idris sai, não demora muito para que me busquem e me examinem. O médico que me atende fica bastante irritado quando vê meus olhos, reclamando abertamente que eu precisava ter sido atendida horas antes e me dá uma série de medicamentos quase imediatamente antes de prosseguir com os exames da minha mão quebrada. Meus dedos da mão estão perfeitamente emendados, mas os ossos do meu pulso se espalham como uma constelação e me avisam que preciso de cirurgia para arrumá-los. Entro no centro cirúrgico logo depois de Áquila. O procedimento nem precisa de anestesia geral, e, quando termina, imobilizam o pulso novamente antes de me mandarem para o quarto.

Dimitri está me esperando e nós temos gessos iguais. Estou quase me acostumando a ver tudo embaçado, como se estivesse no meio de uma névoa, e ele levanta meu queixo para ver meu olho, apreensivo. Não comenta nada enquanto me coloca na cama com a ajuda de Charles e noto como o hematoma do seu rosto ainda está horrível. Leon está no leito logo à minha frente, e sua mãe nos observa com um meio-sorriso enquanto Dimitri pergunta se quero um milhão de coisas. Ao nosso lado, Andrei está dormindo como uma pedra. Tenho um pouco de pena de Áquila, sozinho na terceira cama, mas ignoro o sentimento.

– O que você está fazendo aqui? – pergunto, falando baixinho para não acordar os meninos. – Não deveria estar como paciente?

– Você acha que eu ia te deixar aqui sozinha? – Dimitri per-

gunta e segura minha mão esquerda. – Rubi tem vários assuntos para resolver amanhã e voltou para casa para dormir com Tomás. Sua avó foi convocada pelos senadores para dar um parecer sobre algo ainda hoje, e não pode recusar. Então convenci o pai de Leon a me dar alta.
– Obrigada – digo.
– O que o médico disse sobre seu olho? – pergunta, levantando minha sobrancelha direita para examinar esse olho melhor. – Ele está... estranho.
– Que eu tenho que tomar o remédio e colocar uma compressa. E vir aqui todos os dias para ele acompanhar – repito o que o médico disse e a expressão no rosto de Dimitri é tão parecida com a minha quando escuto algo que não gosto, que não consigo me conter. – Você... eu... Rubi conseguiu salvar minha mochila?
– Sim, Rubi conseguiu salvar os diários da minha irmã – responde, parecendo um pouco surpreso, com um sorriso se formando em seu rosto. – Seu pai e a sua mãe não saberiam o que é praticidade nem se lessem a definição no dicionário.
– Então você sabe... que é meu tio – digo e ele tenta abrir o sorriso, mas sua bochecha se repuxa e ele desiste.
– Bem, se eu precisar de algum tipo de transplante, é um alívio saber que tenho pelo menos um parente de sangue vivo – ele fala com leveza e leva minha mão aos seus lábios, beijando-a. – Sybil, você sendo minha sobrinha de sangue ou não, eu te trataria da mesma maneira. Você está sob a nossa responsabilidade, minha e de Rubi, e eu sei que soa estranho, mas é como se você fosse parte de nossas vidas há muito mais tempo do apenas um ano. Nós te consideramos como família e você sempre será amada e bem-vinda.
Eu me inclino, encostando a cabeça em seu peito, e ele me abraça, me dando um beijo no topo da cabeça.
É a primeira vez em meses que me sinto tranquila.

Capítulo 37

Recebo alta no dia seguinte, pela manhã, antes mesmo dos meninos acordarem, e os médicos não me deixam esperar para me despedir, mas me fazem prometer voltar no dia seguinte para acompanharem o progresso do meu olho. Não tenho coragem de me olhar no espelho com medo do que vou descobrir, porque, por onde passo, sinto todos me encarando, tentando descobrir o que tem de errado no meu rosto. Nós vamos de ambulância para Pandora e observo pela janela as ruas depredadas, o lixo espalhado e as pichações de "FENRIR MORREU POR VOCÊ" com um embrulho no estômago, mas o mais estranho é como a cidade parece vazia, como se não houvesse nenhum morador. Somos deixados na frente de casa, e Tomás me recebe com um abraço que acho que vai me partir ao meio. Tenho certeza de que, se eu soltá-lo, vou acordar e descobrir que ainda estou escondida, fingindo que estou morta. Mas Tomás me solta, com um sorriso de orelha a orelha e eu o imito, sentindo meu peito inflar.

Estou em casa. Finalmente.

O hall de entrada, o corredor que leva para o andar de baixo, a escada que leva para os andares de cima, tudo parece inalterado, como se ainda fosse a manhã do dia do meu aniversário. À minha frente, Tomás está ainda mais alto e fico surpresa em ver a sombra de um bigode se formando sobre seus lábios.

– Você realmente está viva! – ele exclama com olhos lacrimejantes e parece nervoso, olhando para os próprios pés. – Você vai ficar com a gente agora?

– Sim. – Olho para Dimitri e meu tio nos abraça apertado, seu gesso apoiado nos ombros de Tomás. Meu irmão adotivo parece se acalmar, encostando a cabeça no ombro dele.

– Vocês combinaram de engessar a mesma mão? – ele pergunta e eu dou um sorriso.

– Tomás. Sua boca está suja. – Eu faço um gesto para meu lábio superior, contendo um sorriso quando o vejo esfregar o dedo no seu próprio lábio. – Continua sujo.
– E agora? – ele pergunta, preocupado, e Dimitri prende uma risada. O garoto nos solta e caminha até o espelho do corredor e, quando vê seu reflexo, olha para mim indignado. Não consigo não rir e ele revira os olhos, cruzando os braços. – Você também!? Não tem nem dois minutos que você chegou em casa e já está me zoando.
– Senti sua falta – digo e o abraço de novo, parando ao seu lado no espelho.
Sinto meu peito apertar quando me vejo. Meu cabelo está uma bagunça, os fios rebeldes quase encostando no ombro, e meu rosto parece mais fino, meu queixo mais pontudo, o nariz mais proeminente. Mas o que chama atenção são meus olhos: a íris de um deles continua o castanho de sempre, mas a do outro está preta. Nesse, as veias vermelhas se destacam contra o branco como se estivessem prestes a explodir, e meu reflexo aperta os lábios até que eles fiquem pálidos.
– Venha, Tomás – digo, desviando o olhar. – Me conte tudo o que aconteceu enquanto estive fora, não quero perder nem um detalhe sequer.
Tento ignorar minhas preocupações enquanto o garoto me conta os detalhes mais banais do último mês aqui, mas é impossível quando a ansiedade fica óbvia em sua voz, ao comentar sobre a Aurora, sobre dormir com móveis na porta, com medo de que invadissem a casa, de como mal tinham coragem de sair para pegar a cota de comida. Dorian, o gato, salta no meu colo e eu o seguro cada vez com mais força, meus sentimentos oscilando entre a raiva de Fenrir e o medo de que eu tenha impedido a única chance de melhoria para os anômalos.
Rubi só chega à noite, e toda a tentativa de retomar a rotina e a normalidade é jogada fora quando ela nos informa que no próximo dia será o velório de Naoki e dos muitos que faleceram por conta do caos no plenário.
Estou tão infeliz durante o enterro que compreendo o desejo de Cassandra de me poupar da dor que sinto. Não faço ideia se

estou assim porque uma pessoa que eu considerava amiga morreu ou por causa do sofrimento ao meu redor, mas me sinto vazia por dentro. É uma coisa deprimente, o funeral, com apenas eu, Rubi, Dimitri, Tomás e o pai de Naoki. O único som que nos acompanha é seu choro constante, sua dor amplificando a minha. A cerimônia é patética, e gostaria que o senhor Saitou tivesse esperado pelos meninos, mas entendo a necessidade de se livrar disso o mais rápido possível. A ausência de Brian é como um lembrete constante do caminho que escolheu e, quando Tomás pergunta por ele, Rubi diz a verdade: ele está preso, assim como a maior parte dos garotos acima de 18 anos da Aurora. Quando finalmente descemos o corpo de Naoki na cova, convenço Dimitri a me levar para o hospital o mais rápido possível, e usamos a autorização da Polícia Nacional que Rubi me deu.

Quero ir ver os meninos, mas antes preciso fazer um exame que demora muito mais do que os outros e me deixa vendo luzes por vários minutos depois, além da visão embaçada, já normal. O médico avisa que provavelmente vou precisar fazer algum tipo de cirurgia para recuperar totalmente visão e sinto que está escondendo algo de mim quando pede para Dimitri ficar no consultório para conversarem. Tento não ficar muito nervosa e vou para o quarto dos meninos. Quando chego, só Andrei e Áquila estão na enfermaria.

Vou direto até Andrei, e contenho meu impulso de abraçá-lo quando vejo que seu braço esquerdo e todo o seu tórax estão enfaixados. Seu nariz também está com um curativo que o mantém no lugar. Eu apenas o beijo na bochecha, com medo de machucá-lo, e apoio a mão esquerda em seu braço direito.

— Você pode me abraçar desde que não aperte muito — sugere, sua voz soando um pouco anasalada, eu dou um meio-abraço estranho, tomando cuidado para o meu gesso não bater em suas bandagens. Ele me puxa para perto com o seu braço direito e sussurra no meu ouvido: — Só tome cuidado com a coberta, não estou vestindo muito além dela.

— Andrei! — exclamo, me sentindo um pouco mais feliz, e minha mão escorrega pelo lençol. Mordo os lábios para não rir. — Você está falando a verdade.

– Por que eu mentiria sobre algo tão importante, Syb? – Andrei brinca e abre espaço na cama para que eu sente ao seu lado, em cima da coberta. Ele levanta meu queixo, passando um dedo pela minha bochecha. – Quem fez isso?

– Felícia – falo baixinho e me apoio em sua mão, me sentindo gelada só de pensar na garota. – Mas está tudo bem. Estou enxergando direito.

– E o gesso? Machucado novo ou antigo? – pergunta e, pelo seu tom, eu sei que só está me deixando escapar com a mentira por enquanto.

– O antigo. – Ele parece aliviado com a minha resposta. – E você? O que você tem? Quando vai ficar bom? Por que seu pai o deixou sozinho?

– Ele foi buscar Sofia. – Andrei pisca algumas vezes, atordoado com as perguntas. – E eles me deram analgésicos, então não sinto muita dor. E são queimaduras de segundo grau, acho? Não pegou nenhum nervo, mas dói feito o inferno quando os remédios param de fazer efeito. O nariz, eles colocaram no lugar assim que eu cheguei. Foi horrível, mas durou dois segundos.

– E Leon? Como ele está? Ele acordou?

– Sim, ele está bem, apesar de ter batido a cabeça. Os médicos também conseguiram reconstruir os danos no ouvido dele ou algo assim, ouvi nossos pais conversando. – Ele me dá um beijo na ponta do nariz. – Fique calma, nós estamos bem.

Mas ele vê que meus olhos vão direto para a cama à frente da sua e se afasta de mim, com um suspiro de impaciência.

– Áquila?

– Eu estou bem. – Sua voz sai rouca quando fala e precisa limpar a garganta uma vez antes de continuar. – Não se preocupe comigo, Sybil. Não mereço a atenção de nenhum de vocês.

– Mas... você nos ajudou – digo, confusa, e olho para Andrei, procurando por algum tipo de apoio, mas não encontro nada. – Não podemos te deixar assim, sozinho e...

– Sybil, sou tão ruim quanto meu pai. – Suas palavras saem amargas e cheias de ódio. – Se não fosse... se eu fosse menos medroso, não teria ajudado vocês.

– Você não precisa ser como ele, Áquila, você fez algo bom...
– Andrei. – Ele chama a atenção do meu namorado. – Diga para ela como estou certo. Diga para ela o que aconteceu com você na escola.

– Eu não digo o que Sybil tem que achar ou não, Áquila – Andrei responde entredentes e sinto seu coração acelerado. – E ela já sabe sobre a escola. O que isso tem a ver com você?

– Eu fui o responsável – ele fala, virando a cabeça para o lado, resignado. – Eu os convenci a te tratar daquele jeito só porque eu *podia*. Isso não é ser mau? Não é ser como meu pai?

– Você fez o quê? – pergunto, descrente, e Andrei trava o maxilar ao meu lado, se contendo como pode para não voar em cima do primo.

– Eu pediria desculpas, mas não seria o suficiente. E isso é só uma das coisas que fiz – ele diz e levanta os olhos para nós. – Então não venha me oferecer redenção, porque não quero ser absolvido por nada. Estou pagando o preço que mereço.

– Sybil, deixe-o em paz. – Ouço Andrei sussurrar em meu ouvido e desvio o olhar de Áquila, sentindo minhas bochechas quentes.

– Mas eu só queria ajudar – sussurro de volta e ele arruma meu cabelo atrás da minha orelha com sua mão boa, fazendo um malabarismo para poder encostar os lábios nos meus sem machucar seu nariz.

– Às vezes as pessoas não querem ser ajudadas, Syb, e você precisa aceitar isso.

Eu aceito, por enquanto, e mudo de assunto delicadamente, mencionando o velório de Naoki. Andrei parece triste e, quando Leon chega, não tenho coragem de mencionar a garota. Hassam está com ele e Laura, e os dois garotos parecem um pouco constrangidos enquanto a mãe de Leon me atualiza sobre o estado de saúde do filho.

Sofia e Charles chegam um pouco depois de Leon retornar à enfermaria, e a menina parece muito preocupada com Andrei, que desvia de todas as perguntas com brincadeiras e afirmativas de que está bem. Charles se aproxima da cama de Áquila enquanto conversamos e vejo que o garoto o ignora enquanto o homem pergunta como está e tenta oferecer algum conforto.

Quando o horário de visitas termina, encontro vovó Clarisse na saída e ela leva Sofia, eu e Dimitri para jantar. Dimitri a atualiza quanto ao meu estado médico e ela parece apreensiva, mas sua cabeça está longe. Acho que nunca a vi tão cansada nem tão distraída e, quando terminamos de comer e ela pede para que uma das ambulâncias nos leve até em casa, me puxa para um lado.

– Você está bem? – pergunto para ela, preocupada. – Não está dormindo direito, suas olheiras estão imensas. Está comendo bem? Quantas horas está trabalhando por dia?

– Estou bem, querida – responde com um bocejo, coçando os olhos. – Tudo está bem próximo de acabar. Petra e Maritza conseguiram um apartamento para mim e para as meninas enquanto estivermos em Prometeu, você sabia?

– Isso é ótimo – respondo, encostando em seu braço, tentando não alimentar esperanças de que isso signifique que ela não voltará a Kali. – As meninas... elas estão bem?

– Acho que nunca vi Carine tão feliz na minha vida. – Dá um sorriso. – Você deveria vir nos visitar, quando puder. A propósito, Idris te falou da assembleia? Ela acontecerá em três dias e eu acompanharei você e Hannah.

– Idris e Maritza não vão conosco? – pergunto, e Clarisse faz um gesto negativo. – Por quê?

– Eles não deixaram. – Ela faz o seu bico de desgosto. – Mas tenho certeza de que tudo dará certo. Nos veremos em breve?

– Estarei aqui todos os dias, vovó – digo, abraçando-a. – Quero te ver todos os dias até você voltar para Kali.

– Ah, quanto a isso... – ela começa e eu me afasto, vendo o sorriso em seu rosto. – Você vai ter dificuldades de fazer isso enquanto estiver estudando.

– Você vai ficar aqui!?

– Conversei com Idris e acho que sou mais útil aqui. Mas precisamos arrumar alguém para cuidar das meninas em Kali...

Não deixo que termine, abraçando-a, sentindo meu coração inflar. Uma pequena centelha de alegria surge e não quero soltá-la, mas nossa carona chega e preciso me juntar à Sofia e voltar para casa. Pelo menos vamos ter muito, muito mais tempo juntas de agora em diante.

Capítulo 38

O fornecimento de energia elétrica volta no mesmo dia em que o carro vem me buscar para a assembleia, atravessando Pandora e navegando Prometeu até chegar em República. O contraste entre os bairros e as cidades é visível pela janela e, para minha surpresa, a grande praça à frente do Senado está cheia de anômalos vestidos de amarelo. Sinto um frio no estômago quando percebo que há um palanque improvisado em um dos cantos. É a Aurora? Como vieram parar aqui com Pandora ainda bloqueada? Alguns deles não estavam presos? Eu me inclino na direção do motorista.

– O senhor sabe o que eles estão fazendo aqui? – pergunto, e o homem olha para mim pelo retrovisor, levantando uma sobrancelha.

– Eles têm autorização assim como você, senhorita – explica, e eu volto a me encostar no banco, arrumando uma dobra imaginária do meu vestido amarelo.

O carro fica mais devagar conforme se aproxima da entrada do Senado e só consigo discernir *Fenrir* dentre as palavras que falam. Tenho vontade de sair do carro e gritar para que todos se calem. Paramos na frente do Senado e tento abrir a porta, que não cede. O motorista desce, dá a volta e abre a porta para que eu saia e sou atacada por vários microfones, flashes e uma torrente de perguntas:

– É verdade que Fenrir te salvou de última hora por saber dos planos do cônsul de explodir o palanque no comício?

– Como é voltar à vida?

– O que aconteceu com seu olho?

– Você planeja honrar a morte de Fenrir de alguma forma hoje, na assembleia?

– O que você acha do retorno de Idris Vernekar à política?

– Você apoia a reforma constitucional proposta pela Senadora Amani?

Não faço ideia do que fazer até que o motorista me ajuda a atravessar a barreira de jornalistas e entrar no Senado, onde Maritza aparece e me guia rapidamente pelas escadas. Hannah está nos esperando lá em cima com Idris, que parece frustrada e irritada por não poder participar. Seu pesado sobretudo deu lugar a um terno azul-escuro que a deixa mais poderosa ainda, e ela parece pertencer a esse lugar.

– Eu ainda não gosto da ideia de deixar elas e Clarisse sozinhas com eles – Idris fala para Maritza, receosa. – Sei que conversamos com Petra e fechamos o plano de medidas, mas tenho medo de que se aproveitem das duas e tentem mudar algo.

– Você pode tentar convencê-los a nos deixar entrar, nem que seja só como ouvintes – Maritza sugere, e Idris olha para a porta do plenário, apreensiva. – Mas criará mais resistência às propostas. Você pode escolher o que prefere.

– Odeio como, mesmo depois de tanto tempo, tudo permanece inalterado. As mesmas políticas, a mesma dança cuidadosa. Não sirvo mais para isso, Mari. – Idris suspira. – Estou convivendo demais com você, preferindo mexer com os bastidores do que estar nos holofotes.

– Você... – eu as interrompo e fico com vergonha quando olham para mim. Mari faz um sinal para que eu continue e lambo os lábios. – Você era senadora, Idris?

– Anos atrás, antes de Fenrir entrar no jogo e me eliminar de vez. – Seu sorriso é doloroso. – Mas chega de falar de mim, vamos ao que interessa.

Elas nos passam instruções e nos reasseguram de que tudo dará certo e que estarão nos esperando aqui fora, caso precisemos de algo. Sinto calafrios quando entramos no plenário, mas quaisquer indícios dos acontecimentos do início da semana desapareceram. Acho que foi a mudança de cadeiras mais rápida da história, porque tudo está como novo. Mesmo assim, me sinto nervosamente no lugar onde me apontam, entre vovó Clarisse e Hannah, e observo, confusa, a sucessão de discursos pomposos e argumentos sem sentido que se segue.

Estou mal prestando atenção quando chamam Hannah e eu para falar, e nos posicionamos no centro do cômodo, respondendo perguntas incômodas sobre Fenrir, sobre Idris, sobre as missões e sobre o tratamento dos anômalos em geral. Percebo, no meio, que somos as únicas anômalas no recinto. Sei que Idris e Maritza não tiveram autorização para participar, mas esperava que houvesse mais anômalos do que nós duas. Lembro das palavras de Fenrir e sinto raiva de todos aqui dentro. Não é possível que eles tomem decisões para o bem dos anômalos com base no que duas adolescentes dizem, e sem ninguém para lutar por nós. Eu levanto a mão, pedindo a palavra, mas parecem me ignorar. Quando não fazem perguntas diretamente para mim, eu me sento, frustrada, me esforçando mais para acompanhar a argumentação.

Vovó Clarisse é convidada para o centro, e ela não deixa que ninguém a interrompa, apesar das tentativas de alguns senadores. Começa exibindo as funções das missões e lembrando a todos os senadores das provas que lhes foram apresentadas durante a semana, e depois parte para uma explicação simples e concisa sobre a tal *cura* para as anomalias, terminando com uma prova clínica de que todos os anômalos supostamente curados apenas estavam com um tipo de doença, como um câncer, que os matava rapidamente. As perguntas que recebe são frustrantes e cheias de má vontade, mas ela as responde de forma precisa e, quando se senta, o plenário todo está em silêncio.

Petra então toma o centro, seu vestido de luto tornando-a mais impressionante do que o normal.

— Com todas as informações às nossas mãos e com a unanimidade de que a questão dos anômalos seja a primeira a ser resolvida, antes do abastecimento de comida e da escolha do novo cônsul, podemos votar as propostas da reforma — enuncia. — A começar pela reabertura das Cidades Especiais e pela retirada de todas as sanções dos últimos meses. Aqueles que são a favor, levantem as mãos.

Olho ao meu redor e consigo ver que todos, sem exceção, estão com as mãos levantadas. Petra anuncia que a medida passou com unanimidade, e todos batem palmas. Fico um pouco mais aliviada, mas isso só faz as coisas deixarem de ser péssimas e voltarem a ser ruins.

— A seguir, a suspensão imediata e definitiva de todas as missões e de todos os experimentos relacionados à suposta cura das anomalias, incluindo a libertação de todos os anômalos que são mantidos como prisioneiros e a criação de um comitê para avaliar e investigar mais a fundo as descobertas do Império do Sol para nos resguardar no futuro – ela fala sem perder o fôlego. – Todos que são a favor, levantem as mãos.

A movimentação é mais lenta dessa vez e vejo que, embora a maioria concorde, alguns nem sequer se mexem, com os braços cruzados. Um deles é o Senador Fueller, o homem que discutiu com Fenrir e mandou que ele se colocasse em *seu lugar*. Petra anuncia que essa medida foi aprovada com louvor, e as palmas são um pouco mais fracas. Olho para vovó Clarisse e ela sorri. Essa é a primeira vitória real do dia. E então Petra anuncia a próxima:

– A suspensão da necessidade de permissões para que os anômalos que moram em Cidades Especiais saiam de suas regiões, garantindo-lhes direito pleno de ir e vir. Igualmente, fica proibido a discriminação em qualquer tipo de estabelecimento, público e privado, permitindo que anômalos frequentem os mesmos locais que não-anômalos, sob risco de multa para os estabelecimentos que desobedecerem – ela fala, e ouço o som de ultraje, mas ela eleva a voz. – Essa medida será tomada progressivamente, ao longo dos próximos três anos, sendo de execução imediata apenas a suspensão das permissões.

– Isso é um absurdo! – uma das senadoras exclama, se levantando. – Eu tenho direito de não querer frequentar os mesmos estabelecimentos que *eles*.

– A senhora tem tanto direito de querer frequentar os estabelecimentos que quiser quanto eles, Senadora Pauline – Petra rebate de forma serena. – Se a lei continuar como está, os estabelecimentos precisam poder proibir a entrada de *humanos*. Como se sentiria quanto a isso?

– Nós não somos uma ameaça para a sociedade! – ela rebate, cruzando os braços.

– Há mais alguma objeção? – Petra pergunta, ignorando a birra da mulher. – Não? Aqueles a favor, levantem as mãos.

Existem tão poucas mãos levantadas em comparação com as votações anteriores que fico nervosa, mas faço uma contagem rápida e vejo que são pouco mais do que a metade. Petra termina a contagem e anuncia que a medida foi aprovada por maioria qualificada.

Eu suspiro, aliviada, até que ela parte para a próxima:
— E, por último, para fechar o primeiro pacote de reformas: a elevação para cinco vagas destinadas a senadores anômalos, iniciando-se na próxima eleição. Pelo menos um vindo de cada uma das principais Cidades Especiais, alavancados por campanhas locais, como acontece com todas as outras cadeiras — ela fala e é recebida com um silêncio sepulcral. — Alguma objeção?
— Cinco? — Vejo um homem se levantar com os braços cruzados e fico surpresa quando o identifico quase imediatamente como o representante de Kali no Senado. — Nós somos a província mais importante para a segurança desse país e só temos um representante, Senadora Amani.
— Estou ciente das dificuldades de representação das nossas províncias, Senador Patil, e pretendo discutir várias outras reformas nesse sentido. Bantu é uma das maiores províncias da União e nós temos apenas três representantes. Não é um sistema justo, mas podemos dar mais um passo em direção a isso agora. Lembrem-se de que temos uma população extremamente nervosa e precisamos acalmá-los se não quisermos o pior — explica e, quando vê que não há mais nenhuma observação, convoca todos a votarem também.

Se o resultado anterior foi apertado, esse é mais ainda. A votação é ganha por um voto de diferença, e eu abaixo o rosto, me sentindo muito mais leve depois de tudo isso. Eles podem ter votado movidos pelo medo de uma guerra civil, mas pelo menos haviam decidido tomar algum tipo de ação. Não precisarmos mais ter autorização para sair de Pandora nem sermos proibidos de entrar em lojas me parece um passo imenso, embora não me escape que ainda somos obrigados a usar amarelo para nos diferenciar dos demais. Eu quero sair e celebrar, mas logo Petra cede seu lugar no centro para o Senador Patil, de Kali, e ele parece orgulhoso de finalmente estar ali, com toda a atenção para si.

O homem elucida, então, as descobertas da Polícia Nacional sobre os campos de refugiados. Não há como negar que algo precisa ser feito, e me sinto ultrajada quando descubro que a maior parte dos refugiados é traficado para o Império. Aparentemente, todos os Fornace mantinham um relacionamento bem próximo com nossos inimigos e, além da venda de mão de obra, também praticavam outras gentilezas, como garantir que não iriam usar toda a força da marinha e da aeronáutica da União contra os dissidentes. Nenhum senador parece estar chocado com isso, e vovó Clarisse me explica que essas exibições aqui são apenas um espetáculo, todos recebem os relatórios detalhados de antemão.

A solução sai com unanimidade: o fim do programa de refugiados como é feito hoje e, como reparação para os que atualmente estão nas fazendas, a posse da terra em que trabalhavam. A próxima me deixa um pouco mais apreensiva, mas faz sentido – terminar a guerra nos próximos dez anos. Não acho que seja possível, mas os senadores parecem otimistas.

O saldo final é maravilhoso e nós compartilhamos sorrisos, esperando o encerramento. Mas quando o Senador Patil se acomoda em seu lugar, toda a minha animação morre quando vejo que o Senador Fueller está no centro do plenário.

– Eu recebi um pedido inusitado essa manhã, de uma garotinha que não se identificou – fala. – E acho que, dados os resultados de hoje, o discurso da Senadora Amani e todo esse teatro de garantir direitos para essas... pessoas, nós poderíamos pensar no assunto: condecorar, postumamente, Fenrir pelos seus serviços prestados à União. Afinal, ele foi o responsável por nos livrar do ditador e cônsul Fornace, não é mesmo? E ele morreu como um herói para os anômalos.

Eu me sinto morta por dentro com as suas palavras e olho para os senadores, mais surpresa ainda em vê-los atentos, como se as palavras de Fueller fizessem sentido. Eu tenho vontade de me levantar e lembrar a todos eles que estariam mortos se não tivéssemos parado Fenrir e que, no final, foram os humanos que o mataram.

– Nós mostraríamos nossa leniência com essas aberrações sem gastar muito, alimentando-os com um símbolo vazio para que não exijam o braço, agora que demos a mão – ele diz, arrumando o terno.

– Isso é absurdo! – Não me contenho e sinto o olhar gélido do homem sobre mim. – Fenrir não merece nenhum tipo de condecoração pelo que fez, muito menos virar um símbolo para os anômalos.

– Você vê? Mal aprovamos as leis para ajudá-los e eles já querem roubar nossa voz – ele desdenha, me ignorando. – Alguma objeção de algum *membro* deste parlamento?

– Ele teria matado a todos nós se pudesse – Petra diz. – E você quer lhe dar uma medalha?

– Qual a alternativa, senadora Amani? Ir à televisão e declarar que Fenrir, que foi assassinado por humanos, que foi o sobrevivente do Massacre Amarelo, o herói dos anômalos, não é nada do que esperam? Ninguém acreditaria em nenhum de nós – o homem explica, e a forma como todos ali o encaram me deixa assustada, com medo de que Petra não consiga derrotá-lo caso entrem numa votação para decidir o próximo cônsul. Eu não aguentaria algo como o que aconteceu dessa vez. – Então nós damos a eles o que querem: Fenrir, o mártir que precisam.

E observo, estupefata, enquanto a ação é votada com quase unanimidade pelos presentes, e Hannah morde os lábios até que sangrem ao meu lado.

É absurdo como, mesmo morto, Fenrir sempre está um passo à nossa frente.

Capítulo 39

Estou com o sentimento mais amargo do mundo quando, dois meses depois, sou obrigada a me sentar nas fileiras de cadeiras reservadas aos *heróis* do Levante de Verão, no palco montado em um parque de Pandora, para assistir enquanto entregam uma medalha ridícula para Áquila pelos serviços que seu pai prestou à União. O nome que deram ao acontecimento me dá vergonha, e toda a pompa e circunstância em que o fazem me deixa desconfortável. O sol está em seu ápice e quero que ele me derreta e me impeça de ter que assistir a essa cerimônia. Mal consigo enxergar com essa claridade, meu olho esquerdo ainda extremamente sensível depois da segunda cirurgia, e aperto meus olhos, tentando discernir as pessoas na multidão. Ao meu lado, Andrei afasta a gola de sua camisa de manga comprida do pescoço para ventilar melhor, mas está suando em bicas, sem poder subir as mangas para não prejudicar a cicatrização do seu braço queimado. Leon e Hassam estão logo atrás de nós: Leon com os braços cruzados e Hassam com os olhos de águia, atentos a tudo ao nosso redor.

– Alguém me lembra por que estamos aqui mesmo? – Leon sussurra atrás de nós e Andrei dá uma gargalhada curta e amarga.

– O ego de Fenrir é tão grande que precisa ser massageado até depois da morte – Andrei responde e eu contenho o meu sorriso.

Acho que qualquer pessoa mais atenta percebe que a única que parece satisfeita com a cerimônia é Felícia, sentada na frente do palco em que estamos, com seu sorriso felino. Eu imagino como a garota deve parecer trágica, tão jovem, tão pálida, com a prótese branca no lugar de um dos braços. Eu não faço ideia de como Felícia ainda está solta, mas assim que a vi, procurei Jorge Cruz no seu lugar como chefe da segurança do evento, e ele se desculpou falando que tinham indícios de que ela havia sido manipulada para colaborar com Fenrir. Eu quase gargalhei na sua cara, dizendo que *eles* com certeza foram manipulados por ela, mas me contive. Eu me senti mal por ela quando descobri que os acontecimentos no plenário culminaram em seu braço amputado por causa do congelamento, mas assim que vi a maneira como os novos *amigos* dela, todos ex-membros da Aurora, se comportavam como robozinhos ao seu redor fiz questão de eliminar qualquer pretensão de empatia.

Como se não bastasse Felícia livre no mundo para exercer sua anomalia de psicopata, todos os membros da Aurora foram absolvidos, e professor Z detido em seu lugar. As alegações de que usou da sua influência como educador para fazer lavagem cerebral nas crianças, de que ele era o culpado real pela explosão no dia do Comício, de que era responsável pela ameaça de bomba na Prova Nacional o levaram direto para a cadeia, sem previsão para sair. Ele é um ser horrível, mas dá um gosto amargo vê-lo sendo preso por crimes que Fenrir e o cônsul Fornace cometeram. Acho que é mais fácil apontar um culpado para ser punido do que assumir a verdade.

Por mais que me irrite, eu entendo que o Senado está fazendo o possível para acalmar os ânimos. Nenhum cônsul foi eleito ainda e o governo provisório, encabeçado por três senadores de partidos diferentes, está sendo pressionado de todos os lados para resolver o número crescente de problemas que surgiram quando o cônsul Fornace foi afastado do poder por Fenrir. É quase como uma hidra: cada cabeça que eles cortam faz com que duas surjam no lugar. O bloqueio às Cidades Especiais foi retirado, sim, mas em seu lugar surgiu a dificuldade de abastecê-las e de fazê-las voltar a funcionar como antes. Os refugiados ganharam acesso às suas fazendas, mas não há consenso entre eles e o Governo quanto ao preço dos alimentos. Ainda há muito a ser feito, mas pelo menos o Senado parece disposto a agir.

Encaro Felícia com intensidade, mesmo que não consiga enxergá-la bem, querendo que meu olhar a faça cair morta. De alguma forma, no último mês, ela conseguiu ser elevada a um patamar de quase santa, a garota que desafiou seu próprio pai em nome da liberdade para os seus *iguais*.

Se eu não tiver sucesso, Hannah, sentada logo atrás da menina, com certeza conseguirá, porque é só esbarrar na cadeira de Felícia para que ela caia na multidão abaixo de nós. Gunnar senta ao seu lado, mortalmente entediado, e estamos só nós aqui em cima, como se vovó Clarisse, Idris ou todos os outros que nos ajudaram, Rubi e a Polícia Nacional, os membros do Sindicato, não importassem. Eles escolheram os mais quebrados para trazer para cá e construir uma historinha que os agradasse. Que graça tinham duas velhas e pessoas com treinamento salvando os anômalos? Tragam os adolescentes, quanto mais machucados, melhor!

— Você está prestes a explodir algo, se acalme — Andrei sussurra para mim.

— Percebe que vamos ter que fazer isso para sempre, pelo resto das nossas vidas? — eu lembro, apontando para todo o circo em que estamos. — Nós vamos ter que vir aqui e ouvir pessoas falando sobre como Fenrir era maravilhoso, como ele vomitava arco-íris e algodão-doce enquanto nós sabemos a verdade.

— Mas olhe para Áquila. Ninguém está sofrendo mais do que ele. — Andrei aponta para onde seu primo está sentado, sozinho, no meio do palco, e, se eu não o conhecesse tão bem, diria que há uma pontada de pena em seu tom. — Ele tem uma medalha de "parabéns pelo seu pai babaca". Sempre pode ser pior. Fico em silêncio e pego o leque que vovó Clarisse me entregou antes de subirmos aqui, usando-o para tentar aliviar um pouco nosso calor, e contenho um sorriso quando alguém da plateia parece decepcionado por não ter tido a mesma ideia. Andrei se inclina na minha direção para pegar mais vento.

— Vamos nos distrair. Quem achar a maior quantidade de pessoas com verrugas no nariz ganha. — Ele me desafia e olho para ele, escondendo meu sorriso com o leque.

— Na plateia? Eu não enxergo mais tão bem assim — falo, com um muxoxo, e Andrei exibe uma mistura de vergonha e raiva, e também fuzila Felícia com o olhar. Eu encosto a cabeça em seu ombro. — Tá tudo bem, obrigada por tentar.

Ele concorda, desanimado, e, quando a cerimônia começa, me concentro intensamente nas pessoas mais próximas da plateia. Embora não consiga ver com nitidez, percebo a satisfação que sentem, como se a justiça finalmente estivesse sendo feita e, quando Áquila é chamado ao pódio para discursar e se move até lá com ajuda das suas muletas, as pessoas clamam pelo nome de Fenrir; o cântico se espalha pela multidão como uma peste. O garoto finalmente chega ao microfone:

— Meu pai era uma pessoa... determinada. — Ele parece escolher bem as palavras. — E sentia que seu objetivo final era comandar todos os anômalos rumo a uma vida melhor. Eu acho... que ele ficaria orgulhoso de receber essa honra. Muito obrigado.

Não chega nem perto do discurso que estavam esperando, e, sem jeito, o mestre de cerimônias chama Felícia para falar a seguir. Minha atenção se volta inteiramente a ela quando para no púlpito e observa a multidão. Ela percebe meu olhar e sorri para mim, como se compartilhássemos um segredo.

— Eu era uma menina assustada sob o domínio do meu pai, que me odiava mais do que qualquer outra coisa, quando conheci Fenrir. Ao longo do tempo em que convivemos, ele me ajudou a entender melhor o que significa ser anômala, o que significa ser especial. Ele foi como o pai que nunca tive, que me recebeu como sou e me ensinou o que é respeito, compreensão e autoaceitação. — Ela faz uma pausa, abraçando a prótese contra o seu corpo. — E não deixo de me orgulhar ao ver que o seu maior objetivo foi cumprido: ele fez uma diferença para nós. Fenrir entendia que não importava o preço que precisasse pagar, a liberdade é mais importante. E quando saímos daqui para exigir nossos direitos no Senado, ele estava disposto a dar a vida se fosse necessário. Felizmente, estamos aqui reconhecendo a importância, agradecendo pelos seus esforços. Mudamos o plano que meu pai tinha para nós, destruímos sua ideia de país.

— Olhe para ela. — Ouço Hassam comentar atrás de mim. — Roubando todo o crédito para Fenrir.

— Eu não duvido nada se Fenrir arquitetou a própria morte — Leon acusa, e quero responder que não acho que ele seria capaz disso, que ninguém finge medo tão bem como ele demonstrou em seus últimos segundos de vida. Que seja lá quem mandou matá-lo, não deve ter antecipado o impacto que isso teria.

Felícia continua seu discurso, focando em como seu pai era

um ditador, e eu me sento na beirada da cadeira, observando-a. Ela está radiante, como se fosse exatamente isso o que queria. "Mudamos o plano que meu pai tinha para nós, destruímos sua ideia de país", foi o que ela disse. Lembro da briga com ela no plenário, em que disse que só impulsionou Fenrir para a ideia que já tinha, de como mencionou o próprio pai, e abro e fecho a boca, me sentindo extremamente paranoica. Mas e se... e se tudo isso só aconteceu por que *ela* pressionou um homem contra o outro? E se o assassinato de Fenrir foi a última ordem que o cônsul deu, sob o domínio de Felícia?

Me sinto cada vez mais nervosa. Essa garota de rosto angelical só tem 15 anos de idade! Minha mente deve estar me pregando peças, porque essa teoria é insana e duvido que alguém acredite nela. Balanço a cabeça para me distrair e percebo que a cerimônia está no fim, ainda bem. Não adianta nada conjecturar esses fatos sobre os quais nunca vou descobrir a verdade, porque se eu nunca mais vir Felícia, ainda assim vai ser cedo demais.

Quando descemos do palco, somos recebidos por uma multidão de jornalistas, mas fujo com Andrei para minha casa, onde nossas famílias combinaram de almoçar, e somos os primeiros a chegar. Eu me jogo no sofá, colocando meus óculos de sol numa mesa de canto, e Dorian pula no meu colo, alheio a toda a minha irritação.

– Estou fervendo – Andrei reclama, arrancando sua blusa e procurando uma regata na mochila. A pele de seu braço e de parte do seu tórax está bem melhor, mas ainda está enrugada e rosada, as cicatrizes que terá no futuro cada vez mais aparentes. – O discurso de Felícia foi sinistro.

– Nem me fale – digo, pressionando a mão nas têmporas, frustrada. – Tenho a impressão de que ela é pior que Fenrir.

– Pelo menos não temos mais nada a ver com ela, e nem vamos ter. – Ele encontra a blusa que procurava e a veste, se sentando ao meu lado com cuidado para não encostar o braço machucado no tecido do sofá. Dorian pula do meu colo para o dele, se esfregando em sua barriga. Andrei leva a mão direita ao pescoço do gato, fazendo carinho nele.

– Talvez... – Hesito e Andrei olha para mim, intrigado. – Eu

recebi um convite. Para fazer parte da Polícia Nacional. E estive pensando muito nisso desde que saí da assembleia.
— Você não pode estar pensando em entrar para o serviço militar. — Ele franze a testa. — Sybil! Você fugiu de Kali para não participar de nada disso.
— É diferente. — Olho para meus próprios pés. — Não é o Exército, a Marinha ou a Aeronáutica, é uma força especial. E eu tenho escolha, dessa vez. Se não quiser, posso seguir e ser, sei lá, garçonete ou sorveteira.
— Ou cientista, ou senadora, ou qualquer outra coisa que você quiser — ele enfatiza. — Se você quiser fazer artesanato para vender nas estações de metrô, você pode. Há opções ilimitadas.
— E uma delas é essa — digo e, quando levanto os olhos, vejo como ele não consegue entender. — Esquece. Eu não devia ter falado sobre isso agora.
— Não, Syb, eu só... não faz sentido. Isso é por que você não se acha boa o suficiente para fazer outra coisa? Você é boa em tudo...
— Não é isso, Andrei. É só que sou ótima em sobreviver em situações absurdas e bolar planos de última hora e talvez eu goste de fazer isso. — Levanto-me, arrumando o cabelo escuro atrás da orelha inconscientemente. — Mas ainda tenho um ano para decidir sobre isso, eu só queria... que você soubesse que estou pensando no assunto.

Quando Andrei não responde, me viro e o vejo brincando com o gato, sem prestar muita atenção, seus pensamentos distantes. Quando percebe que o observo, levanta o rosto, dá um sorriso que parece um pouco forçado, e sinto um aperto no coração.

— Vocês vão querer ajuda a empacotar as coisas da mudança? — pergunto, na tentativa de mudar de assunto.
— Acho que sim, mas... — Ele suspira e sua voz soa um pouco quebrada, seus ombros encurvados. — Ninguém tem coragem de mexer nas coisas da minha mãe ainda. A gente... é difícil. É difícil ficar dentro de casa e lembrar dela.
— Eu imagino — falo, consolando-o. — Mas vocês já acharam o apartamento novo, agora está mais perto do que antes.
— Mas ir para um lugar onde ela nunca esteve... — Ele esconde o rosto no meu cabelo, me abraçando. — Dói.

— Andrei. — Eu encosto o nariz na sua bochecha, apertando-o contra mim. — Você pode ficar aqui o quanto quiser, você sabe disso.

— Ah, antes que eu esqueça! — Ele se afasta, com um sorriso forçado no rosto. — Estava encaixotando as coisas do meu quarto quando achei um negócio... — Ele se levanta e enfia a mão na mochila, tirando um embrulho de presente do bolso maior. — Não tivemos tempo desde o seu aniversário então... aqui está seu presente. Feliz aniversário muito atrasado!

— Oh, eu também tenho um presente para você. — Me lembro, de súbito, e faço um gesto para que ele espere um segundo antes de subir as escadas e revirar meu quarto atrás do pacote. Finalmente, o encontro numa bolsa e o aperto contra o peito quando me recordo de que estava com Zorya quando o comprei. Desço pulando os degraus e, quando volto para a sala, Andrei está sentado novamente no sofá. — Pronto.

— Nossa, fiquei com vergonha do meu presente agora. — Ele se levanta novamente, dessa vez com um sorriso genuíno, e nós trocamos os pacotes.

Eu fico na ponta dos pés para beijá-lo e, depois, nós dois começamos a abrir os embrulhos quase em sincronia, mas ainda estou com o gesso e Andrei acaba primeiro. Ele encara a jaqueta no seu colo por alguns segundos e tenho certeza de que odiou, então paro o que estou fazendo para encará-lo, enquanto ele a desdobra e sente o couro entre seus dedos.

— Você é impossível! — ele fala com um sorriso na voz e eu me aproximo, recebendo o agradecimento que eu queria. — Assim que eu ficar bom, você pode ter certeza de que não vou vestir outra coisa. Você quer ajuda?

— Por favor. — Eu seguro o pacote enquanto ele o desfaz com cuidado, revelando uma caixinha e, quando ele a abre, vejo uma correntinha prateada com uma pedra azul como pingente. Fazemos um malabarismo para que ele segure a caixa enquanto pego a corrente e sinto a superfície lisa entre meus dedos, sem conseguir conter minha felicidade. — É lindo, Andrei.

— É uma água-marinha. É meio brega, porque eu e você temos anomalia de água, mas achei parecido com você. Não sei, a cor da pedra... ela me acalma. Que nem quando estou com você – ele tagarela e eu fico na ponta dos pés novamente, fazendo-o se calar com um beijo.

— É perfeita – respondo e ele sorri enquanto pega a corrente das minhas mãos e tenta colocá-la no meu pescoço. O cabelo gruda no fecho e precisamos fazer uma dança esquisita para ele tentar me desgrudar e, quando vejo, nós dois não conseguimos parar de rir, mesmo com todo o sofrimento dos últimos meses. Ele finalmente consegue prender o fecho e dá um beijo na minha bochecha.

— Pronto – ele sussurra. – Está devidamente no lugar.

— Obrigada – eu digo, encostando a cabeça em seu ombro.

— Você sabe do que eu estava lembrando outro dia? – Ele entrelaça sua mão na minha. – Já faz mais de um ano desde que você chegou aqui.

— Só isso? – pergunto, surpresa. – Ah, é verdade. Fez um ano mês passado.

— Eu queria não ter sido tão preciso com minhas boas-vindas. "Bem-vinda ao inferno", que tipo de babaca diz isso?

— Fiquei assustada, mas achei bonitinho – explico e ele balança a cabeça, com uma risada, encostando a testa na minha.

— Deixa eu aproveitar a oportunidade para me corrigir: bem-vinda aos melhores anos da sua vida, Varuna. Aproveite a jornada.

Eu sorrio e encosto o nariz na sua bochecha, fechando os olhos. Espero que esteja certo dessa vez. Espero que o último ano se torne nada além de uma memória ruim, que pode até ser relembrada todos os anos, mas que está no passado. Porque por mais que seja frustrante ver Fenrir ser reconhecido, ele está morto, e eu estou viva.

E por mais que tenhamos conseguido alguns avanços, ainda temos um longo caminho pela frente.

Este livro foi composto com tipografia Electra Std e impresso
em papel Off-White 70 g/m² na Gráfica EGB.